анатолий барбакару

записки
ШУЛЕРА

ЗАКОН ДЖУНГЛЕЙ.
СПОСОБЫ ВЫЖИВАНИЯ

2 0 0 4

УДК 882
ББК 84(2Рос-Рус)6-4
    Б 24

Оформление серии художника *В. Щербакова*

Серия основана в 2003 году

      Барбакару А.И.
Б 24   «Закон джунглей»: Способы выживания. — М.:
        Изд-во Эксмо, 2004. — 384 с., илл. (Записки шуле-
        ра).

        ISBN 5-699-04542-2

Сейчас, наверное, нет ни одного человека, который хотя бы
раз не попал в криминальную ситуацию. Будь то квартирная
кража или проигрыш в карты, кража автомобиля или простое
уличное хулиганство — на душе всегда остается неприятный оса-
док, а в карманах неприятная пустота. Как избежать подобных ситуаций? Как выйти из них с наименьшими моральными и матери-
альными потерями? Что делать, если тебя все-таки ограбили или
побили? В этом с помощью своих бывших «коллег по цеху» про-
бует разобраться бывший карточный шулер. В этой книге вы найдете множество эксклюзивных советов, которые дают отбываю-
щие наказание карманники, грабители, хулиганы и др., знающие
о мире криминала с обратной стороны.

                                      УДК 882
                                      ББК 84(2Рос-Рус)6-4

Вместо предисловия

Об этих свежеприобретенных радостях — рынке, демократии, свободе личности и т. п. — сколько уже сказано-пересказано... Среди сказанного случалось и разумное. Например, такой образ.

Жила себе живность в зоопарке. Ну и что, что в клетках? Зато сверху не капало. Смотрители с голоду помереть не давали. Да и следили, чтобы звери друг дружку не обижали. В общем, ровненько всем жилось, одинаково. И вдруг — клетки нараспашку. Выпустили живность, о естественном отборе краем уха слышавшую, на свободу. В джунгли. Как манна небесная, свалилась на голову благодать, о которой мечталось. Иди куда хочешь, твори что желаешь... Но, правда, крыша над головой, как и миска с харчами, уже не гарантированы. А главное... могут сожрать.

Этот безрадостный образ «рынка» и есть предпосылка для данного опуса.

Как выжить? Как не дать себя сожрать?

Никакое это не учебное пособие. Это всего лишь попытка вывести некоторые принципы выживания в современных джунглях. Причем вывести из примеров правильного (или неправильного) поведения ближних.

Карнеги написал идиллический труд: «Как заводить друзей, или кратчайший путь к известности». Нам бы его хлопоты. В нашей цивилизации куда актуальнее другие проблемы. Скажем: как уберечься от врагов или найти более-менее верный путь выживания...

Глава 1

КАРМАННИКИ

Эта уголовная профессия одна из самых миролюбивых. Единственным, кому карманники уступают в миролюбии, так это аферистам. «Кровные», которые карманники и аферисты изымают у ближних, редко — последние. И к тому же изымаются они без скандала. И самое главное: ближние при обработке представителями этих двух специализаций остаются без наличности, зато при достоинстве. А это — не мало. (Не усмехайтесь. Поинтересуйтесь мнением тех, кого, мало того, что обобрали до снятых с унитазов крышек, так еще и обесчестили паяльником.)

Степень миролюбия у аферистов выше только потому, что, во-первых, работа их подразумевает добродушно-улыбчивое общение с облапошенным, а во-вторых, самую кульминационную фазу процесса, избавление от кровных, он, облапошенный, берет на себя. Избавляется собственноручно.

Карманникам же во время производственного процесса предпочтительнее выдерживать равнодушно-задумчивое выражение лица. Улыбка, особенно по нынешним тоскливым временам, непременно насторожит жертву. Но главное различие: карманникам все приходится делать самим. Хоть и без скандала, но и без спросу.

И еще одно существенное различие между профессиями «карманник» и «аферист» имеет место — в отношении к ним обывателей.

Это только в уголовной среде «карманник» —

звучит уважительно. Как ни втемяшивают обывателю в фильмах и книгах, что сесть за «карман» — достойно, он, обыватель, на тонкости преступной иерархии плюет. Карманник для него — заурядный вор. Не то что аферист, почти всегда вызывающий восхищение. («Почти» — потому что бывают случаи, когда чувства восхищения не возникает. Это — когда облапошили самого обывателя.)

Как себя вести, если судьба свела вас со «щипачом»?

А вот это смотря когда вы обнаружили, что «сведе́ние» имело место. Если узнали об этом после того, как контакт состоялся, то есть пришли к такому выводу пресловутым дедуктивным методом (не обнаружив кошелька), то можете маленько поорать, попричитать, пощупать окружающих вас граждан. Проку от таких действий не будет никакого, зато душе, возможно, полегчает. Хотя вряд ли. Позже, вернув себе способность трезво рассуждать, вы скорее всего признаете напрасность собственного громогласного поведения. Ведь мало того, что вы сошли за жертву, за лоха, так вы еще и во всеуслышание объявили: «Смотрите все! Вот он я — лох!» Карманник-подлец хоть и обобрал вас, но сделал это деликатно, по-джентльменски, дав вам возможность скрыть собственную лоховитость, сохранить лицо. А вы этой возможностью сгоряча не воспользовались. Ну кто вы, в самом деле, после этого?..

Но гораздо более драматургически насыщенным может быть ваше поведение, если вы зафиксировали сам процесс контакта. Тут главное — не засуетиться, не поспешить с репликами. Хотя опять же... Если вы женщина, проживающая один из своих трудных дней, или мужчина, возвращающийся с бессмысленного свидания (по той же нелегкой причине), то можете позволить себе не мудрствовать. Заголосить от души. Или дать контактеру по морде. Глядишь, и впрямь день после этого не покажется таким трудным или бессмысленным.

Но поступок этот только тем и будет полезен, что отвлечет вас от неприятностей.

(Не очень уместно, но к слову: вспомнился курьезный эпизод, приключившийся с одной барышней на одесском «толчке». Курьезность эпизода, на мой взгляд, оправдывает его явную щепетильность.

День у барышни и вправду оказался одним из тех самых, по-женски трудных. Но, несмотря на это, обнаружив, что карманник прибрал к рукам ее кровные, женщина не стала давать волю эмоциям. Но только потому, что «кровные» в данном случае были такими в прямом смысле.

Время было допотопное. О «тампаксах» да прокладках тогда не то что по телевизору не говорили. Их не подразумевали, даже говоря о неумолимо надвигающемся коммунизме.

В общем, женщины спасались от такой напасти, как женские дни, обычным дедовским... бабовским способом. Сворачивая «самокрутки».

И вот... Такую, уже отслужившую свое, «самокрутку» эта не в меру сознательная гражданка не выбросила, как другие, под ноги шагающему к коммунизму толчковому люду, а герметически, запаковав в огрызок газеты, попридержала до ближайшей урны в кармане пальто. У урны сунула в карман руку. Пусто.

Стибрили «самокрутку».

Вот стыд-то. Барышня глаза на окружающих поднять боится. Времена-то были не нынешние. По телевизору и впрямь только про «коммунизм» да про «коммунизм». И ни слова про женские проблемы.

Но когда она услышала в толпе обиженно-злобное шипение:

— С-сука... — безошибочно поняла, что это ей. Стыд как рукой сняло. Передумала барышня домой идти. Развеселилась. Веселясь, потом и поведала о курьезе подругам.)

Вернемся к анализу поведения...

Если у вас и менопауза в разгаре, и свидание, тьфу-тьфу, удалось, то обнаруженный контакт с карманником — это как раз тот самый случай, который позже даст вам законное основание дополнительно зауважать себя. За свое достойное и где-то даже благородное поведение. Разумеется, если ваше поведение окажется таковым.

Каковым — «таковым»? А вот каковым... Если определить его, поведение, одним-двумя словами, то слова эти будут: «вкрадчиво-ироничное». Что это значит? Это значит, что, обнаружив постороннюю руку, скользнувшую змеей в ваш карман или сумочку, не спешите панически хватать гадину за горло. Не потому не спешите, что змея может ужалить, а всего лишь потому, что тем, что вы застали ее в кармане или в сумочке, вы, можно сказать, уже схватили ее. И ваша задача теперь — всего лишь дать это понять заклинателю — карманнику. И вот тут как раз есть где разгуляться вашему тонкому ироничному стилю, вашему благородству.

Конечно, все эти советы-умничания однозначно приемлемы в том случае, если змея-дуреха полезла не в тот карман. Не в тот, в котором вы, хитрован, припрятали «кровные» и который, по вашему разумению, выполняет функцию переносного сейфа.

А как быть, если именно этот карман вы, недотепа, назначили сейфом? Если именно в нем (на манер Кощея, доверившего свое бессмертие какому-то сомнительному яйцу) вздумали держать самое ценное из того, что взяли с собой в трамвайно-троллейбусно-рыночное путешествие? Иронично смотреть на то, как кто-то, можно сказать, уже щупает твои кровные?.. Это же... Сердце может не выдержать. На то оно, сердце, и претендует на благородство, чтобы выдержать.

И в этом случае суетиться нет смысла. Если вы застукали «змею» с поличным, поверьте (не мне — профессиональным карманникам, консультировавшим меня в процессе работы над главой), так вот, поверьте этим заслуженным гражданам: «змея» уползет ни с чем.

Надо бы все же уточнить: почему при обнаружении руки вора, приближающейся к вашему карману, или уже орудующей в нем, или только-только его покинувшей, не стоит поднимать кипеж. Уточняю: исключительно из соображений деликатности и бессмысленности кипежа. Осторожность к предпочтительности такого поведения не имеет никакого отношения.

Существует мнение-слух, что в случае шумной реакции жертвы карманники имеют обыкновение педагогически одергивать жертву, полоснув ее бритвой по лицу.

Слух ложный. Во всяком случае, был ложным до недавнего времени.

Помните, Жеглов науськивал Шарапова: приличный щипач на дело в качестве инструмента даже бритву не берет, пользуется заточенной монетой?

То-то же...

Можно ли представить, чтобы современный хакер, если его застукали на компьютерном взломе и объявили об этом всем, обиженно взял автомат и пошел мстить тем, кто застукал? В боевиках, возможно, такое и случается. Но в жизни... Хакеры — они преимущественно дохляки ничуть не воинственного вида. Нутро у них, конечно, дерзкое. Этим-то и берут. Дерзостью и профессионализмом. Точь-в-точь как карманники. И, как карманники, дорожат профессиональной репутацией. И статьей кодекса, которая репутацию эту оценивает.

В общем, не станет карманник против какого-то одноразового кошелька собственную уважаемую репутацию и несколько лишних лет срока на кон ставить.

Но все же слух о мстительной бесшабашности карманников имеет смысл. Для карманников и имеет. И их стараниями культивируется, не чахнет.

Помню, на хате Рыжего авторитет-карманник из Березовки (я все дивился: как он авторитет в Березовке нажил? Там же ни троллейбусов, ни толп...), так вот, авторитет этот по кличке Валентин Степаныч выговаривал одному из своих подмастерьев, лоханувшемуся в «пятом» трамвае:

— Ты куда со «шмелем» подался? Зацапала тебя бикса со «шмелем» — откати. Только по уму. На умняке спроси: «Не вы, гражданочка, обронили? Смотрите, осторожней, люди сейчас такие... Увидят — не скажут». А ты...

Из подслушанного тогда «разбора полетов» понял я, что в трамвае произошло. Этот опростоволосившийся щипач кошель, выловленный из кармана биксы (молодой женщины), не вернул. Несмотря на то, что был «застукан» хозяйкой. «Беды» (термин березовского авторитета) удалось избежать только потому, что второй подстраховал. Упредил истерику обещанием:

— Рожу разрисую...

Сработало обещание. А если бы не сработало... Примерно этот вопрос, только на своем диалекте, при разборе то и дело риторически задавал «несмышленышу» Валентин Степаныч.

Но повторяю: опасение, что обнаруженный вами карманник в случае скандала рискнет «утяжелить» себе статью бритвой, можно было с уверенностью считать ложным еще недавно.

В последнее время частенько «щиплют» непрофессионалы. Всякий случайный люд вроде наркоманов и прочих никчемных граждан, доведенных бытием до ручки (собственной ручки в чужом кармане). Профессионального поведения ждать от этих дилетантов не приходится. Могут и впрямь полоснуть. Они, дилетанты, тоже, поди, в курсе слуха. А что, если, взявшись осваивать ремесло карманника понаслышке, примут его, слух, в качестве руководства к действию?

Что ж, тем более нам, возможно, подвернувшимся такому неучу, шуметь не рекомендуется.

Читатель вправе уточнить: что я имел в виду, рекомендуя иронично-благородное поведение тем, кого «общипывают». Поконкретнее.

Пожалуйста. Там же, на «малине» у Рыжего, случайно присутствуя на утренних и вечерних летучках, проводимых гуру — Валентином Степанычем, я наслушался конкретных примеров. И с удивлением иногда слышал уважительные интонации рассказчиков. Уважительные по отношению к бдительным жертвам. Вот фрагменты этих отчетов, изложенных уважительным тоном и с одобрением воспринятых рецидивистом-наставником:

...— Я только «шмель» подсек, а пассажир из подмышки мне (рука-то поднята, за трубу держится) лыбится: «Товарищ, — говорит, — зарплату на заводе не выдали. Попробуйте в другой раз. Через месяц. Но ничего не обещаю. Опять могут не выдать». Во фраер!..

...— Пристроился, а хуна — мне: «Какой мужчина! Но чтобы вы сумочку не испортили, давайте я ее открою». И «щелк!» замком...

Я, понятно, в сумочку не смотрю. Что там смотреть — одни заколки да помады. Обиделся. Говорю:

— За кого вы меня, гражданка, принимаете?.. Чувство у меня...

Не поверила. Но сказала, что зовут Раей и что не замужем... За локоток дала себя подержать. Из-под локотка я у «гуся» одного часы и «помыл».

(«Помытые» карманные часы с цепочкой лежали тут же на столе, в куцей россыпи другой добычи.)

...— Я уже отвернулся. Думал «шмель» пролистать. А лох мне на ухо: «Мне, — говорит, — не жалко. Но если без бабок домой приду, жена не даст. Так что кошелек — на родину». Пришлось вернуть...

(На это Валентин Степанович одобрительно крякнул и резюмировал:

— Молодец... — Непонятно о ком: о коллеге или о мужике, не потерявшем присутствия духа, несмотря на экономическую нерентабельность собственного брака.)

Восприняв услышанное на летучках как рекомендации, я и сам дважды опробовал действенность их на практике.

В первый раз, готовясь к выходу из троллейбуса, вдруг обнаружил, что устроившийся ступенькой ниже немолодой мужчина с внешностью возвращающегося из вытрезвителя бухгалтера вкрадчиво заглядывает в карман моего пальто. Аккуратно так под моей рукой, держащейся за поручень, отодвигает клапан и внимательно высматривает содержимое.

Я тоже из-под руки заглянул в оттянутую прорезь и участливо поинтересовался:

— Ничего?

Заглядывающий поднял на меня безобидно-бухгалтерские глаза и, то ли от растерянности, то ли подыгрывая мне, доверительно подтвердил:

— Ничего.

И как ни в чем не бывало уставился в окно, в никуда. Якобы озабоченный тем, что скажет домашним по поводу своего ночного отсутствия.

Освобождая, правда, мне выход на остановке, он не забыл попрощаться:

— Всего доброго....

В другой раз я заблаговременно почуял неладное. Еще когда рука гражданина с неискренне-мечтательным взглядом сатира только-только ухватилась за поручень в непосредственной близости от сумки, свисающей с моего плеча. Через руку был переброшен плащ.

Я конспиративно склонился к сатирьей лысине и пробубнил в заостренное ухо:

— На «первом», «пятом» и «двадцать восьмом» сегодня рейд.

— Спасибо, — ничуть не смутившись, по-шпионски, не подав виду, что слышит, ответствовал сатир — рыцарь плаща. И поинтересовался: — А «восемнадцатый» — как?

Я озадачился. Потом спохватился:

— А-а, — сказал. — Не в курсе. Только насчет «первого», «пятого» и «двадцать восьмого» знаю.

Он заговорщицки запустил правую руку под плащ, нащупал мою, благодарно пожал. И дал отбой сообщнику:

— Кеша! Наша остановка.

И, больше не обернувшись в мою сторону, вышел.

Потом, правда, я плюнул на рекомендации, на правильность поведения. Плюнул после того, как при мне зашлась в трамвае женщина с грудным ребенком, у которой, судя по ее причитаниям, только что изъяли последнее. Проняла меня наблюдаемая истерика. Осела во мне. Как когда-то увиденный впервые эпилептический припадок.

Но в тот же вечер я всего лишь с большей брезгливостью, чем обычно, наблюдал очередную летучку. И снисходительность в моем взоре уже наверняка не просматривалась. Потому что карманники, включая авторитета Валентина Степановича, косились на меня даже с большим уважением, чем обычно.

И я был уверен, что если в очередной раз карманник встанет на моем трамвайном пути, то ему несдобровать. Не сомневался: выловлю гада — порезвлюсь от души.

Но когда-таки выловил...

Времени, что ли, много прошло... Два года почти. Или тот факт, что с выводком Степаныча из одного чайника заварку разливали, дал о себе знать...

Ни черта я не порезвился...

Я тогда, стоя на нижней ступеньке у троллейбусной двери, засек такой процесс: расположившийся рядом со мной прилично одетый, молодой, симпатичный блондин с обмякшим мученическим лицом наркомана, склонившись, запустил руку между умышленно расставленных сексапильных ног сообщницы — красотки-брюнетки, тоже вполне мученической внешности. За ногами, на троллейбусном полу кто-то опрометчиво устроил огромную фирменную сумку. Многочисленные кармашки сумки парень и подвергал монотонному, неспешному обыску.

В этот раз умничать я не стал. Сказал негромко, но и не особо заботясь о деликатности произношения:

— Порву, — говорю, — к е...ене фене.

— Почему? — оборачиваясь ко мне, очень внимательно, проникновенно, в упор глядя на меня, интересуется наркоша.

— Настроение, говорю, такое. Порвать. Так что пшел вон из трамвая. И ее не забудь. — Без улыбки гляжу на брюнетку.

Та не замечает меня. Вся в своих мучениях.

Он еще какое-то время заторможенно пялится на меня и кличет через весь трамвай:

— Вася, билеты у тебя? Тут товарищ контролер... И Петруху позови.

— И Васю, говорю, порву. С Петей.

Наркоман-наркоман, но реплики про бритву и прочие угрозы оставил при себе. Того, что Вася не произвел на меня впечатления, хватило ему, чтобы понять: продолжать нагонять жути нет смысла. Понял он и то, что я поступаю благородно, насколько могу. Обещаю порвать, но ведь не рву же. И обещаю тет-а-тет.

В общем, свалили они. Все трое. (Пети в трамвае не оказалось.) Вполне достойно удалились. Якобы нехотя. Всего лишь уступая требовательным настояниям подруги. Сопровождая удаление красноречивыми взглядами. Мол: «Баба помешала. Жаль...»

Глава 2

РЭКЕТ

Засомневался: отводить ли теме рэкета главу?

«А как же?!» — поди, опешил читатель. Только и слышно последние лет десять: «рэкет», «вымогательство», «наезд»...

Потому и засомневался, что каждый и так наслышан. (Как минимум.) И еще одно: период цвете-

ния рэкета в наших условиях — явно позади. Как
это называли классики: первоначальное накопление
капитала? Накопление, тьфу-тьфу, уже состоялось.
Нынче у бывших рэкетиров, а ныне уважаемых ди-
ректоров и президентов компаний время сбора уро-
жая. В виде доходов от добропорядочных фирм.
В виде заслуженного уважения со стороны бывших
потерпевших. И тех, кому повезло в свое время не
носить этот юридический ярлык. (Но только потому, что вымогать у них было ничего.)

И кстати... Эта, похоже, нескончаемая для греш-
ных везунчиков урожайная страда радует и самих
потерпевших. (Состоявшихся или гипотетических.)
Нет, не в том дело, что некоторым позволено подби-
рать недоубранные колоски. Другое утешает... Раньше, еще несколько лет назад, они ждали от этой
жизни чего-то. Жизнь проходила в страхе и надежде.
Теперь она стала безнадежней, но безопасней. Повод ли это для радости? Для тех, кто постарел на десять лет, — повод. (Тем более что другого — нет.)
Старение, даже и такое незначительное, предполагает некоторое затухание интереса к ценностям плот-
ским в пользу ценностей философских. К покою,
например.

Уличной-то преступности, несмотря на старания
репортеров криминальных хроник, убыло. Те, кто
отвоевал поля, прибрал их к рукам, не позволяют
кому не попадя шалить на угодьях.

А все остальные думают примерно так: раз уж не
удалось построить себе особняк с парком и аллеями,
по которым мечталось шаркать в старости, будем
довольствоваться безопасными прогулками по алле-
ям казенным. Хоть так...

В общем, рэкет — это дисциплина жизненного университета, через которую прошло большинство. Вот я и засомневался: стоит ли возвращаться к ней?

Разве что для того, чтобы освежить в памяти усвоенный материал...

Для начала немного классификации. Несмотря на то, что разновидностей наездов может быть уйма (статья «за вымогательство» — емкая: и заурядное ограбление, и шантаж, и все, что угодно, при желании можно подвести под нее. По сути: весь бандитский промысел — сплошное вымогательство.)... Так вот, несмотря на емкость понятия «наезд», просятся выделиться две его разновидности.

Первая: «наезд» заказанный. Имеющий место при выбивании долга.

Вторая: «наезд» коммерческого свойства, замаскированный под предложение предоставить «крышу».

Наскоро разберемся с первой разновидностью.

Если к вам пришли с целью постановки «на счетчик» в связи с не выплаченным вами кому-то долгом, не особо артачьтесь. Можете для пробы заявить, что у тех, кто к вам пришел, ничего не одалживали, а значит, выяснять с ними отношения не считаете нужным. Но долго не пробуйте. Хотя, я думаю, и без моих советов злоупотреблять пробами вам не захочется. После первых же доводов — оплеух со стороны пришедших.

Как и при всяком виде рэкета, при данной разновидности главное — сразу же начать тянуть время. Торговаться, сетовать на паразита дантиста, высосавшего все сбережения, интересоваться, помогут ли пришедшие в случае необходимости получить долги с тех, кто задолжал вам.

Торгуясь, сетуя, интересуясь, решайте ставший внезапно самым актуальным в вашей жизни вопрос... Соображайте, под чью «крышу» и каким образом вы будете проситься сразу же после ухода вымогателей.

Вторая разновидность наезда может быть более изощренной со стороны бандитов. Среди методов потрошения таких, как вы, и «качели» (когда вы бегаете в поисках «крыши» то к одним, то к другим), и форс-мажорные обстоятельства (когда, помимо назначенной суммы выплат, с вас требуют оплату, например, выкупа из ДОПРа одного из бандитов или лечения пострадавшего за вас охранника). И внедрение своего человека (человека «крыши») в вашу фирму. Якобы для контроля за доходами, а на самом деле для того, чтобы со временем, в случае успешного развития бизнеса, вывести вас из-под «крыши» (только вас, без бизнеса).

Но все это в большей степени головная боль бандитов. С вашей же стороны и в случае коммерческого наезда подразумевается почти столь же незатейливое поведение.

Итак, освежаю ключевой совет: если на вас «наехали» (по поводу ли долгов, по поводу ли только-только зачатого бизнеса), не лезьте в бутылку. Либо платите, либо ищите себе другую «крышу». В любом случае под «крышу» идти надо.

Тем, кто возмутился советом, то есть тем, у кого короткая память, поясню: я ведь советую не как имидж сберечь и не как сохранить уважение к себе. Советую в первую очередь: как уцелеть.

Почему-то уверен я, что если уцелеете, то и с «достоинством» все у вас будет хорошо. Подправите, подрихтуете случившееся в чужом, да и в своем сознании. Никто и не заметит, что имела место уценка.

Если же это самое достоинство поставите во главу угла, если вспомните, что возникало у вас в душе, когда читали детские книжки про похождения всяких Д'Артаньянов и прочих беззаботных дуралеев, тогда что ж...

Конечно, Д'Артаньян, поставленный кем-то «на счетчик» за то, что вовремя не внес арендную плату галантерейщику, вряд ли прибрал бы наши несмышленые сердца к рукам. Но если, впав в детский маразм, вы пойдете на поводу у этого понимания и объявите злу войну, то... Безусловно, останетесь и при имидже, и при уважении. Но довеском к ним обычно идет инвалидность. Как минимум. Как максимум — полный отказ от тех самых плотских ценностей и скоротечный переход в светлую память потомков.

Совет «не лезть в бутылку» идет вразрез не только с подростковыми иллюзиями на свой счет, но и с теми рекомендациями, которые дают нам на случай «наезда» милиционеры: идти с заявлением в ближайшее отделение.

И дело даже не в том, что и тут неувязочка. Д'Артаньян, кропающий «заяву», скажем, на гвардейцев кардинала или на кого-то там еще (кропать-то ему было на кого), тоже был бы не вполне уместен на должности идеала детства.

Милицейские рекомендации не рекомендуются тут по иной причине. По причине их рафинированной теоретичности. Я-то пытаюсь накропать (ну, не смог подобрать более понравившегося глагола) пособие практическое. Пособие, имеющее цель — принести пользу вам, а не, скажем, вашим соседям по коммуналке, каждое утро с надеждой изучающим цвет вашего лица.

Но самое грустное (для меня лично) — это то, что совет этот я даю искренне... И на иронию пыжусь только потому, что не знаю, чем еще замаскировать чувство вины перед тем же Д'Артаньяном. (Выходит, зря он мордовался из книги в книгу, носился со своей честью как с писаной торбой, пытаясь произвести, в том числе и на меня, впечатление, завербовать в последователи. А последователь-то вишь какие советы дает...)

Постараюсь походя и еще одну услугу вам оказать. Возможно, подсоблю в той самой рихтовке другим, тоже вполне искренним, соображением. Вот оно...

Быть в этой жизни под чьей-то «крышей» на первый взгляд недостойно. Особенно для тех, кто хоть чуть-чуть претендует на титул «мужчины». Вопрос только один: что понимать под «крышей». Тот же Д'Артаньян был опекаем (прикрыт) Де Тревилем, королевой, да и дружками своими, головорезами. Я это к тому, что все мы, так или иначе, имеем «крышу». Как минимум (к сожалению, не как максимум), в виде закона и милиции, которым положено опекать нас. И платим этой «крыше» назначенную ею мзду — налоги. Но вот незадача: «крыша» эта, узаконенная, в последнее время ни к черту. Прохудилась до такой степени, что мы под ней, как под маскировочной сеткой. Задерем голову — смотрится грозно. И развернуться не дает. Но не уберегает она нас ни от дождя мелких социальных проблем, ни от камней, которые могут швырять в нас все, кому на «крышу» плевать. (От плевков тоже не оберегает.) Тут волей-неволей другую, более надежную кровлю присматривать станешь.

Так что щепетильность проблемы не в том, что идти под «крышу» приходится, а в том, чтобы оказаться под ней с сохраненным чувством достоинства.

А вот тут уже каждый может себя проявить.

Рассмотрим варианты проявлений...

Вариант первый, самый бездарный. Дождаться, когда на вас «наедут». И в ответ на пароль наехавших:

— Предлагаем охрану.

Или:

— Кому платишь?

Или:

— Ты — под кем? — дать неверный отзыв.

Примеры неверных отзывов:

— Очень хорошо. Охрана мне как раз нужна.

Или:

— Я готов платить вам.

Или:

— Наверное, я — под вами...

Ошибочность варианта вы оцените сразу. Когда

вам назначат сумму вступительного взноса. И позже будете иметь возможность оценивать. Когда стричь вас продолжат безбожно. Безжалостно, подчистую. Как чужую, приблудившуюся овцу.

Вариант второй. Бездарный не менее:

Опять же открыть дело, дождаться «наезда» и в ответ на пароли отвечать принципиально иначе, но тоже ошибочно:

— Приходите завтра, насчет охраны я уточню.

Или:

— Плачу Яшке Горбатому. (Или еще кому-то, о ком вы слышали.)

Или:

— Под Яшкой я. Горбатым. Слышали?

И, воспользовавшись отсрочкой, которую, вероятнее всего, вам выделят, пока будут проверять отзывы, засуетиться в поисках помянутого вами всуе Яшки. И проситься под его крыло.

И взнос первоначальный, и стрижка дальнейшая Яшкой окажутся не менее безбожными. И отношение к вам как к овце без родословной и к тому же дурно воспитанной вы вряд ли уже сумеете изменить.

К тому же при таком варианте поведения вероятна дополнительная существенная неприятность. Пожаловавшие с наездом сами могут оказаться от Яшки. Тогда с отсрочкой не выгорит. Выгорит интерьер вашей фирмы.

Вариант третий. Более или менее разумный.

Вы выясняете, кто предпочтительнее в качестве «крыши» в вашем районе или в разновидности вашего бизнеса, до того, как откроете дело. И заблаговременно, в силу своих дипломатических способностей, заключите договор с «кровельщиками».

Вариант четвертый. Самый разумный.

Подготовку к контракту на содержание «крыши» вы начинаете заблаговременно. И исподволь. Не обнаруживая пока свои предпринимательские амбиции, ищите выход на авторитета. Желательно на авторитета — высшего в вашем регионе, и желательно выход лирического свойства, никак не связанный с вашими проблемами.

Пример.

Вы перебираете в памяти всех своих знакомых, вспоминая, кто из них как-то форсил, что дочка его занимается теннисом у того же тренера, что и сын друга двоюродного брата авторитета.

У самих авторитетов, как и у их братьев, как и у друзей их братьев, зачастую имеет место полезное для затеянной вами комбинации свойство. Они поклоняются силе. И обожают спорт. И сами, несмотря на занятость, на высоту занимаемой должности, имеют обыкновение раз в неделю или в месяц напоминать себе мышечной усталостью, с чего начинали. И плещутся в бассейне (бывает редко), или рысачат по парку (редко), или машут ракеткой (часто), или гоняют в футбол (чаще всего.)

Эта их ностальгическая слабость и есть ваш шанс.

Сначала, регулярно встречая вместе со своим приятелем его дочь, закончившую тренировку, вы знакомитесь с тренером. (Можете записать в секцию своего отпрыска или, что менее цинично, записаться сами.) Через тренера ненавязчиво выходите на друга брата. А дальше — как повезет. Возможно, сам друг окажется в курсе и проболтается, каким видом физкультуры промышляет авторитет. Возможно, вам придется разработать еще одно промежуточное звено — самого брата. Главное, чтобы вы наконец добыли информацию: где (какой стадион, парк, корт, поле) и когда?

Все. Авторитету от вас никуда не деться. Не уплыть, не убежать, не отмахаться ракеткой.

Только не вздумайте в процессе занятий показать, что вы в курсе, кто ваш партнер, соперник или просто сосед по тренировке. Не «сдайте» себя подобострастием во взоре. И если исхитритесь затесаться в ряды футболистов, прите на нападающего авторитета (они обычно нападающие) танком. Ноги, конечно, ломать ему в процессе игры негоже. Это контракту не поспособствует. Но и деликатничать тоже не смейте. В ответ на толчок плечом не вздумайте восхищаться:

— А здорово это у вас получилось. Я аж три раза кувыркнулся.

Ответьте толчком. И даже умеренным матом. Тут можно. Тут это будет не кличем камикадзе, а лирикой. Песней, доступной восприятию щепетильной авторитетской души.

После игры не порывайтесь жать авторитету руку. И если он подаст вам свою, не хватайте ее двумя руками. Вы же не знаете, кого толкали и материли всю игру. Якобы не знаете.

Дальше — просто.

Встретившись в очередной раз с авторитетом перед тренировкой, незатейливо удивитесь:

— Ты, оказывается, Яша?

«Горбатый» добавлять не надо. Подобная фамильярность отправит коту под хвост все литры расходованного вами на тренировках пота. Даже если авторитет в принципе приемлет кличку, пользуются ею при общении с ним обычно только самые-самые свои. Друзья детства. Или жена. Любовницам и ближайшему профессиональному окружению это обычно не позволяется.

Вероятнее всего, на такой риторический вопрос авторитет всего лишь усмехнется. Но отмашки в виде усмешки можете не ждать. Можете уже брать быка за рога:

— Мне говорили: «Будешь дело открывать — с Яшей свяжись». А я себе думаю: «Тоже мне... Не хочу ни с кем связываться. Лучше дело не открою». А это, оказывается, ты. Нормальный мужик. Знал бы — давно бы подошел.

Даже если авторитет — с тюремным стажем, «мужика» он скорее всего пропустит мимо ушей. С пониманием отнесется к вашей неосведомленности.

И то, что «кровельные» работы организует вам по льготному контракту, — можете не сомневаться.

Это, конечно, всего лишь пример.

Возможны и другие варианты выходов на того, чьей опекой вы намерены обзавестись. Например, хорош вариант, при котором любимая собака авторитета (в последнее время преимущественно питбультерьер) оттаскает вашу сучку. Как следует оттаскает. До щенков. Это создаст и между хозяевами в некотором роде степень родства.

Повторюсь: главное, чтобы выходы на авторитета не были бездушно-деловыми, заведомо ставящими вас в стойло овцы, только и годной что для стрижки.

А теперь вариант — самый-самый разумный...

Впрочем, до него надо бы все же проанализировать и вариант с условным названием «камикадзе». Это тот, при котором современный предприниматель (напомню: речь о периоде двухдесятилетней давности) либо сэкономит на «крыше», либо возомнит себя рыцарем без страха и упрека. Возомнит, что управится с ролью «крыши» сам.

У Брюса Ли во всех фильмах с его участием это здорово получалось. А у предпринимателя Лени Цуркана почему-то не вышло. Хотя он все делал так же. На явившихся с паролем вымогателей со снисходительным презрением посмотрел. На пароль отсебятиной отозвался:

— Идите на хер... — сказал. — Я — ни под кем. И ни под кем не буду.

(Сказал бы по-японски, полноценно подражая своему кумиру, глядишь, знание языка и зачлось бы при экзекуции.)

Но гордец Леня исключил двоякое толкование ответа. По-русски ответил. Разве что с легким молдавским акцентом. (Акцент позже не был признан смягчающим обстоятельством.)

И как ни в чем не бывало продолжал заниматься делом своим. Тоже, видать, рассчитывал, что та пара «па» из ритуального танца каратиста, которые он заблаговременно разучил, выручит. Не выручила.

Хотя физическая подготовка Леониду в ответственный момент пригодилась.

Это когда Лене прикрепили к ноге в районе промежности «РГДешку». И к чеке гранаты привязали леску, другой конец которой взяли с собой в «БМВ».

Хорошо, леска длинной оказалась, метров пятидесяти. Леня имел возможность фору иномарке дать. И, наблюдая ее, отъехавшую, набирающую скорость, сообразить, что от него требуется, чтобы выжить.

На идею такой изощренной экзекуции рэкетиров навсл сам Леонид. После очередного погрома в своем офисе, экипировавшись гранатой «РГД», он назначил бандитам «стрелку». Собирался, скучковав негодяев вокруг себя, выдернуть чеку и сделать официальное заявление:

— Или отъеб...тесь, или отпускаю палец.

План этот обнаружил заметный уклон Лениного предпочтения от Брюса Ли к «камикадзе».

Чеку он выдернуть не успел. В бандиты в то время брали после серьезного конкурсного отбора. Да и работенка продолжала сортировку. Реакция хорошая — валяй пока, бандитствуй. Подводит реакция — ставим крест. В прямом смысле.

Опередили Леонида инквизиторы. Перехватили руку с декоративно набитыми костяшками.

Ну и вдохновились гранатой на педагогический прием.

Не получилось у Леонида порыцарствовать вволю. Наследства он не только сам лишился, но и детей своих, брюслят-рыцарят, лишил. Так что и упрек с их стороны имел место. Да и насчет страха... Вряд ли гордец бегал с гранатой в промежности наперегонки с иномаркой трехлитровой без него... Непременно отстал бы. И если в процессе догонялок он все еще склонялся к мысли первоначальный план реализовать, взорвать себя вместе с вымогателями, то ему не просто отставать было нельзя. Ему желательно было рысачить бок о бок с «бээмвухой». Тем более что он был не в курсе радиуса действия «РГД».

Или другой эпизод-пример вопиюще неправильного поведения: случай из уже завершившейся жизни любимца самых разных одесситов — Валеры Рыжего.

Подробно на эпизоде останавливаться не буду. Он уже использован в одной из прошлых книг. В «Одессе бандитской». Но эпизод этот так и просится в главу. В аккурат вписывается в тему.

Суть эпизода в том, как повели себя Рыжий со товарищи, когда банда во главе с садистом-затейником Котом взялась обкатывать на них ноу-хау в искусстве вымогательства.

Заупрямившегося Рыжего, подвесив за ноги, опустили тогда в колодец и, чтобы не утруждать себя напрасными извлечениями жертвы, спустили ей микрофон.

Партнер Рыжего по бизнесу Малый синхронно с компаньоном был подвергнут садистским исследованиям в другом месте. За городом, в лесопосадке, вспоминал, где деньги. В позе, как показали исследования, очень даже способствующей воспоминаниям. Стоя на ящике, с петлей на шее.

Эпизод этот закончился для Рыжего со товарищи более или менее успешно.

Правда, успех возымела не столько манера поведения вредины Рыжего, прохлаждающегося в колодце, сколько правильный поступок его приятеля Малого. Малый решил не доверять свое бытие какому-то случайному дуновению загородного ветерка, способного столкнуть его с тарного ящика, шаткой, но единственной в тот момент опоры его в жизни. (Не считая веревки, поддерживающей его за шею.) Малый послал гонца за деньгами к казначею Лепе, а уж Лепа проявил и вовсе образчик резонного поведения. Немедля внес сумму, из-за которой разгорелся весь сыр-бор. Рыжий разжился воспалением легким и другом в лице бандита-связиста, отвечавшего за бесперебойную связь с колодезным дном.

Но, главное, передав гонцу существенную часть казны, Лепа продолжил вести себя резонно. Подался под «крышу» милицейскую. Не просто написав заявление, но и поставив принявших его, заявление, на зарплату.

Так, ненавязчиво, через пример из жизни (сохраненной в тот раз жизни) Рыжего, мы и подошли к варианту самому-самому.

Варианту, при котором вы идете под «крышу» милицейскую.

На первый взгляд, ничем он не лучше. Не привыкли мы доверять власти. Да и какая разница: кому платить. Тем более — те же деньги.

Э-э... Не скажите... Есть разница.

У этого варианта, лежащего на поверхности, но пущенного в массовое использование только в последнее время, — сплошные преимущества.

Во-первых, власти доверять, может быть, и нельзя. А вот людям, которые эту власть олицетворяют, — можно. Конечно, в том случае, если вы им платите. Причем платите конкретные деньги, а не постыдные зарплаты, перепадающие им из недоразворованных остатков ваших налогов.

Во-вторых, милиция если и беспредельничает, то по возможности в рамках закона. Так уж она приучена. В отличие от бандитов, которым с некоторых пор и воровской закон не писан. Не носят с собой на службу милиционеры ни паяльники, ни утюги. А то, что, бывает, лупцуют обывателя, так только по производственной необходимости.

Опека же ваша для милиции не производственная необходимость. Так, приработок. За это — не бьют. И если что-то не устроит в вас как в опекаемом, то накажут всего лишь тем, что не поспешат выручать. Не мало, конечно... А вы не доводите. Платите содержание исправно.

(Тут самое время отметить и единственный минус милицейской «крыши». Она, как правило, защищает от «наездов», но сама по заказу «наезжать» избегает. Например, не выбивает долги. Во всяком случае, такое условие обычно оговаривает в контракте. Причина условия все та же: уважение к закону и даже некоторая боязнь его. Впрочем, бывают исключения. Все зависит от уровня «крыши».)

Следующее преимущество: милицейская «крыша», в случае необходимости, отмажет вас от «наезда» не только бандитов, но и от самой себя. Замолвит за вас словечко перед своими коллегами-вымогателями, обэхаэсниками к примеру. Бандиты обычно тоже обещают «отмазку» от чиновников, но далеко не всегда выполняют этот пункт контракта. А если и отмазывают, то за дополнительную мзду. Милиция же, воспитанная в духе «чувства долга», оказывает эту услугу в рамках договора.

Следующее, четвертое, преимущество...

Работая с «крышей» милицейской, можете быть уверены: под дополнительную раскрутку, в виде «качелей» или еще каких-то постановок, не попадете. И форс-мажорных обстоятельств можете не опасаться.

И, наконец, преимущество пятое, в свете сказанного в начале главы для некоторых самое существенное.

Под милицейскую «крышу» идти не стыдно. Все по той же причине: мы с социалистического детства привыкли ощущать ее над собой.

И сам процесс заключения контракта совершенно не унизителен. Выходите через знакомых на нужного человека и все оговариваете. Нынче нужные люди уже научились заключать контракты запросто, вслух. Что ж, и вам придется научиться. Вопреки всему, что вы усвоили в том самом детстве. Зато тут обойдется без изматывающих физических упражнений и футбольных матчей. И главное, обойдется без постыдных сомнений: одной или двумя руками откликаться на рукопожатие.

Единственная тактическая рекомендация: во-первых, заключать контракт нужно не абы с каким милиционером. (Был случай: дуркеша-торгаш взял на оклад «крыши» курьера из областного управления. Шибко торгашу корочка выскочки понравилась. При первом же наезде недоразумение всплыло. Но что больше всего потрясло дуркешу, так это несправедливость. Недоразумение оплачивал только он.)

И вторая рекомендация: заключить контракт желательно до того, как к вам придут в первый раз. Вас, конечно, примут под «крышу» и после первого, ознакомительного, «наезда» (случай с Рыжим), и даже на размере регулярных выплат запоздалое обращение скорее всего не скажется. Но... есть же такое понятие, как хороший тон.

Резонен вопрос: если у варианта с милицейской «крышей» столько преимуществ, то почему он не использовался горе-предпринимателями все те годы, когда главной проблемой выживания бизнеса была проблема «крыши»?

Не мог он, вариант, использоваться потому, что не было его тогда. У милиции своих проблем хватало, чтобы еще чужие решать. Она, милиция, сама сиротливо и ошалело, как пес, оставленный хозяином на людном перекрестке, озиралась по сторонам. Не зная, как быть: прежнего хозяина дожидаться или нового присматривать.

Тогда и приучилась из чужих рук брать.

(Интересно, привлекут ли меня за такой совет к ответственности?.. Очень уж он смахивает на подстрекательство... на посредничество во взятке. Вряд ли привлекут. Книга-то выйдет в издательстве российском, значит, и совет подкармливать милицию писан вроде как для россиян. Своя, украинская, милиция имеет возможность сделать вид, что это к ней не относится.)

Но неужели все так тоскливо? Неужели не бывает, чтобы нормальное, незатейливо-достойное поведение оказывалось еще и правильным?

Бывает. И даже я сам однажды был свидетелем такого странного случая. И в некотором роде участником его. Вариант этот опробовал мой друг. При мне. О чем я в тот момент устно, но откровенно сожалел. (Не о том, что он мой друг, и даже не о том, что опробовал при мне, а о том, что именно он — опробовал.)

Тогда после драки-дуэли, возникшей по какому-то религиозному вопросу между другом Шуриком и известным в Одессе бандитом Пиратом, боксером-тяжеловесом, Пират, недовольный неубедительной своей победой, объявил Шурику:

— Ты — должен.

Шурик серьезно спросил:

— Сколько?

И, выслушав число, поведал:

— Записывай... — и продиктовал свой настоящий адрес. — Приходи — получай. Все, что получишь — твое.

Вот такой непутевый вариант поведения позволил себе в моем присутствии мой друг и карточный партнер Шурик. Вариант, вызвавший во мне тогда сожаление, а позже (и сейчас) — гордость.

Ведь никто тогда не пришел.

В более развернутых примерах правильного и неправильного поведения при вымогательствах, думаю, нет смысла. Они, примеры, уже и сами всплыли в вашей памяти. Вряд ли вам их покажется мало. В крайнем случае можете взять наугад газету из любой подшивки прошлых лет. Уж там их... Мало точно не покажется.

Глава 3

ОГРАБЛЕНИЕ (КВАРТИРЫ)

Как и в случае вымогательства, при ограблении вашей квартиры вариантов правильного поведения у вас не густо. Один. И тот же самый: не залу... не лезть в бутылку.

Причем вариант этот, единственный, не сговариваясь, порекомендовали мне и в милиции, и на зоне, куда я подался за советами, так сказать, с «другой стороны».

Милиционеры, дав рекомендацию, привели удручающую, но убедительную статистику. Большинство убийств при ограблении квартир произошли только потому, что жертва неправильно себя повела. Проявила скверный норов. На зоне подтвердили почти все отмеченные интересующей меня статьей: «Когда люди идут на работу, они никому не хотят горя» (цитата). И высказались в том смысле, что «если терпилы этого не понимают, то — куда деваться. Бывает, приходится «мочить». Но так, чтобы специально: ни-ни!..»

Конечно, при одинаковом, покладистом вашем поведении есть существенное различие между тем, с чем вы останетесь при вымогательстве и с чем — при ограблении.

В случае попадания под заурядный рэкет у вас есть шанс выйти из неприятности более или менее уцелев финансово. Но не было еще такого случая, чтобы грабили в рассрочку. Так что шанса забиться под крыло («крышу») покровителя вам не оставят. Оберут подчистую и немедля.

Но в случае ограбления (читатель, сплюнь) следует как можно скорее дать себе безрадостный отчет: при ошибке в поведении не благосостояние окажется под угрозой (с ним уже все ясно). Жизнь.

Так что, прежде чем схватиться за кухонный ножик или лягнуть сзади расслабившегося, зазевавшегося грабителя, хорошенько взвесьте перспективы своего мужественного поступка. Не сопротивляйтесь с кондачка.

И если вы мужчина с норовом и к тому же не робкого десятка, то не забудьте подвергнуть сравнительному взвешиванию самое ценное из того, что есть в вашем доме, в вашей семье. Взвесьте, что для вас важнее: сохранить в домашних уважение к себе или им — жизнь. И сделайте поправку на то, что удовлетворить ярость негодяев своей эгоистично-мужественной смертью, вам вряд ли удастся. Следовательские протоколы, фиксирующие ошибочные результаты таких взвешиваний, настаивают на поправке.

Впрочем, грабители обычно не подвергают достоинство хозяев чреватому для себя испытанию. Не оставляют их у себя за спиной с ножиком в руках или потенциально отведенной хозяйской ногой. Профилактически и по-своему благородно вяжут домочадцев, а бывает, и обеззвучивают их, прежде чем браться за то, за чем пожаловали. За ваше добро.

Очередной деликатный момент наступает, когда у хозяев выспрашивают подсказку: где и что припрятано. ·

Смысла сдавать все тайники, конечно же, нет (исходим из того, что у хозяев хватило дальновидности не прятать ценности в одном месте). Независимо от того, правду ли говорят связанные: отдают ли все или лукавят (оставляют заначку), им на всякий случат не верят. И на всякий случай наказывают за собственное (грабительское) недоверие. Редко всего лишь нагоняя жути угрозами. Чаще — существенно, подвергая экзекуции. Повторюсь: физический прессинг со стороны грабителей происходит независимо от того, выложила ли жертва все как на духу. Так что выкладывать все вроде бы и нет смысла. Правда, потом будет проблематичнее смотреть в глаза своим домашним, которые подвергались запугиваниям и экзекуции в тот момент, когда вы осмысленно пеклись о презренных ценностях.

Впрочем, смотрите сами... У каждого своя, обожающая потемки душа, своя тихоня-совесть. Поступать следует с оглядкой на них, прислушиваясь к их подсказкам. Я всего лишь напоминаю, что у хитрюг этих такое бывает: отсидятся молчком, а потом, когда беда позади, когда все уже произошло при их молчаливом·согласии, выбираются на свет и ну отравлять существование.

Те же протоколы свидетельствуют: отдают обычно все. По той же бессмысленной причине, по которой полицейский или милиционер, возникший на пути преступника, прикрытого заложником, избавляется от оружия. (Милиционеры избавляются реже. У них доктрина освобождения заложников иная, более гуманная. По отношению к самим милиционерам.)

Ведь нет от избавления ни малейшего проку. Ну бросит он пистоль, получит, безоружный, свою пулю, и что? И вообще: что за смысл был тогда возникать на пути?

Но и возникают, и обезоруживаются. Вопреки настояниям здравого смысла. По велению свидетеля и соучастника события, которого и в протоколе-то не отметишь. Совести.

Впрочем, это сантименты. Читатель и сам горазд на них, конечно же, а от автора ждет рекомендаций более существенных. Существенных с практической точки зрения.

Что же можно противопоставить грабителям? В тот момент, когда они уже в квартире, — ничего. Кроме собственной выдержки. О более внятном противопоставлении речь может идти только в том случае, если явившиеся по ваше добро негодяи замешкались на этапе проникновения в жилище.

Существует всего четыре метода, которыми пользуются преступники, беря приступом чужой дом-крепость.

Рассмотрим все четыре и заодно варианты правильного поведения осажденных при каждом из них.

Первый метод. Один из самых распространенных. Грабители перехватывают хозяев в момент входа или выхода из квартиры. Чаще — входа. Ждать, когда кто-то из хозяев выйдет, — проблематичнее. Во-первых, приходится торчать на площадке, у двери. Во-вторых, сложнее определить, кто еще остался в «крепости». При перехвате же хозяина на входе не обязательно ждать его у самой двери. Можно вести с улицы. И быть уверенным, что в квартире никого, проще. Достаточно предварительно позвонить в дверь. Еще один нюанс: грабители пользуются этим методом, дожидаясь именно хозяев. Приход-уход гостей их почему-то на приступ не вдохновляет. На первый взгляд, какая разница, по какой причине распахнулись врата «крепости»? Разница для них, для грабителей, есть. Может быть, ожидание гостей они считают утомительным: иди знай, как обстоят дела с коммуникабельностью у хозяев. Может, их беспокоит опасение, что, дождавшись первого гостя и начав операцию, можно попасть в непредвиденную ситуацию. Что, если за первым, перехваченным из засады гостем караваном повалят другие? Может, у них там сегодня вечеринка? Многолюдная пьянка — не самый благоприятный антураж для ограбления квартиры. Может, злоумышленников при этом методе одергивает неопределенность (что собой представляют хозяева — они обычно знают). Кем окажется гость — предугадать невозможно. А что, если видным кикбоксером? Увесистого на вид гостя, допустим, можно от греха подальше пропустить сквозь кордон. Но кикбоксер может оказаться легковесом. Они, легковесы, с виду такие неказистые. Особенно в одежде. В собственноручно устроенном полумраке лестничной площадки нос свернутый не разглядишь, и — все... Кикнет такой разок... До конца жизни аллергия на ограбления разовьется. Хоть на паперть иди. Если же гость ментом окажется, последствия засветят и того похлеще. Потому что уже не фингал светить будет, а срок. А то и пуля.

В общем, напрашивается попутный вывод: в гости можно ходить безбоязненно. И дверь отпирать гостям тоже можно без опасения. (Если только опасения не вызывает сам гость. Впрочем, об этом — позже.)

Варианты правильного противостояния грабителям при этом их методе почти все слабо убедительны.

Радикален только один: ставить квартиру на сигнализацию. И помимо традиционных датчиков, фиксирующих поползновения воров, заказывать установщикам кнопку тревоги.

Порядка трех минут потребуется дежурной машине охраны, чтобы доставить плененным хозяевам подмогу.

«Тревожная» кнопка при данном варианте не так уж обязательна и рекомендуется только потому, что, во-первых, установка ее почти ничего не добавит к затратам на саму сигнализацию, а во-вторых, в большей мере окажется полезной, если на жилище будут покушаться по оставшимся трем методам. (И об этом — позже.)

Но к варианту защиты с сигнализацией обычно прибегают только после того, как ограбление состоялось. Так уж мы устроены, недоверчиво и нелогично. Сначала имеем обыкновение падать — и лишь потом стелить соломку.

И ведь не денег зачастую жаль. (По этому методу покушаются обычно на квартиры, из которых таки есть что выносить и которые заурядной отмычкой не возьмешь.) Жаль времени, праздности. Суетиться не хочется. Как подумаешь: уходи — ставь на сигнализацию, приходи — снимай... Хлопотно.

Спорить тут сложно. Без сигнализации хлопот меньше. Не только хозяевам, но и грабителям. Так что если не хотите портить себе беспечный вход-выход из собственного жилища, то будьте готовы к тому, что вам его испортят другие.

На квартиры, нуждающиеся в сигнализации, покушаются обычно по наводке. Это, значит, тот, кто «навел», наверняка был в доме. (Я не пытаюсь поставить под сомнение добропорядочность чьего бы там ни было окружения. Бывает, «наводят» неумышленно. «Наводкой» частенько оказывается обычный бездумный треп.)

И если уж у вас не хватает времени и прилежности на то, чтобы установить сигнализацию всамделишную, установите ложную. Это так просто. Провести в прихожую из никуда пучок проводов, присобачить к ним какой-нибудь щиток с десятком кнопок. Ну и для полнейшей достоверности хорошо бы установить крохотную лампочку куда-нибудь над входной дверью. Пусть себе горит. Времени на обустройство эта защитная афера займет минимум. И суеты меньше при входе: ставить-снимать на охранный режим не надо. Разве что делать вид, что ставите-снимаете. И то только тогда, когда делаете это при свидетелях.

Те, кто присмотрел под налет вашу квартиру, могут, конечно, для пробы разбить окно, но обычно этот тест в ходу не у грабителей, а у квартирных воров. (О пересечении с этими ребятами поговорим опять же позже.)

Опыт показывает, что сигнализация в доме — существенный шанс хозяев удачно выпутаться из ситуации при всех методах ограбления. При методе же, который разбираем мы, это больше чем шанс — это профилактика.

Какой смысл грабителям нападать на хозяина, когда тот только подходит к собственной двери или только открыл ее, если они в курсе: квартира — под охраной. И то, что они, нагнав жути, обяжут хозяина снять квартиру с сигнализации, не внесет успокоения в их грабительские души. Ведь нет же никакой гарантии, что хозяин нажмет нужные кнопки.

В общем, налетчикам, позарившимся на квартиру, оберегаемую сигнализацией, нет никакого смысла дожидаться хозяев за мусоропроводом или же в парадной.

Приходится им рассматриваемый метод вычеркивать при вынашивании своих подлых планов.

Мы же еще на нем задержимся...

Остальные, менее убедительные варианты противостояния грабителям, пытающимся использовать хозяев в качестве троянского коня, есть смысл рассмотреть на примерах. На примерах неудавшихся ограблений.

Один из моих приятелей, несколько лет назад в силу обстоятельств составлявший мне компанию в заграничных вояжах, кучу времени тратил на планомерное прочесывание торговых точек.

У Алексея Толстого есть такое: «Русские за границей узнаются по безотчетному забеганию в магазины». Приятель мой, ироничный прагматик, относился и к своему свободному времени, и к собираемым впечатлениям осмысленно. «Забегая» в магазины, он отдавал себе отчет в том, что ищет. Въелась в него маниакальная идея: найти защитное приспособление для входной двери своей двухкомнатной кишиневской «хрущевки». «Манечке» (идее) явно способствовали эти самые частые заграничные отлучки приятеля, «отличного семьянина», не чаявшего своей, с виду прагматичной, души в жене и семилетнем сыне. Причем приспособление он искал не абы какое. Вполне определенное. Замысловатую дверную цепочку с замком. Цепочку, которую можно защелкнуть, уходя из дома. И которую, прежде чем войти, приходится отщелкивать ключом. Где-то он такую видел. У знакомого «толстовца», безотчетно добывшего диковинку в процессе туристического мародерства.

При этом приятель авторитетно вразумлял меня:

— Но та, что я видел, — не годится. Такие мне уже не раз попадались. Перекусить такую или ударом ноги сорвать — раз плюнуть. Сечение ищу приличное. И каленую...

Маниакальность поисков меня забавляла. Я ехидствовал:

— Найдешь свою мудреную «собачку», присобачишь... А воры через окно влезут. Обидно...

— Воры пусть лезут, — ответствовал прагматик. — За Людку и Вадика боюсь...

И излагал мне свое видение ограбления собственной квартиры и мотивации поведения грабителей:

— Если кого-то из них, Вадьку или Люду, у двери перехватят, в момент, когда только-только дверь откроют, то достаточно будет ключ от цепочки забросить в квартиру. Подальше. Через щель. Грабителям ничего не останется, как уйти ни с чем. И моих не обидят. Какой смысл обижать?..

В ответ на этот вопрос я молчал. Не потому, что пытался отыскать для гипотетических грабителей смысл обижать изворотливых членов семьи приятеля. Я молча и деликатно всматривался в приятельские глаза, пробовал понять: он это серьезно?

Приятель был серьезен.

Тогда я пожимал плечами.

При этом думал: «Какое, к черту, ограбление. Чем в поисках всякой херни заграницу прочесывать, лучше бы чего-то еще своим купил. Носишься с этой цепью как с... Что у тебя брать? Кроме цепей...»

И он-таки нашел то, что искал...

Настойчивым рассмотрением какого-то определенного варианта собственных неприятностей мы частенько добиваемся своего. Выклянчиваем у провидения именно нафантазированную нами проблему. И приятель мой выклянчил.

Случилось все — тютелька в тютельку. И, как и напророчествовал умник-приятель, в тот момент, когда он в очередной раз умотал за кордон.

Его семилетнего сына Вадика, вернувшегося из школы, двое негодяев перехватили в тот момент, когда он только-только открыл оба основных замка бронированной двери в квартиру.

Увидели, что дверь приоткрылась, и дали о себе знать:

— Ну-ка, шкет. Уступи старшим дорогу. И только пикни...

Шкет Вадик пикать не стал.

Неизвестно, хватило ли бы духу поступить в соответствии со своими собственными рекомендациями самому папане. Сын, для которого слово отца было статьей его личной детской конституции, не посмел ослушаться.

Он молча поступил точь-в-точь так, как наказал ему папа. Приготовленный ключ от цепочного замка зашвырнул как мог подальше в образовавшийся зазор. И только после этого обернулся к дядям-грабителям.

Те даже не поняли, чего пацан рукой махнул. И что там внутри, в квартире, звякнуло.

Удовлетворенные его послушанием и особенно выдержкой, подались к двери. И озадаченно подергали ее.

Потом переглянулись.

— Не понял, — сказал один, нервно отпрянув от двери. — Там кто-то есть.

— Мама, значит, дома, — сказал Вадик. — Она всегда на цепочку закрывает.

Грабители озадаченно уставились на него. Мгновение мешкали. Решали, как быть. Отваливать или продолжать приступ.

Потом тот, который «не понял», ломанулся плечом в дверь. Цепь выдержала. Причем явно с запасом прочности. Ломанувшийся потер ушибленное плечо. Как мог, осмотрел цепочку. Заглянул в квартиру. Спросил у второго:

— Звонил?

— Ну.

— Мама спит, — встрял пацан. — Она всегда после обеда отдыхает.

— Цыц, — сказал ему ушибленный.

И вновь недоуменно пытался разглядеть обустройство прихожей. И выдал сообщнику вопрос-заключение:

— А ни спиз...ела ли твоя кума? Линолеум на полу... Из хозтоваров.

— У меня даже «Пентиума» нет, — пожаловался Вадик.

— Чего нет? — не поняли грабители.

— «Пентиума». На четыреста восемьдесят шестом работаю. И оперативки мало.

— Оперативки мало не бывает, — изрек вдруг тот, который засомневался в искренности кумы. Явно имея в виду что-то свое.

Неизвестно, поняли ли грабители, кто их «дуранул» с ключом. То, что цепочка с секретом, — раскусили, ощупывая ее. В укор пацану они поставили другое — обман. Прежде чем уйти, передразнили:

— «Ма-ма спи-ит...»

Полюбопытствовали:

— Тебя в школе врать учат? Трепло...

И дали назидательный щелбан.

Щелбан оказался для моего дальновидного приятеля главным потрясением от того, что произошло. Было, правда, еще опасение по тому поводу, что Вадик испытал стресс. Опасение оказалось напрасным. Случившееся парень воспринял всего лишь как приключение. Ну и как доказательство всемогущества отца. Которое, впрочем, он и так не ставил под сомнение.

(Конечно же, ситуация там, у двери, не была

такой беспечно-добродушной. Я постарался пересказать ее с тем настроением, с которым она передавалась мне самим мальчишкой. Одна из главных ошибок детства: недооценивать опасность. И это же — одно из главных его преимуществ.)

Другой пример правильного поведения.

Немолодая уже бизнесменша, поднимаясь в лифте на свой этаж, почуяла неладное заблаговременно. Как его было не почуять, когда успевшие заскочить в лифт два балбеса в кожанках даже и не думали напускать на свои немудрено-бандитские физиономии абстрактное выражение случайных попутчиков. Зачем им было его напускать. Женщина, за которой они увязались, вполне вписывалась в ориентировку наводчика.

На их взгляд, незачем уже им было осторожничать. Мудрить с тяжело дающейся приветливой мимикой. Куда жертве было уже деться?

Делась.

Когда, обнаружив ускорившихся в последний момент попутчиков, она спросила: «Вам какой?» — и не услышала ответа, то мешкала недолго. Мобилизовав волю, собравшись со вспугнутыми мыслями, полюбопытствовала:

— Вы, случайно, не в шестьдесят третью?

И, несмотря на то что и на этот раз ей не удосужились ответить, продолжила:

— Если вы к Степаненко, то передайте ей: пусть не шутит с огнем, подойдет в ЖЭК. А то доиграется... Отключим газ.

И весь дальнейший подъем до этажа ворчала:

— И главное — трубку не берет. Приходится на старости лет за ней бегать... Красиво?

Вопрос о красоте поступка злостной неплательщицы из шестьдесят третьей квартиры тоже остался риторическим.

Кожаные балбесы, озадаченные неожиданно возникшим недоразумением, прокатились на лифте в оба конца. Причем на обратном пути мнимая зануда из ЖЭКа опять подсела в лифт. И продолжила бурчать:

— Таки никого нет дома. Соседи сказали, уехала на курорт. Как вам это нравится?..

Балбесам это не понравилось настолько, что они, приземлившись, покинули дом. И, заподозрив в себе аналитические способности, на ближайшее время сняли осаду.

Бывает, что хозяина и его квартиру выручает и вовсе курьез. Такой, например...

Хрупкую, симпатичную, живущую в одиночестве жительницу Кишинева грабитель поджидал на ее этаже. В одной из ниш замысловатой геометрии лестничной площадки.

В тот момент, когда она, в очередной раз мысленно обхаяв управдома за темень на площадке, открыла дверь, некто в маске втолкнул ее в квартиру.

Но у этого, замаскированного, с самого начала все пошло наперекосяк. Ограбление как-то сразу не задалось. Он не смог втолкнуть хозяйку, а только попытался. Всем телом припечатал женщину к второй, явно не ожидаемой им, запертой двери.

За дверью тут же зашлась лаем собачонка. Болонка, которую он наблюдал накануне при хозяйке, когда присматривал ее себе в жертвы. Шавку эту, размером с раскормленного хомяка, как препятствие своим планам он в расчет не брал.

Казус в виде второй двери заметно обескуражил грабителя. Такое происходит с гостем, который, попрощавшись с хозяевами, открывает дверь в кладовку.

На лай болонки из-за соседской двери отозвался басом пес явно служебной породы. Рык этот неожиданный тоже не добавил горе-грабителю куража.

Для верности он все же ощупал дверь. Так же рассеянный гость на всякий случай осмотрел бы интерьер кладовки, чтобы удостовериться: выхода здесь и вправду нет.

Удостоверился. И, возвращая присутствие духа, взялся на ощупь искать ключи. Ощупывать безмолвную хозяйку.

И когда она вдруг нарушила безмолвие:

— Ленчик, ты? Опять со своими фокусами.... Неужели так не терпится?.. — это его доконало.

Грабитель не придумал ничего лучше, как отозваться:

— Вы меня с кем-то перепутали... — и заспешить к лестнице.

Какие выводы можно попытаться сделать из этих примеров? Есть смысл ставить мудреные приспособления? Устанавливать вторую дверь? Держать ухо востро и чуть что — прикидываться жэковским работником?

На что еще можно рассчитывать хозяевам, когда грабители поджидают их у двери жилища?

Я бы сказал: на ангела-хранителя, да опасаюсь, что читатель тут же рассерженно захлопнет книгу...

Другой распространенный грабительский метод проникновения в помещение жертвы обкатал еще волк, раскатавший губу на семь порций козлятины. Метод этот состоит в том, что преступник облачается в личину тех, кого жертва впускает самолично.

Драматургическая насыщенность текстов, избираемых волчарами, весьма разнообразна.

Грабители с хилыми сценарными способностями не придумывают ничего лучшего, чем попросить у жертв разрешения испить водицы. Или позвонить.

Преступники, склонные к плагиату, называются сантехниками, электриками и почтальонами.

У кого творческий потенциал помощнее — разыгрывают сцены с переодеваниями и трагическими репликами:

— Откройте, уголовный розыск!

Или безобидными вопросами, обращенными прямо в дверь:

— Я ваш новый участковый. Когда вы видели в последний раз вашу соседку?

(В ответ на такое обращение дверь открывают значительно непринужденнее, чем в первом, пугающем случае.)

Еще более продвинутые грабители провоцируют жертвы на снятие запоров, зазывая их на встречу с депутатом или собирая деньги на похороны ветерана труда, проживавшего в этом же подъезде на втором этаже.

Грабители-модернисты могут показать хозяевам, глядящим в «глазок», их пропавшую давеча собаку. Или сообщить через дверь:

— С вашей машины гаишник номера снимает.

При таких провокациях далеко не каждый способен повести себя разумно.

Тем более что волк, злоупотреблявший однообразным рационом, снабдил последователей наработкой: постановка голоса при этом методе — главное.

Что можно посоветовать хозяевам, выбранным в жертвы, при использовании волчарами этого метода?

Только одно. То же, что и все мы советовали в детстве несмышленым козлятам: не открывать.

Ни гражданам, мучимым настоящей или мнимой жаждой, ни истинным или лицедействующим участковым (разве что участковый знаком в лицо), ни кликушам депутатским (настоящим не открывать тем более), ни энтузиастам, явившимися за пожертвованиями. Только не вздумайте во всех этих случаях оправдываться перед стоящим за дверью пришельцем тем, что кто-то из домочадцев, уйдя из дому, запер вас в квартире и унес ключ.

Пришелец ведь может и подождать. И может дождаться (см. метод № 1).

Заявляйте прямо, не деликатничая, вполне в духе времени, в котором живете:

— Телефон-автомат — во дворе. Питьевая вода — вторые сутки безудержно течет из дворовой колонки.

Кандидату выскажите свое «фе», участковому — его же. Уголовному розыску грубить негоже, но можете через дверь известить назвавшегося оперуполномоченным о том, что желаете позвонить к нему на работу и уточнить, получал ли он разнарядку. Требуйте фамилию и номера телефона. На настоящих оперативников это произведет положительное впечатление.

Куда сложнее проявить благоразумие при виде своего всамделишного четвероногого друга или при известии о том, что в беду попал друг четырехколесный. Что тут посоветуешь...

Валяйте, врите про унесенный ключ. Но дверь все равно не открывайте. Кощунственно звучит. И лично я бы послал советчика, несущего такую пургу, подальше. Но тут ведь не мне советуют, а я. Так что объективно совет — правильный. А как реагировать на него — решайте сами.

И коль уж я вдруг взялся корчить из себя рафинированно-объективного советодателя, то закончу последнюю рекомендацию безупречно с точки зрения логики: если вы увидите через «глазок», что принесший вашу собаку гражданин оставляет ее под дверью и удаляется, то и в этом случае открывать врата крепости для того, чтобы впустить в нее новоявленного защитника, не торопитесь. Сначала выгляньте в окно. Убедитесь, что благодетель вышел из подъезда. А еще вернее: позвоните соседям. Сообщите, что вы — не дома. Что, как вам только что сообщили, ваш блудный пес вернулся и мается под дверью. Попросите соседей подержать песика у себя.

Ничего себе подстраховочка, скажете? Для человека, который живет себе в состоянии благодушия и в ус не дует...

Повторяю: мое дело — советы давать, как поступать безупречно правильно. А уж выбирать степень безупречности — право читателя.

Те, кто рекомендуют безопасный секс или добросовестную уплату налогов, тоже в силу взятой на себя обязанности имеют право на рафинированность, на оторванность советов от реальности.

Впрочем, в отличие от этих, прикидывающихся уверенными в выполнимости их советов, граждан я позволю себе одну маленькую поправочку: поступайте так, как советую, в том случае, если интуиция ваша чует подвох. И прислушивайтесь к ней, к интуиции.

Все. Это самая большая уступка, которую могу себе позволить в опусе такого рода. Тем более что поправка — вполне милая. Способная по-своему украсить бытие. Стремление в каждой ситуации разглядеть больше, чем бросается в ней глаза при первом взгляде, — это же увлекательно. Вот и увлекайтесь разглядыванием. Целее будете.

Как иллюстрацию данного метода, возьму эпизод из трудовой деятельности Жида и К°. Тот самый эпизод, на котором К° (компанию) взяли. Потом в деле добавилось уйма других эпизодов. Но на них останавливаться нет смысла. По причине, во-первых, их однообразия, а во-вторых, потому, что иллюстрировать эти запротоколированные эпизоды будут не столько правильное или неправильное поведение жертвы, сколько правильное поведение самого Жида.

Для начала считаю нужным внести ясность... Жид, о котором идет речь, — не тот, у которого на левой груди татуировка дуэта Энгельса и Маркса. Кстати, из-за того, что не Ленина и Сталина, свои и заподозрили в сионизме. И не тот, у которого отрублена последняя фаланга левого мизинца. (Отрубил сам на зоне, а после неосторожно съехидничал: «Обрезание».) Жид этот и не тот, который бегло переводил с фени на иврит. (Это все — одесские, но разные Жиды.)

Речь о другом Жиде, узкоспециализирующемся на постановке спектаклей с целью постановки квартир.

Эту ясность (а точнее: неясность) вношу потому, что после выхода книги «Гоп-стоп. Одесса бандитская» я получил довольно пухлую пачку писем из разных концов СНГ и два письма из дальнего зарубежья (США, Германия). Письма имеют обыкновение приходить после выхода каждой новой книги, но этот ворох обнаружил изумившую меня... даже не знаю, как это назвать: проблему или просто неожиданность.

Дело в том, что письма были от тех, кто в персонажах книги узнал себя. И не просто в персонажах описанных, но и в изображенных на фотовставке. Одни письма сетовали на мою неделикатность. Другие делали замечания за некоторые неточности, интересовались, где я добыл снимок, и возмущались тем, что опубликован он был без их разрешения. Третьи — благодарили за «увековечение» и предлагали подбросить еще материал о себе. Четвертые утверждали, что на снимке изображены не они (!), и требовали опровержения (!).

Изумило меня то, что все эти положительные и

не очень претензии возникли по поводу всего двух персонажей и двух их снимков. Зуба и Морды.

«Это ж сколько аналогичных Зубов и Морд по миру бродит...» — недоумевал я. И решил выделить пару абзацев в очередной книги для опровержения.

Так что вот... опровергаю. Опровергаю удивившие меня претензии тех, кого снимки и описание огорчили. И опровергаю (с некоторым сожалением) самонадеянные претензии тех, кто возгордился собственным описанием и изображением.

Ребята, это — не вы.

Вот раскладываю письма перед собой и пробую перечислить поименно — не кто именно:

не Клеменьев (Одесса),

не Лунгу (Бельцы),

не Симченко (Львов),

не двоюродный дядя Шакурова (Чебоксары),

не Ким (Киев),

не Артамонов (Одесса),

не Розенфельд (Одесса),

не Роземблюм (Одесса),

не Штерн (США),

не Дима Митя (Германия) — я, правда, не понял: где имя, где фамилия...

не Натан Крохмаль (Одесса)...

* * *

(Опять попадет от читателей за то, что неэкономно использую объем книги...)

И вообще... Те, кто описан в книге и изображен на фотографиях, дали на публикацию добро. Вы же не давали?.. Ну вот видите, как все просто разрешилось.

И сразу же обобщу на будущее по поводу Жида... Не только перечисленные, но все другие господа, пользующиеся псевдонимом Жид, не обольщайтесь на свой счет. С описываемым гражданином мы обменялись расписками. Я ему выдал справку о том, что в книге описан именно он. А он письменно подтвердил, что не возражает против описания и против использования мной по собственному усмотрению (моему) эпитетов и просто прилагательных вблизи псевдонима Жид.

Так что описание это продолжаю с полным моральным правом.

Жид и К° промышляли грабежами по второму методу. А именно...

Объявлялись у квартир некоторых одесситов неожиданно, в милицейской форме, с раскрытыми перед «глазками» ксивами. Сваливались на их головы неожиданно, как снег на городского голову под Новый год. В том смысле, что появление их не было столь уж неожиданным. Снегу-то в принципе в декабре идти положено. И к выпадению его как бы даже готовы. Но надеются: авось обойдется.

В отличие от снега, компания Жида сваливалась на одесситов избранных. На избранных по признаку зажиточности и экономической недобропорядочности.

Те, к кому они являлись, компанию таки ждали. Потому что не было такого, чтоб не впустили в дом.

Оказавшись в квартире, пришедшие профессионально и не суетясь разыгрывали несколько приевшийся им самим за годы промысла сценарий. Для начала нагоняли на жертв жути. Убедительно нагоняли, опять же профессионально. (В данном случае имеется в виду профессия милиционер.) Это было несложно, потому что двое из сотрудников банды в свободное от грабежей время подрабатывали в УВД настоящими оперативниками.

Пока еще не выслужившиеся члены корпорации осуществляли шмон-обыск, сам Жид, изображающий из себя шефа, и эти двое вели между собой производственную беседу. Негромко вели, но и не особо беспокоясь о том, что присутствующий в аудитории хозяин может ее услышать. Так разговаривают между собой врачи, которые лечат только за зарплату, у койки обреченного пациента.

— Куда его?

— В КПЗ.

— Петрович жаловался, что у него все переполнено. Может, к нам, на Бебеля?

— На хера эта суета. Три дня потерпит. Потом все равно в СИЗО.

— Кончится он в КПЗ. Семку Быка вчера приняли. Тот как видит интеллигента — звереет.

— С чего это?

— Да Райку его один кандидат увел. Пока он третьей ходкой «чалился».

— Надо же... Во баба дает... Грохнул кандидата?

— Не успел. Тот Райку в Канаду увез. Теперь лютует... Как видит кого в очках или с лысиной — звереет. Хоть в Испанию посылай. На эту... Как ее... Корриду. К «опущенным» лучше относится.

— Да-а, с Быком в одной хате — любой тореадор усрется.

— Жалко мужика...

Беседующие некоторое время сочувственно и бесцеремонно разглядывали хозяина. Потом Жид, настаивавший на том, что держать задержанного на

Бебеля нет никакого резона, спохватывался. Вопрошал у жалостливого собеседника:

— Оно тебе надо? Наше дело принять.

— Да, — соглашался жалостливый. — Все равно не отмажется.

— Бабок не хватит, — саркастически соглашался третий.

Жид к месту интересовался у горемыки:

— Все отдал? Найдем — хуже будет...

Подчиненные его хихикали. Дескать, ну шеф загнул. Куда уж хуже...

Потом один из них напоминал:

— С понятыми надо бы решить.

— Что там решать? Соседей возьми.

Жалостливый вновь давал понять жертве, что шанс у нее есть. Высказывал гуманное предположение:

— Вдруг-таки отмажется. С соседями ему рядом жить. Может, кого с улицы возьмем?

— Кого ты на улице найдешь? Да еще с паспортом?

И вновь вопрос жертве:

— По-хорошему хочешь — или как?

Жертва, понятно, «или как» не хотела. На этом этапе производственного совещания-трепа, устроенного при ней, она обычно уже была в состоянии осмыслить, в чем именно заключается ее шанс. И не мешкала с использованием его.

Пришедшие кота за хвост не тянули, не корчили из себя милиционеров с девственной репутацией. Как и положено профессионалам с опытом, немедленно приступали к торгу.

Жертва торговалась не потому, что пыталась выдурить у вымогателей-ментов лишнюю пару-тройку тысяч долларов. Просто откупные те назначали с запасом. Чтобы потом не мучить себя сомнениями: подчистую ли выпотрошился терпила.

Ну и, разумеется, жертва, чтобы не рисковать, сдавала все домашние тайники. Обман был чреват сорванной сделкой и тесным общением с племенным Семой.

Потом шмональщики отправлялись с хозяином в рейд по его знакомым. Собирали откупные. Собрав, привозили и деньги, и жертву к управлению.

Не менее чем через полчаса томительного ожидания из дверей управления к ним выходили Жид в штатском и один из его давешних собеседников в форме.

Подтверждали, что дело удалось закрыть. И напоминали, что если обобранный обмолвится о сделке кому-либо из друзей или домашних хоть словом, то все последующие его слова в этой жизни будут обращены к Семе. Последующие и последние.

Вряд ли постановку эту можно считать грабежом в чистом виде. Скорее, грабежом-аферой.

Но когда Жида взяли, статья ему выпала полноценно грабительская. Потому что и шмон в спектакле имел место, и синяками на первоначальных этапах шмона хозяин успевал разжиться. (Чтобы выглядеть убедительно, гости не халтурили. Как и положено милиционерам, звезданули для затравки жертву пару раз дубинками по ляжкам.)

Так что налицо были все обязательные атрибуты грабежа.

Погорел Жид на перстне. Хотя ювелирное изделие, которое он присмотрел на пальце очередного хозяина, перстнем можно было назвать с большой натяжкой. Разве что перстеньком.

Сам Жид поведал мне о своем проколе с недоумением. Дескать, лукавый попутал. (До этого лукавый проявлял себя грамотным наставником и путеводителем.)

Дело было так.

С очередной жертвой проблем не было. Она безупречно отыграла свою роль в очередном спектакле, устроенном заезжей труппой. Причем доиграла ее безупречно до конца, до прощального выхода действующих лиц из здания УВД.

И тут, под занавес, шеф Жид позволил себе импровизацию. Вроде как на бис вздумал разыграть еще одну сценку...

Этот злосчастный перстень на мизинце хозяина-лоха с самого начала не давал ему покоя. Мозолил ему глаза.

С каждым человеком, в том числе и повидавшим и поимевшим уйму солидных вещей в своей жизни, может случиться такая оплошность. Западет человек на какую-нибудь безделушку, и... хоть тресни — подай ему ее.

Брежнев, хозяин великой империи, «западал» хоть и на дорогие, но серийные иномарки. Новозеландский вождь-каннибал, у которого поголовье племени такое, что ешь — не хочу, возжелал отобедать непременно Куком. Актеры-кумиры, десятилетиями одаривавшие нас, зрителей, создаваемыми ими образами, вдруг без остатка отдаются стремлению одарить нас поясом из собачьей шерсти. Может быть, и за гонорар отдаются, но производят при этом не менее искреннее впечатление, чем в тех самых образах. О других служителях духа, о работниках одесского телевидения, и говорить нечего. Исхитрившись добыть в буфете перламутровую курицу, выделенную по разнарядке коллеге из соседней редакции, прожженные телевизионщики радуются добыче и собственной хитрости, как дети.

Вот и Жид, награбивший за свою жизнь драгоценностей на приличный пиратский сундучок, запал вдруг на безделушку-перстень. Такой крохотный, что в момент лжеобыска потребовать его у хозяина самому Жиду показалось неприличным.

Но потом, за время, пока его помощники мотались с лохом за выкупом, Жид и сам понял, что запал. Запал образ колечка в его аферистско-грабительское сердце.

— Потом уже вспомнил, — откровенничал он со мной. — У дяди Васи, который меня по первой ходке уму-разуму учил, такой перстенек на пальце был выколот. Не совсем такой. Похожий.

Выйдя на прощальный поклон и чтобы убедиться, что дань собрана, главный исполнитель не утерпел, вздумал продолжить спектакль.

Заметил жертве, небрежно кивнув на перстень:

— Не в службу, а в дружбу... Патрон мой такие собирает. Уважь...

Изумленный лох уважил. Пожертвовал перстень в коллекцию патрона. Но насторожило его принуждение к жертвоприношению. Когда Жид, уронивший колечко в нагрудный карман, за дверью управления скрылся, подалась жертва за ним. И обнаружила шефа оперативников за дверью в вестибюле. Мало того, что обнаружила, так еще и услышала обращение к шефу сержанта-вахтера:

— Сколько вам можно говорить, гражданин?..

Начальник сказал: вас за порог не пускать. Идите отсюда.

— Полминуты, командир... — виновато отозвался шеф. И, обернувшись на хлопок закрывшейся двери, осекся...

Там его и взяли. С поличным, с кольцом.

Много позже, освободившись, рассказывая мне все это, Жид заключил:

— Правильно ты в книжке написал: уходить нужно вовремя.

— Не я. Ремарк.

— Неважно — кто. Важно, что правильно...

Приведенные выше методы проникновения грабителей в вашу квартиру — самые распространенные.

Третий, самый редко встречаемый метод этот — тот, при котором грабители врываются в дом, открыв втихаря дверь подобранным или настоящим ключом. Поступают так обычно по каким-то специфическим мотивам. Ведь куда проще и безопаснее обобрать квартиру-жертву в отсутствие хозяев. И статья в этом случае светит помягче, и «утяжеление» ее, статьи, «мокрухой» или «тяжкими телесными» исключается.

Но... Бывает, пользуются и этим методом. Иногда потому, что в квартире намеченной всегда кто-то присутствует. Иногда потому, что качественную информацию о домашних ценностях можно добыть только у хозяина. Бывает, что предпочитают воровству ограбление и в силу личных обстоятельств.

С целью дополнительного наказания жертвы или для того, чтобы у жертвы не было сомнений на тот счет, чьих рук дело.

В любом случае со стороны хозяев проблема этого метода — это проблема ключа. Так что ставьте замки посекретнее и, в случае утери ключа, не мешкайте, не отмахивайтесь от возникшей опасности занятостью и уверенностью в том, что утеря была случайной. Меняйте замки.

Все. По причине редкости метод не заслуживает более тщательного разбора. Тем более что и разбирать в нем уже нечего.

Метод четвертый. Тоже нечастый, но все же более популярный у грабителей, чем предыдущий. Более популярный только потому, что та самая проблема ключа в нем не стоит. Квартира-крепость при данном методе берется приступом.

Используют метод преимущественно грабители не мудрствующие. Не предрасположенные к сомнениям, к загадыванию наперед. Если у особей этих и есть предрасположенность к чему-то, то обычно к *вандализму. К садизму* — реже. Садизмом они промышляют не по зову души, а из-за непосредственности. Сделала жертва что-то не так — надо наказать. Сделала совсем плохо — убить.

В общем, если в дверь вашу ломятся откровенно, нахрапом, то базовый совет такой: забудьте про все то, что вы уже успели вычитать в этой главе. Поднимайте кипеж. Звоните по телефону, кричите из окна, бросайте из окна в прохожих и в проезжающие машины домашнюю утварь. Не жалейте. Ни утварь, ни машины. Ущерб, который вы нанесете или понесете в результате своих хулиганских действий, неизмерим в сравнении с тем, какой, того и гляди, нанесут вам.

И это единственный метод, при котором вы получаете полноценные и шанс, и право воспользоваться оружием, если оно у вас есть.

Если весь ваш арсенал — газовый пистолет, то он подлежит выбрасыванию в окно в первую очередь. Очень уж «газовики» раздражают серьезных уголовников. Возможно, тем, что последние иногда принимают их за настоящие пистолеты и понапрасну постыдно нервничают. И эта нервозность вполне может выйти вам боком.

Право ваше на применение огнестрельного оружия в этом случае не только юридическое, но и моральное. А шанс вполне практический. В том смысле, что вам не придется на манер Рембо и крутых детективных парней соревноваться с грабителями в скорости выхватывания пистолета. Если дверь у вас прочная (если нет, то советы вам ни к чему, грабители в таком случае ошиблись номером квартиры), то время, за которое будет вскрыта дверь, позволит вам экипироваться и занять удобную для отпора позицию.

Совет для решительных (если вы нерешительны, то ружье, или чем там еще вы бессмысленно обзавелись на подобный случай, выбрасывайте в окно вместе с прочей утварью): при значительном воздействии на дверь извне, то есть при таком, которое зануда-юрист не посмеет истолковать потом как легкое постукивание мизинцем или непринужденный чечеточный стук носком ботинка, — так вот, при очевидном штурме — палите из ружья заблаговременно. До того, как дверь распахнется. Но палите, конечно, не в дверь.

Кровожадные умники по-своему правы, советуя

не церемониться, стрелять сразу же в створ двери. Если вы подстрелите негодяя, то скорее всего отделаетесь недолгой отсидкой в обезьяннике до выяснения обстоятельств случившегося. Но, во-первых, выяснение может затянуться, да и «обезьянник» — не то место в жизни, которое достоин занимать человек, сумевший защитить свою семью и свой дом. И уж точно — не лучшее место для психологической реабилитации после случившегося. И во-вторых, подстрелив кого бы там ни было, вы наживете до конца жизни врагов. По той причине, что они пока скрыты дверью, — неизвестно каких.

Если же соединить «во-первых» и «во-вторых», то получается, что, в то время пока вы будете ждать выяснения обстоятельств в обезьяннике, враги ваши (в виде родственников и друзей подстреленного) будут иметь возможность беспечной вендетты.

Жизнь показывает, что скороспелая месть в таких случаях редко имеет место. Но запретить себе нервничать по этому поводу вы не сумеете.

Да и вообще... Убийство, пусть даже и вынужденное, — тяжкий крест для нормального человека. Крест, пожизненное ношение которого не подразумевает передышек.

Наконец, если дверь бронированная, то стрельба в нее чревата и для вас. Рикошетом.

Для пробы есть смысл пальнуть куда-нибудь в пол. Или в стену, если она у вас не бетонная.

В большинстве случаях профилактический выстрел действует на штурмующих отрезвляюще. Он не просто охлаждает их наступательный пыл. Он пыл замораживает. Для атакующих выстрел — недвусмысленный намек на то, что с запланированным беспечным мародерством вышла неувязочка. Что стоит пересмотреть планы.

И обычно их пересматривают.

Если же грабители вам попались либо склонные к суициду, либо глухие, то будьте готовы к тому, что вам придется стрелять на поражение. Причем, возможно, на поражение не только какой-нибудь несущественной для жизни конечности. Если вы не знатный биатлонист и не гроза летающих тарелок, то не рискуйте. Не тратьте время на ловлю мушкой кистей или стоп ворвавшихся. Палите с гарантией попадания.

И готовьтесь нести тот самый крест.

Но лучше уж нести его, чем тот, который ляжет на вас, если вы, смалодушничав или промешкав, не защитите своих близких.

Чтобы развеять атмосферу безысходности, которую вынужденно нагнал на последней странице, приведу пример, который, с одной стороны, как нельзя лучше годится для развеивания, а с другой — вполне уместен как иллюстрация насоветованного выше.

Случилось это в Кировоградской области. В районном центре. (Нахрапистый метод более популярен у грабителей глубинки. Горожане и в этом смысле куда продвинутее.)

Налету подверглась квартира директора местной меховой фабрики. Подверглась вместе с хозяином и хозяйкой, супругой директора.

Директор, пожилой, благополучный, весьма пьющий, краснолицый мужчина, проживал с супругой, властной дородной домохозяйкой, в трехкомнатной квартире на седьмом этаже единственного в районном центре небоскреба — девятиэтажки. В сельской

5*

местности, в отличие от города, жить в квартире, а не в частном доме — престижно.

Вот они и жили. В престиже, благополучии, с проблемами исключительно фабричными. Дети и те нервы не трепали, потому что уже несколько лет как завоевывали столицу. Учились в Киеве.

Склонность к выпивке не вредила ни выполнению фабрикой плана, ни уважительному отношению к директору аборигенов. Уважительному отношению не вредил даже знаменитый директорский храп, о котором соседи слагали легенды.

Именно его подразумевали они, когда сочувственно бормотали за спиной супруги:

— Героическая женщина.

Но чем в большем согласии с самим собой, со своими близкими и просто с окружающими живет человек, тем больше у него шансов на ровном месте разжиться недругами.

Другие, менее удачливые местные пьяницы, временами завистливо косились вслед директору, доставляемому массивной супругой к небоскребу после очередных «гостей».

Возможно, при этом думали примерно так, раздраженно:

«И с супругой гаду повезло. Моя меня, нажравшегося, на себе домой волочет. Как раненого с поля боя выносит. А этот тут все предусмотрел. Раскормил свою до нужной весовой категории, до «супертяжа». Вишь, как дефилируют: под ру-учку... Тьфу!..»

Как потом оказалось, завистники и организовали налет.

У двоих местных алкашей, которых директор уже лет пять как грозился уволить с фабрики, лопнуло терпение слушать директорские угрозы и наблюдать его, директора, благополучие.

Так они потом мотивировали задуманное злодейство. Не отрицая, правда, и того, что собственная финансовая безысходность как мотив тоже пришлась весьма кстати.

Проявив стратегический талант, алкаши задействовали в плане командос: двух корешей, с которыми один из стратегов ехал однажды в одном вагоне. Там же, в по́езде, из плацкартных разговоров он понял, что попутчики его — то ли бывшие «альфовцы», то ли будущие наемники. Потому что то ли брали дворец Амина, то ли, наоборот, собираются защищать какого-то Хомейни.

Ловкость, с которой один из попутчиков раскупоривал зубами пивные бутылки, а другой шинковал толстокожее сало, не дала усомниться стратегу в достоверности полученной информации.

Еще он понял, что наемники находятся во временном простое по той причине, что наниматели «не телятся».

В общем, с учетом того, что обитали попутчики-головорезы в другом поселке, но неподалеку, в план они вписывались. Еще вернее: план под них и создавался.

Поначалу разработчики планировали, что командос перехватят чету поздним вечером на улице. Потом передумали: пусть уж натренированная супруга сама доставит муженька до квартиры. И уже там, у входа, чета угодит в засаду.

На том и порешили.

Все было выверено. Наемники прибыли в райцентр в пятницу вечером. В аккурат к тому времени, когда директор, по всем предыдущим наблюдениям, должен был набираться в гостях. И сразу же подались к небоскребу. Руководствуясь начертанной схемой, безошибочно обустроились в месте, предназначенном для засады. Внизу у парадной, за мусорными баками.

Стратеги-разработчики в это время обеспечивали себе алиби. Сначала предполагали спровоцировать собственное попадание в медвытрезвитель, но потом уверили себя в том, что вытрезвитель — это ненадежно. Решили, что не с их фартом попасть в него, когда это нужно. Да и потом... Если они не попытаются откупиться у тех, кто подберет их, — это вызовет ненужные подозрения.

Остановились на том, что мудрить не стоит. Времяпрепровождение в ближайшем баре за алиби сойдет. Тем более что и как явка — точка подходящая. Завершив операцию, наемники тоже заглянут в бар. Разумеется, не обозначая знакомство со стратегами.

Появление их в баре будет сигналом, означающим: «Встречаемся на станции. Делим добычу».

Все испортила директорская супруга.

В этот вечер властность ее не проявила себя в привычной, желательной степени. Директору было разрешено напиваться дольше обычного. Настолько дольше, что, во-первых, разработчики утомились в баре от затяжного подконтрольного пьянства, а во-вторых, исполнители, принимающие мусорные воздушные ванны, потеряли терпение.

И, расстроенные, не мудрствуя, подались на явку.

При благоухании, которое они расточали вокруг, расчет на то, что приход их окажется мимолетным, мало кем замеченным, не оправдался.

К тому же они, поправ законы конспирации, прямиком направились к сообщникам, и один из них подвел итог операции:

— За...бали... Сколько можно ждать?.. Водки налей.

Стратег-попутчик несколько подивился услышанному.

В поезде на него сильное впечатление произвел снисходительно описанный как раз этим спецназовцем эпизод, в котором тот трое суток просидел без движения в засаде. В куче верблюжьего навоза. Боясь не то что чихом — малейшим шевелением, урчанием в животе спугнуть с поверхности укрытия мух и тем самым рассекретиться. А значит, подвергнуть опасности не только свою жизнь, но и жизнь боевых товарищей.

Именно навоз навел разработчика на мысль использовать в качестве укрытия мусорные контейнеры.

Удивленный и осторожно-разгневанный, он покинул бар. Сначала просто потому, что не хотел мозолить глаза окружающим в составе компрометирующей его компании.

Потом, на предварительном следствии, на то и давил. На то, что знать этих вонючек не знает. Что они просто навязывались в собутыльники.

На улице что-то толкнуло его в сторону девятиэтажки. Он и сам не отдавал себе отчет, зачем пошел к ней. Зачем поднялся на седьмой этаж. А может, и осознанно действовал. Чтобы убедиться, что хозяев все еще нет. Убедился он в обратном. Для этого ему не пришлось даже прикладывать ухо к замочной скважине. Не пришлось даже выходить из лифта. Из открывшегося лифта он услышал храп и вдруг подумал: «Дверь — фуфло».

И нажал кнопку первого этажа.

Потом, правда, вновь поднялся на этаж и перерезал гвоздем уходящий в косяк директорской квартиры телефонный провод.

Вонючек и приятеля он застал дискутирующими. У входа в бар со стороны улицы. Наемники обвиняли работодателей в недоработанности плана и требовали неустойку.

— Пока вы дули водку, они вернулись, — объявил подошедший. И с американской значительностью добавил: — Свою работу мы сделали. Вы должны сделать свою.

Спецназовцы какое-то время недоуменно пялились на него. Потом один из них уточнил:

— Ты гонишь?

— Они спят. И бабки в доме. Дверь, между прочим, деревянная.

Намекал на то, что помнит, как «альфовец» форсил в поезде:

— Брус-пятидесятку — ребром — не ху... делать. В щепки.

Возможно, намек и ущемил достоинство каратиста.

— Ждите в баре, — с американской значительностью прервал он болтовню. И решительной походкой крутого янки отправился к небоскребу.

У директора меховой фабрики не может не быть ружья. Не потому, что ему положено увлекаться охотой или предвидеть нападение на себя грабителей-недоумков. Оленья голова на стене (как минимум — рога) и гравированная «тулка» обязательны в его доме, как атрибуты должности. Тем более что не самому же ему приходится обзаводиться этими атрибутами. Люди дарят. Заказчики или поставщики.

Рогов (во всяком случае — на стене) у директора не было, а вот двустволка в кладовке ржавела. Директор меховой фабрики не признавал охоту как развлечение, потому что любил зверей. Причем вовсе не из-за того, что они способствовали его благополучию. Просто любил, как сельский житель, с детства приученный к живности, но вынужденный из соображений престижности жить на седьмом этаже.

До этого он палил из ружья всего дважды. В смысле, один раз, но из обоих стволов. Это когда принимал ружье в подарок. Неудобно было отказать настаивающему на пробе дарителю. Очень уж тот гордился боем подарка.

В консервную банку, которую тогда установили у фабричного завода, директор не попал. Но бой одобрил.

В тот вечер ему пришлось стрельнуть третий раз. Именно пришлось.

Уже было сказано, что преступникам все испортила супруга.

В тот момент, когда в дверь ломанулись в первый раз, муж уже с полчаса не давал спать недавно переехавшей в их дом молодой семье. (Сама супруга и соседи-старожилы к храпу директора привыкли. Адаптировались, как бойцы на передовой, засыпающие под грохот разрывов.)

Директор от души давал храпака.

Хорошо, что давал. Если бы бодрствовал, возможно бы, и запаниковал. Супруга его, коронованная бигудями и только-только наложившая на лицо косметическую маску, не запаниковала. С женщинами, особенно с директорскими женами, такое бывает. Заходиться визгом при виде мыши и не терять присутствия духа, когда дверь жилища трещит под натиском грабителей, — это у них в порядке вещей.

Дверь трещала, но пока держалась.

Каратист не только насчет верблюжьих экскрементов, но и насчет бруса-пятидесятки солгал. Однако под ударами вошедшей в раж грабительской ноги косяк напротив замка дал слабину. Лопнул.

Большинство ее подруг неизменно недоумевали: почему она, властная, личностная баба, довольствуется местом, которое занимает при муже. Место себе в этой жизни она выбрала сама и не жалела о выборе: быть под ним, поддерживать, а то и направлять его в трудную минуту.

Минута, пожалуй, была подходящей. Достаточно трудной. И она взялась направлять и поддерживать. В прямом смысле.

Читатель, возможно, скептически сморщится, читая ближайшие абзацы. Но так оно все и было. В протоколе, во всяком случае, поведение супруги зарегистрировано именно такое.

Первым делом она толкнула мужа в бок. Не намного деликатнее, чем грабители толкали дверь.

Супруг отозвался безмятежно-невнятным бормотанием. Она не вслушивалась. Подалась в кладовку. За ружьем. Возвращаясь с ним, на ходу заглянула в стволы. Патроны оказались на месте. (Те самые, которые даритель когда-то зарядил, уговаривая директора пальнуть по банке еще разок.) Откуда вдруг взялась в ней эта деловитость оруженосца — она потом и сама не могла понять.

Деловито столкнула вновь начавшего артобстрел супруга с кровати. Очередной залп храпа дал осечку. Директор недоуменно и обиженно продрал глаза. И в этом состоянии обиженности и недоуменности в мгновение был доставлен оруженосцем-супругой в прихожую.

Годы транспортировок мужа из гостей домой способствовали этому.

В прихожей глава семьи с возросшим недоумением, но, впрочем, уже без обиды обнаружил у себя в руках двустволку. Взглядом поискал разъяснения происходящему у стоящей за спиной жены. Не нашел, потому что голове не хватило угла разворота, а туловище было строго зафиксировано сзади. И руки были зафиксированы. В готовом для стрельбы положении.

Хозяину ничего не оставалось, как смотреть на дверь. Он посмотрел на нее. И, окончательно проснувшись, все понял.

Но выстрелил до того, как успел запаниковать. Выстрел опередил полноценное понимание. И, может быть, поэтому, был точен.

Указательный палец, пусть даже и неутонченного человека, куда меньше в размерах, чем консервная банка. Но директор попал в него. Причем не с двух — с одного выстрела.

После очередного толчка замок не выдержал. Дверь сорвалась с защелки и не распахнулась только потому, что запнулась о цепочку. Запнулась временно. Цепочки такой прочности предназначены для придерживания дверей в приоткрытом состоянии в процессе проветривания. Следующий толчок должен был стать последним. Чьи-то пальцы с въевшейся под ногтями грязью предвкушающе ухватились за освободившийся край двери...

Целился ли он в них или попал случайно — тоже потом вспомнить не мог.

Даритель форсил не зря. Бой у ружья оказался безупречным.

Грохот, пожалуй, оказался все же громче знаменитого храпа. Прихожую мгновенно заволокло дымом. Рука, державшаяся за дверь, исчезла. Не вполне укомплектованная...

Один из пальцев почти целиком остался на двери. У края. Отделенный от него развороченной воронкой от пули. Перст, прилипнув, повисел чуток и упал на ворсистый коврик.

И только после этого за дверью раздался вопль. Судя по паузе, гроза душманов разок-другой сбился, пытаясь сосчитать уцелевшие пальцы.

Вопль, не успев толком развиться, оборвался. Как потом оказалось, раненый потерял сознание. Как оказалось еще позже, он не переносил вида крови. Своей, разумеется. Сообщник его оказался более стойким. Устоял на ногах. На ногах, но не на месте. Неизвестно, что больше потрясло его. Превращение только что грозного товарища в распластавшееся на полу тело или увиденное в дверном проеме чудище с огуречными семечками на щеках. Одно потрясло — другое доконало. Он, с наконец проявившейся спецназовской реакцией и прытью, рванул по лестнице вниз.

С ехидством смаковать дальнейшее не буду. Тем более что палец пришить не удалось. Его не удалось даже выловить из канализации. Не растерявшаяся супруга поспешила по своему разумению замести следы, избавиться от улики. Подобрав палец, швырнула его в унитаз и слила воду.

И только после этого поволокла впавшего в транс мужа на супружеское ложе. Досыпать.

Так и сказала ему:

— Спи!..

И, спохватившись, метнулась к окну. Проветривать квартиру от дыма.

Она и дальше выдерживала свой супружеский стиль. Стиль не только хранительницы, но и защитницы очага. Напрочь отрицала перед милицией причастность супруга или себя к увечью незнакомца, обнаруженного соседями под директорской дверью.

Уже и сам незнакомец, очухавшись и получив первую помощь, все надиктовал следователю, а она стояла на своем.

И на вопрос: «Где палец?» делала искренне непонимающие глаза.

— Пришить можно, — втолковывали ей.

Она не сдавалась.

Никак не могла понять, что ни супругу, ни ей ничего пришивать не будут. В смысле статьи. Что единственное, что им светит, — это статья в газете. Одобряюще-ехидная.

Впрочем, почему единственная... Статей, посвященных ее геройству, было множество.

(Не к теме, но к месту вспомнил вдруг то ли притчу, то ли быль, которую поведал как-то в интервью актер Пороховщиков. Такую притчу лишний раз напомнить не помешает. Себе, другим мужикам. А главное — женщинам.

Актер делился другим методом. Методом, по которому выбирал себе жену. Рассказывал, что задавал претенденткам контрольный вопрос:

— Что ты будешь делать, если мне придется отстреливаться?

Все с тревожным женским участием интересовались в ответ:

— А что ты натворил?

И только одна отозвалась не думая:

— Подносить патроны.

Та, которую он взял в жены.)

Может, на этом и закончить главу?.. Нота-то вполне оптимистическая и даже лирическая. Впрочем, ее можно еще маленько доразвить...

Вынужден признать: совет не капризничать, не лезть в бутылку, не затевать противостояние с грабителями в том случае, если они уже проникли в вашу крепость, в некоторых случаях не оправдывает себя. Статистика изумляет: случаи эти преимущественно те, в которых капризничают, лезут, противостоят — женщины.

Помню: на запись очередной телепередачи «Сделай шаг» из Сибири приехала персонаж-барышня. Простенькая такая женщина, не умевшая в разговоре с ведущим Мишей Кожуховым связать двух слов.

Слов не смогла связать — двух. А бандитов подстрелила трех. (Двоих только ранила.) Пришли го-

лубчики по наводке квартиру «челнока» матери-
одиночки ставить, а тихоня, ведомая материнским
инстинктом, такое отчебучила... На записи только и
повторяла:

— Дочка же...

Слова — два. И впрямь не очень связанные. Но
что странно: и Кожухову, и зрителям все было понятно.

Другой эпизод, совсем свежий. Газета вчераш-
няя персдо мной, «Сегодня» называется. Цитирую:

«...из гостиной донесся странный хлопок, а затем
голос Ивана (мужа):

— Оля, береги Юлю!

Схватив тяжелое ружье, Ольга бросилась в комнату, увидела Владимира (одного из бандитов) с ре-
вольвером в руках и... стала стрелять. От бедра,
ловко передергивая затвор и целясь в ноги страшным гостям. Ни один из трех патронов даром не
пропал...»

И опять же, героиня статьи — не чемпионка
по стендовой стрельбе. Просто — женщина, жена,
мать...

Эпизоды-то привел (и другие просятся), но понятия не имею, что из них следует... Жениться, что
ли, как можно раньше желательно нашему брату...
Или просто не обольщаться на свой счет... И насчет
толковости советов, которые мы, мужики, горазды
давать...

Глава 4

КВАРТИРНЫЕ ВОРЫ

Глава о том, как себя вести, если обворовали вашу квартиру, вроде бы не вполне уместна в данной книге. В большинстве таких случаев хозяева пострадавших квартир (или пострадавшие хозяева квартир) с преступниками не пересекаются. Последние все делают для того, чтобы разминуться с хозяевами. Если уж не в пространстве, то хотя бы во времени.

Но полноценное, контактное пересечение со злоумышленниками при данном виде преступления тоже имеет место. Пересечение пусть не самих хозяев, но их вещей.

Это почему-то ничуть пострадавших не радует. Причем зачастую неизвестно еще, что в большей степени наполняет хозяйские души негодованием: понесенный материальный ущерб или ущерб, который нанесли воры атмосфере, ауре родного жилища. Одна мысль о том, что кто-то грязный, гадкий, бессовестный бродил по твоему дому, прикасался к твоим вещам, возможно, сидел в твоем любимом кресле, а то и пил из твоей любимой чашки, вызывает... бр-р!.. — вот что она вызывает.

Тут невольно пересмотришь некоторые свои детские представления и симпатии. Медведи, заставшие беспардонную Машеньку у себя на дому, проявили, как теперь обнаруживается, верх благородства.

Пострадавшим с воображением после такой жизненной неприятности приходится особенно туго. Некоторым из таких даже кажется, что если бы вор попросил у них все по-хорошему, то они не отказали бы. Только бы не лез в дом, не вынашивал мерзкие помыслы.

По поводу психологической реабилитации потерпевших советовать особенно нечего. Разве что порекомендовать, чтобы, распрощавшись со следственной бригадой, устроили генеральную уборку квартиры с долгим проветриванием. И генеральную стирку.

Можно еще порекомендовать материальную заинтересованность следователя. Внятный стимул существенно повышает процент раскрываемости любых преступлений.

Излечению травмированной души очень способствует поимка вора. И дело тут не только в удовлетворенной жажде мести. На судах чаще всего терпилы не кровожадничают. И даже, бывает, сами просят судей о снисхождении. (А ведь когда озирались в своей свежеобворованной квартире, из наказаний для негодяя ничего, кроме расстрела, на ум не шло.)

Но вот он, негодяй. В клетке.

Можно сколько угодно смотреть ему в глаза... Это-то, как показывает опыт, и реабилитирует. Освобождает наконец воображение от галлюцинаций.

Но надо бы разобраться с тем единственно оставшимся процентом, когда злоумышленник все же пересекается в пространстве-времени не только с хозяйскими вещами, но и с самим хозяином.

Это случается, если потерпевший возвращается в жилище в самый разгар преступного промысла. В тот момент, когда в нем орудует злоумышленник. Бродит по дому, прикасается к вещам, сидит в хозяйском кресле, утоляет жажду из хозяйской чашки-любимицы.

Что порекомендовать такому хозяину, ошалело замершему с ключом в руке у развороченной двери в собственную квартиру? Или недоуменно елозящему ключом в замке, пытающемуся сообразить, почему ключ не проворачивается. (А чего ему проворачиваться, дверь-то не заперта.) Или переступившему порог и машинально поздоровавшемуся с обнаруженным за порогом незнакомцем?

Тут надо бы отвлечься для небольшого, но существенного обобщения. Касающегося всех видов пересечения добропорядочных граждан с миром криминала.

Все разновидности этого пересечения можно рассортировать на два принципиально разных подвида.

Один подвид — это когда контакт со злоумышленником, противостояние ему неожиданны только для гражданина. Для преступника же при этой разновидности злодеяний контакт — запланированный аспект его «нелегкой трудовой деятельности». Он предвидит и учитывает, *что* жертва может ему противопоставить, и действует, если можно так выразиться, с запасом прочности.

К подвиду этому относятся, к примеру: рэкет, грабеж, похищение с целью выкупа, продуманное насилие, «кидняк» на квартиру и другие серьезные аферы (в том числе брачные), шантаж, заказное убийство...

Другой подвид — это когда степень противостояния со стороны жертвы преступник просчитать не в состоянии. По той причине, что открытый контакт явился неожиданностью и для него и противостояние не входило в его планы.

В этот подвид попадет промысел карманников, квартирных воров, угонщиков машин (в общем, представителей всех воровских специализаций), уличных аферистов, шулеров...

В промежуточном положение между этими подвидами оказываются: уличные грабители и грабители, нападающие на водителей, насильники — случайные охотники, экспресс-рэкетиры, промышляющие на рынках или обирающие «челноков», хулиганы...

Эти ребята хоть и осмысленно идут на контакт, но просчитать тютелька в тютельку степень противостояния им слабо. Так что действуют они на свой страх и риск. По возможности тоже страхуются: орудуют скопом, призывают в пособники физиогномику, работают над собственными скоростными качествами.

Читатель, поди, уже понял, к чему вся эта классификация. Правильно. К тому, что вор, которого вам случится застать в своей квартире, к встрече с вами будет готов ненамного больше, чем вы с ним. И на что вы окажетесь горазды — для него тоже будет сюрпризом.

И именно от того, на что вы и в самом деле способны, насколько вы уверены в себе, зависят советы, которые можно рискнуть вам дать.

Базовый совет, который исключает малейшую вероятность еще больших для вас неприятностей, надо бы все же обозначить. Совет этот такой: если вы поняли, что в вашей квартире вор, ведите себя так, как будто квартира — не ваша.

Если обнаружили проникновение злоумышленника заблаговременно (следы взлома, приоткрытая дверь), то не задерживайтесь у дверей собственной квартиры. Направляйтесь прямиком к соседям. И уже у них — к телефону. Вербовать соседей в защитники вашего имущества — бестактно. Вероятность, что отношения ваши после этого навсегда испортятся, слишком велика. Если они струсят, то потом им будет непросто смотреть вам в глаза. Если же ринутся на защиту и серьезно пострадают, то глаза при последующих встречах предстоит опускать вам.

Кличьте милицию. Авось она не будет мешкать слишком долго. И поспеет до того, как вор насидится в вашем кресле или утолит жажду из вашей чашки.

Позвонив, у соседей не задерживайтесь. Отправляйтесь в обратный путь, на улицу. (Проходя мимо собственной двери, старайтесь на нее не смотреть. Нервы могут не выдержать.) На воздухе, как максимум, присматривайте милиционеров, военных или просто собирайте мужчин убедительной комплекции и внешности. (По меньшей мере троих.) Как минимум — занимайте удобную для наблюдения позицию. Ваша задача: запомнить преступника в лицо. Но настраивайте себя на худшее. И опять же имейте в виду: нервишки в этом нелегком процессе сдать не должны. Хотя... Пассивно наблюдать, как разрушитель ауры вашего дома быстренько удаляется, да еще с вашими вещами?.. Что нервы — сердце может не выдержать.

Если же вы поймете, что процесс обворовывания вашей квартиры идет в данный момент, столкнетесь с преступником нос к носу, то отнекивайтесь от имущественных прав на окружающие вещи незатейливым текстом-вопросом:

— Скажите, Валентина Петровна дома?

Свое имя-отчество использовать не рекомендуется. Из все тех же соображений гуманного отношения к собственным нервам и сердцу.

В девяноста девяти случаях из ста вор сочувственно ответит вам, что Валентины Петровны нет дома, и спросит, что ей передать. В оставшемся случае предложит пройти в квартиру и подождать ее. При этом, если вы примете предложение, вполне вероятно, что усадит вас в пресловутое кресло и угостит кофе в злосчастной чашке.

Принимать приглашение не следует. Во-первых, мерзавец, случайно бросив взгляд на настенную, настольную или наполочную вашу фотографию, может обеспокоиться: где он видел это лицо? Во-вторых, рассиживаться в гостях у вора, пусть даже и в собственной квартире, вам не время.

Ведь вам еще предстоит проделать все действия, означенные в первом варианте. Звонить от соседей в милицию, метаться в поисках милиции, выискивать и уговаривать помочь вам физически крепких мужчин.

Так что благодарите за приглашение, просите, чтобы вор передал Валентине Петровне, что приходила Таня с работы. И откланивайтесь.

При этом варианте первое, что вы должны сделать, оказавшись у соседей, — потребовать валерьянки. Дальше — по плану.

Поведение, описанное выше, можно рекомендовать всем женщинам, не имеющим разряда по метанию ядра или другому силовому виду спорта. А также всем мужчинам, способным прислушаться к данной рекомендации.

Всем остальным мужчинам, столкнувшимся нос к носу с негодяем, внедрившимся в их жизнь (жилище-то — часть жизни), советы ни к чему.

Разве что есть смысл обратить их внимание на некоторые нюансы-предупреждения.

Войдя и обнаружив в прихожей незнакомца, имейте в виду, что в каждом из других помещений квартиры тоже может оказаться по незнакомцу. И если первый встреченный вами пришелец окажется дохляком, это не будет означать, что злоумышленники, собираясь на дело, подбирали друг друга по внешнему образу и подобию.

Имейте в виду и то, что сообщник вора может находиться не в квартире, а на улице. На стреме. Так что теоретически он может прийти на помощь попавшему в беду подельнику. (В виду иметь это следует, но на практике такое развитие преступления редко имеет место. Стоящий на атасе подставляться на полную катушку не будет. На стреме обычно стоят либо самые хитрые, либо самые трусоватые.)

И кстати... В последнее время те, кто на стреме, извещают орудующих в квартирах сообщников о возвращении хозяина звонком с мобильного телефона. Имейте это в виду. Но не впадайте в крайности. Был случай, когда не в меру бдительный бизнесмен накостылял ни за что ни про что студенту-имениннику. Не терпелось юноше опробовать только-только подаренную ему трубку. Не мобильник — просто радиотелефон. Оставив приглашенную на день рождения компанию в квартире, он спустился во двор и принялся набирать номер. Со значением посматривал при этом на прильнувших к окну друзей.

Ну и разжился дополнительным подарочком в виде синяка и вывиха кисти.

Если вы обнаружили следы взлома на собственной двери или незапертую дверь, но, войдя, никого не увидели — не расслабляйтесь. Это не значит, что вор уже «пошабашил». Переходя от комнаты к комнате, будьте настороже. Никого в них не обнаружив, не спешите расслабляться. Поворачиваться спиной к кладовкам, шкафам не следует. Так же как и подходить слишком близко к кроватям, под которые вы еще не заглянули.

Двери кладовок и створки шкафов не обязательно открывать в киношном стиле: стремительно распахивая, отскакивая и принимая стойку, удобную для стрельбы, — на полусогнутых, широко расставленных ногах. Правда, и вреда от такого фортеля с вашей стороны не будет. Но тогда уже есть смысл быть последовательным. Крикнуть:

— Руки вверх, подонок!

Вдруг вор сдаст себя тем, что расхохочется.

Если же вы романтик более тонкого, ироничного склада, то можете предварительно непринужденно постучать в дверь возможного укрытия и пригласить гипотетического притаившегося воришку:

— Выходи, коньячку бахнем. Покалякаем.

Были случаи, когда на выпивку и предложение покалякать злоумышленник откликался.

Если вора в укрытии не окажется, вы, конечно, почувствуете себя глуповато. Особенно при первом варианте своего поведения. Ковбойском.

Ничего, отнеситесь к недоразумению философски, как к поводу для самоиронии.

Если, исполнив трюк и обернувшись, вы обнаружите у себя за спиной вернувшуюся вслед за вами домой жену, тоже ничего страшного.

Во-первых, она удостоверится, за какого крутого

парня «пошла». Во-вторых, как минимум, улыбнется. Для снятия стресса, вызванного обворовыванием, полезно и то и другое. Какая-никакая, а компенсация.

И наконец, если вор таки оказался в квартире и вам удалось пленить его, поступайте в соответствии с собственным менталитетом.

Можете, позвонив в милицию, и впрямь распить с ним бутылочку (вряд ли вор, если он хоть чуть-чуть вменяемый, согласится составить вам компанию. Нетрезвое состояние — по-прежнему отягощающее обстоятельство). Можете отвести душу, отлупив пойманного. Но если милицию вы таки вызвали, с мордобоем не переусердствуйте. Милиционеры не любят, когда у них отнимают право первого тумака.

Можете, отлупив или распив бутылочку, провести с незадачливым воришкой агитационную беседу и, проявив себя стопроцентным альтруистом, отпустить его на все четыре... При этом можете быть уверены: на квартиру вашу он впредь не позарится. Но знаете: альтруизм ваш в отношении пойманного скорее всего выйдет боком другим квартировладельцам. Жестикуляция слушателя, которую вы будете наблюдать в процессе проповеди, на распутье четырех сторон претерпит изменения. Подобострастные кивки видоизменятся в недвусмысленный жест: во вращательные движения пальца у виска.

И последнее. Пусть расслабленное состояние попавшегося не расслабляет вас. В процессе общения будьте готовы к любым сюрпризам с его стороны: от попытки стартового рывка до неожиданного взмаха над вашей головой чего-нибудь увесистого. Например, Библии, которую вы привлекли к общению в качестве соагитатора.

Советовать что-либо еще по данному редкому случаю, при котором хозяин обворованной квартиры получил шанс пообщаться с вором, нет смысла.

Возможен более или менее краткий обзор профилактических мер, способных помешать всяким несознательным гражданам успешно шерстить чужие жилища.

Если развивать собственную склонность к классификации, то и меры эти можно рассортировать: на меры, мешающие ворам проникнуть в квартиру, и меры, затрудняющие им сам процесс поиска различных материальных ценностей.

Первые — немудреные. Решетки на окнах, бронированная дверь с несколькими не самыми дешевыми замками, сигнализация. Ну и, разумеется, собака какой-нибудь впечатляющей породы.

Вторые меры — наоборот... Хитрыми они должны быть настолько, насколько это возможно при вашей мудрости. Хотя «мудрость» в данном случае звучит излишне пафосно. Речь-то идет об обыкновенной находчивости. О том, где в квартире схоронить самое ценное из того, что у вас есть.

Как раз тут обыкновенной находчивостью и не обойдешься. Нет смысла рекомендовать какие бы там ни было тайники. Ведь не только гражданам, озабоченным сохранением пожитков, хватает времени самообразовываться всяким сомнительным чтивом. Воры тоже порой отдыхают от дел насущных. Рекомендации эти были бы познавательны для них даже в большей степени.

Попробую дать интересующимся гражданам иные рекомендации. Явно бесполезные для воров. Рекомендации, где устраивать тайники нежелательно.

Вот те места, в которых домовладельцы «обыкновенной» находчивости имеют обыкновение (хм...) прятать самое сокровенное и которые воры, проникнув в квартиру, исследуют в первую очередь. (Выдвижные ящики столов и дверцы секретеров не рассматриваются: то, что лежит в них, не может претендовать на спрятанность. Ценности оставляются в них либо по беспечности, либо по забывчивости. Либо как попытка откупных для грабителей.)

С помощью консультанта-домушника по степени обыкновения и пойду.

Итак...

1. Постельное белье в шкафу или комоде.

2. Кухонная утварь.

3. Спальная тахта. Где-нибудь под матрацем.

4. Холодильник. Преимущественно морозильная камера. За окаменелым мясом.

5. Библиотека. Одна из книг.

6. Под паласом. В малодоступном, прижатом мебелью месте.

7. Под ванной.

8. За радиатором.

9. Опять же на кухне. В сыпучих продуктах. В чае, сахаре, в крупах...

10. В мебели. Точнее, под ней. Нижние плоскости столов, тумбочек, диванов, шкафов. Ценности приклеиваются скотчем.

11. Бачок унитаза. Либо за ним, либо в нем. В полиэтиленовом пакете.

12. Люстра. Особенно если потолки недостаемые.

13. Трубы оконных карнизов.

14. Нижние, загнутые и подшитые края штор.

15. Электроника: телевизоры, компьютеры, музыкальные центры. Редкость использования тайника, вероятно, объясняется тем, что прячущие отдают себе отчет: тайник умыкнут вместе с вещью.

16. Мягкие детские игрушки.

Так что выпускайте фантазию на волю. Пусть дерзает, резвится вовсю... В пространстве, обозначенном флажками. И еще одно условие: тайников должно быть несколько. Доверять нажитое одному — опрометчиво.

(Консультант рассказал развеселивший его когда-то эпизод из своей профессиональной карьеры. В одной из квартир он один за одним вскрывал тайники со все увеличивающимися суммами вкладов. Меньше всего денег он обнаружил в белье. На кухне, в пустой банке, пахнущей горохом, его ждала сумма поприличней. Еще более существенная заначка притаилась под матрацем... Может быть, потому он надиктовал мне список, почти не задумываясь. Впрочем, в тот удачный для него заход (!) ряд прервался на сыпучих. В небрежно распахнутой пачке с чаем изощренными хозяевами были припрятаны несколько колец и брошь.)

О сейфах — разговор отдельный. В наше время, когда профессия домушника стала раритетной, сейфы — достаточно надежное убежище для ваших ценностей.

Все, что сможет противопоставить сейфу какой-нибудь случайно забредший в вашу квартиру наркоман, — это свою досаду. (Понятно, что если вы при сейфе, то и дверь у вас бронированная, и на замках вряд ли сэкономили. Имеется в виду тот случай, при котором вы либо потеряли ключи, либо их у вас предварительно увели. А вы, рафинированный фраер, как ни в чем ни бывало продолжили пользоваться запасным комплектом.)

Некоторые небедные затейники устанавливают в квартирах по два и более сейфа. Смысл в этом, конечно, есть. А вот смысл при наличии сейфов прятать ценности вне их, в расчете сбить воров с толку, пустить их по ложному следу, — спорный.

Имел место случай, когда вор-дилетант, огорченный обнаруженными стальными хранилищами, просто от безысходности продолжил поисковую деятельность. Без надежды на успех, просто для того, чтобы не уходить с пустыми руками (раз уж пришел). И выискал в санузле, в ворохе туалетной корзины (не такой уж, значит, дилетант) три банковские пачки стодолларовых купюр.

«Ничего себе, жирует дядя!.. — изумился, вероятно, при этом. — Если такие бабки у него в туалетном ведре валяются, то что же у него тогда в сейфах?..»

Так что с сейфами важно не перемудрить. И помнить, что устанавливать их следует обязательно в капитальных стенах. Из перегородок их просто извлекают. Выламывают, выбивают, вырезают. И хотя с несколько большими усилиями, но уносят, как заурядные кошельки.

Есть и еще один способ борьбы с нынешними домушниками. Вернее, еще одно направление борьбы. Способов в нем может быть столько... Это зависит от того, насколько опять же изощренна ваша фантазия.

Приведу один как пример.

Случай этот был описан когда-то в газете «Труд».

Некий гражданин, уезжая в отпуск, беспечно не обязал друзей и соседей присматривать за квартирой. (Беспечно — на первый взгляд, но об этом — потом.)

Ну и поплатился.

Квартира, оставленная уехавшими хозяевами без присмотра, для воров нечастая удача. Подарок судьбы. Приз. Бонус.

Квартиру гражданина, конечно, обобрали. В смысле, отыскали в ней все, что можно было отыскать ценного. И даже сложили подлежащие выносу пожитки в огромные, принесенные с собой сумки. И сумки с чемоданным (?) настроением томились уже в прихожей.

Подвел воров навеянный удачливостью кураж. Вздумали они выпить на посошок. Вернулись в комнату, где на столе сиротливо торчала забытая хозяином бутылка марочного конька.

Тяпнули дружненько по стопочке. И дружненько отключились. Навсегда. Коньяк с секретом оказался. С секретом-ядом. Хозяин-садюга умышленно его в зале на видном месте выставил. Как выставляют отраву тараканам или крысам. Так, чтобы те ее не просмотрели.

В общем, правильно говорят: возвращаться не на фарт.

Почему поплатился — хозяин?

Да потому, что судили гражданина. И срок дали увесистый. Хотя поплатился он не столько за придуманную им изощренную самозащиту, сколько за вредность. Уперся перед судьей: дескать, коньяк отравленный, я специально для таких гадов на столе оставил.

И главное, адвокат изо всех сил пыжился, наводящими вопросами пытался вывести подзащитного на то, что, мол, отраву для грызунов готовил, по рецепту ноу-хау. А тут путевка подвалила. Ну и забыл зелье отравленное выбросить. На поезд в Сочи опаздывал.

На своем стоял гражданин: специально ловушку приготовил. Вот такой принципиальный попался. Или тщеславный.

В том случае и был еще один менее трагический курьез.

Следователи никак понять не могли: чего вдруг в прихожей на полу порванные жеваные презервативы валяются. Перевязанные на манер воздушных шариков. У гражданина выпытывали: что это за еще одно ноу-хау? Гражданин ни сном ни духом.

Потом вычислили.

Оказывается, воры, когда на дело шли, сумки надутыми презервативами наполнили. Чтобы, если кто увидит со стороны (бабушки, например, дворовые), к телефону не кинулся: в милицию звонить. А что — тоже находчиво: с полными сумками вошли — с полными вышли. Мало ли: в гости приехали, а хозяина не застали.

Только вот хозяин находчивей оказался.

Впрочем, этот мини-курьез — уже так, к слову. К случаю.

В качестве иллюстрации к первой части главы, в которой рассматривался вариант именно пересечения, возьму эпизод, приключившийся с Борисом Барским. Одним из самых запоминаемых артистов знаменитой комик-группы «Маски».

В «Масках», конечно, все запоминаемы, но Барский особенно. Во-первых, залихватскими усищами. Во-вторых, некоей трагичностью образа.

Странное, нелогичное сочетание...

Чаплин тем и запал в души миллиардов — трагичностью и усами. Но усы у великого комика были трагичности под стать. Сами по себе вызывали жалость. Усеченные, ужатые до крохотной вертикальной пимпочки, они вписывались в мимическую геометрию трагизма.

Все горизонтальное в этой геометрии ассоциируется с улыбкой, с уверенностью в себе. И в образе Барского ассоциируется. Но... жалко его. Почему-то. Хочется заранее сочувствовать.

Влюбленные в образ зрительницы путаются в своих ощущениях. Оказываются не в состоянии дать себе отчет: что в первую очередь способствует их влюбленности — залихватскость или трагизм.

Как бы там ни было, несмотря на усища и присвоенный кем-то Барскому титул секс-символа, именно его персонажу больше всего достается в каждой серии «Маски-шоу». Именно он неизменно выбирается другими «масками» мальчиком для битья. (В их случае: дедушкой для битья.)

Подводка к эпизоду несколько затянута, но затянута неспроста. Дело в том, что сценическая маска Барского всегда при нем. Усы-то не приклеены.

И залихватскость их всамделишная. Но самое удивительное, что всамделишная и трагичность.

Окружающие недоумевают: что это? Как говорят в Одессе — понты? Или он в самом деле такой?

Такой.

В том и соль эпизода, что в нем, в эпизоде, такой, вызывающий сочувствующую улыбку персонаж пересекся с вполне полноценным (по современным понятиям) квартирным вором.

И еще — в том, *как* персонаж к пересечению отнесся.

В тот вечер Борис с женой Натальей (о ней отдельный разговор, в другой главе) и детьми возвращался домой. В свою свежекупленную, расположенную на пятом этаже «хрущевку».

Как это обычно бывает, пока родители, чинно меряя этажи, брали высоту, дети-шустряки с гвалтом взмыли вверх. Обогнали предков на несколько лестничных пролетов.

И вдруг там, на вершине, притихли. Притихшие, скатились обратно вниз. Не столько испуганно, сколько заинтригованно уведомили родителей:

— А у нас дома какой-то дядя.

— Вы не забыли с ним поздороваться? — с занудным ехидством спросил у них папа Боря.

— Дядя? Дома? — насторожилась мать. — И что он делает?

— Наверное, ждет нас... — резонно предположили чада.

Родители переглянулись. Мама машинально потянула детей к себе. Как квочка цыплят. Под крылья.

Папа Барский выдвинулся вперед.

Дядей оказался молодой парень. Стриженый, белобрысый, с унылым, но вполне бессовестным лицом. Он явно не был истомлен ожиданием хозяев. Иначе, дождавшись, вряд ли бы засобирался уходить.

Борис пересекся (!) с ним на лестничной площадке четвертого этажа. Причем наблюдатель со стороны принял бы пересечение за пантомимический этюд.

Спускающийся, столкнувшись грудью с поднимающимся, попытался разминуться с ним. Не поднимая взгляда, шагнул в сторону. Но и там нарвался на грудь. Вернулся назад и вновь не обнаружил прохода.

Так они и переминались какое-то время с ноги на ногу. Вор — вправо, и Борис — вправо. Вор — влево, и Борис — туда же.

Вор попытки не прекращал. Чуждый искусству пантомимы, он явно не понимал ее выразительных средств. Это могло продолжаться до бесконечности. По сценическим понятиям этюд затягивался.

По понятиям квартирных воров, видать, тоже.

Парень проявил нетерпение. Вежливо объявил:

— Я спешу.

Борис не стал злоупотреблять собственным профессионализмом. Перевел с родного ему языка пантомимы на обыденный, человеческий, доступный унылым ворам:

— Ты же уже пришел.

— Нет, мне надо идти, — заупрямился парень.

— Пришел же уже, — настаивал артист. — Сам видишь.

— Нет, пойду я.

— Нет, пришел...

Так еще какое-то время они поэкспериментировали в разговорном жанре.

— Боря, что там? — раздался снизу встревоженный голос Натальи.

— Тут дядя вредный попался, — сообщил ей муж. И попросил дядю: — Пройдемте, гражданин. Не упрямьтесь.

Слова «попался», «пройдемте» и «гражданин», видать, на время обезволили парня. Его, унылого, Борис ухватил под локоть и повел наверх. Пропустил в квартиру первым.

Обнаружив себя в знакомой прихожей, вор вновь встрепенулся. Спохватился:

— Мне же надо идти. Я спешу...

Это опять продолжалось долго. В смысле, незатейливые реплики с обеих сторон.

Вор уже и приступом пытался прорваться к двери, используя при этом фомку, но был отброшен на прежние рубежи, и даже дальше, на кухню, а все настаивал:

— Пойду я.

Борис стоял на своем:

— А я говорю: пришел.

— Тогда я сюда пойду, — отстранившись, обиделся вдруг вор. — И шагнул к кухонному окну.

— Туда — иди, — неожиданно проявил покладистость Боря.

Вор выглянул в окно. И передумал:

— Туда не пойду. Далеко.

— Как знаешь.

Пойманный какое-то время обиженно разглядывал противника. Обиженно, пристально и запоздало оценивающе. Прикидывал, не собраться ли еще разок с силами. Его явно беспокоили залихватски завернутые кончики усов. Он точно помнил, что где-то их видел. Сначала решил, что видел у цирковых силачей, какими их показывают в фильмах про старину. А потом вдруг вспомнил. И, озаренный своей мыслью: «Да это же клоун, которому от всех попадает», вновь бросился на артиста.

Беспомощный в сериале артист вошел в ответный клинч. Вполне комично ухватил атакующего за шею и тесно-тесно прижал его к себе.

И разделил на двоих порцию слезоточивого газа, за мгновение до этого предназначенную Натальей исключительно гостю.

В результате парочка сползла на пол. И осела в углу.

Мизансцена была в аккурат для сериала: сникший вор рыдал на груди обнимающего его, истекающего слезами усача-хозяина. Которому, как всегда, попало. На этот раз от собственной жены, пытавшейся прийти ему на помощь.

Эпизод, описанный примерно такими словами самим Борисом, я воспринял скептически. Не в том смысле, что не поверил случившемуся. Не поверил беспечности, беззлобности описания. Решил, что повествование идет от имени персонажа, которому беззлобность положена в силу имиджа. Тогда я еще не был в курсе, что Барский и его персонаж — однокровки.

Но Наталья подтвердила: все так и было. И развитие потасовки, и реплики в процессе ее. И беззлобная ее атмосфера.

Потом были следствие, возросшая популярность артиста Барского, уверенность его поклонниц в том, что причина их влюбленности все же в залихватскости, и, наконец, суд.

С учетом двух предыдущих сроков и фигурировавшей в деле фомки вору светило двенадцать лет. Дали восемь. В том числе и благодаря уговорам судьи четы Барских.

Последнее слово подсудимого содержало сообщение и просьбу. Сообщал он о том, что ни в жисть не вошел бы даже и в распахнутую дверь квартиры, если бы знал, кому она принадлежит.

Просьб в последнем слове было две.

Просил он, во-первых, прощения у Бориса. А во-вторых, у него же — автограф.

Кое-кто потом высказал мнение, что последнее слово было подсказано адвокатом.

Другие возражали:

— Что там подсказывать? Я бы тоже не упустил возможность...

Признаю, эпизод в качестве иллюстрации выбран нетипичный. Ведь возможны возражения: «С вором повезло». И мораль из эпизода извлечь непросто. Разве что такую: вот бы и нам научиться относиться к выпадающим неприятностям играючи. Как к комедийным. Со всей отпущенной нам богом иронией. И беззлобностью. (Если они вообще отпущены.)

Глава 5

УЛИЧНЫЕ АФЕРЫ

Об этом уже столько писано-переписано, что даже как-то неловко обращаться к теме. Неловко и опасно. Что ни посоветуешь, какой пример ни приведешь — непременно обвинят в плагиате.

Но, с другой стороны... Анализировать всевозможные пересечения граждан обывателей с гражданами закононарушителями и не тронуть эту разновидность... От педантично-дотошных читателей непременно достанется.

«Что же, — скажут, — ты, мил человек, общение с кидалами пропустил. Уж не заодно ли ты с ними? Тем более что, если верить справке-характеристике, выписанной издательством на задней обложке, сам долгое время шулером числился».

Так что надо анализировать. Пересечение и с «кидалами», и с шулерами. (С шулерами в другой главе.)

Хотя что тут особо анализировать. Не связывайтесь с ними, с кидалами. Вот и весь совет. Обходите стороной ловушки, которые выставляют для вас на улицах, станциях, базарах, в подземных переходах наперсточники, лохотронщики, менялы и прочие разработчики неиссякаемой жилы под названием «человеческая жадность и глупость».

Простой, самый банальный совет: задуматься о том, что неужели эти чужие вам люди настолько расточительны и щедры, что днями напролет, не щадя своего времени, не щадя в непогоду себя, изо всех сил и за свой счет пытаются облагодетельствовать каждого встречного... Нет никакого смысла повторять этот совет.

Большинство из нас склонны предполагать в других куда большую бестолковость, чем собственная. С этой склонностью ничего уже не поделаешь. Взывай к ней — не взывай... Советовать человеку заподозрить себя в том, что он бестолковее других, — пустое.

Попробую подобраться советами, так сказать, с другого боку.

Прежде чем отдать себя в разработку, постойте с минутку безучастно (в смысле: без участия в собственном надувательстве), вглядитесь инкогнито в лица альтруистов-разработчиков. В приветливые, располагающие к доверию лица девушек, предлагающих обменять валюту. В интеллигентные, кандидатские физиономии обаятельных мужчин, объявляющих каждому встречному о выигранном им призе. В счастливые лица бравого военного или бальзаковской женщины, висящих над душой у заклинателя наперстков.

Если терпением запасетесь, непременно истинные их обличья разглядите. Хотя бы мельком. Устают они, истинные, чуждые им маски приличных людей носить. Маются под масками. Нет-нет да и расслабляются. То окружающих лохов, в чьи ряды вы пока не затесались, оценивающе взглядом окинут. То опасливо по сторонам зыркнут, не плывет ли в толпе в их сторону фуражка сиреневая. То прохожих (может быть, и вас) обиженно оглядят: дескать, что вы себе думаете, у нас план горит, а вы все мимо да мимо...

Хотя бы из познавательных целей, прежде чем в очередной раз на дармовые призы и выигрыши зариться, проявите выдержку и наблюдательность. За них вам и выпадет главный приз: ваши кровные.

Если же ни наблюдательность ваша, ни терпение не достойны приза, если вы не удержались, раскатали губу на чужое и за это остались без своего (что, между нами говоря, справедливо), то тогда уже, если захотите, вспоминайте другие вспомогательные советы, вычитанные в этом и иных опусах. Думаю, захотите. Деваться-то вам, облапошенным, больше некуда. Только и остается — вспоминать.

И учтите, я лично обобщаю и даю советы эти, антипедагогические, только в силу взятых на себя обязательств перед издательством. Ну и, как уже сказал, в силу опасения заполучить упреки в потакании кидалам.

(Для начала — мини-предисловие к вспомогательным советам. Самый правильный на этом этапе вашей неприятности совет — смирившись, потопать восвояси в обобранном виде — не даю исключительно из нежелания быть посланным читателем куда подальше.)

Совет вспомогательный первый: ни в коем случае не *заполошничайте* с теми, кто вас надул. Не впадайте в истерику, не давайте волю порыву вернуть кровные незатейливым рукоприкладством. Не прите буром на кроткую принцессу-менялу, пустившую вас по миру.

Можете не сомневаться, у этой хрупкой, невинной принцессы за спиной семь братцев-великанов. Может быть, и не за спиной, может быть, и не семь, но вам от этого несоответствия сказке легче не будет. Главное несоответствие окажется в том, что у сказки, которую вы давеча себе вообразили, счастливого конца не окажется.

И вообще... Раз уж вам с трудом дается усвоение теории в виде советов, то мотайте на ус хотя бы выводы из практических уроков жизни...

Только что вы уже пошли на поводу эмоций, дали право голоса проснувшейся в вас алчности и за это поплатились. Но поплатились пока только содержимым кошелька.

За *истерию*, за безудержную эмоциональность вам, возможно, придется заплатить большую цену: здоровье.

Совет вспомогательный второй: постарайтесь воздержаться от претворения в жизнь плана, который непременно родится у вас сразу после того, как вы поймете, что вас кинули. Уточним детали этого плана: удалившись, вы обращаетесь к крутым друзьям или просто знакомым. Возвращаетесь с ними и, после того как обидчики ваши «делают возврат», наказываете их.

План этот в принципе реален. Но подлежит реализации только в крайнем случае. В том, при котором все остальные советы оказались бездейственными. Или, если страдания ваши, материальные и моральные (сумма попадания была слишком весомой; вас преследует навязчивое ощущение собственной лоховитости; просыпаетесь под утро с уверенностью: мироздание — дерьмо), соизмеримы с теми, которыми вы, вероятно, разживетесь, реализуя задумку. Ведь, во-первых, неизвестно еще, кто кого накажет. Во-вторых, даже если накажете все же вы, то есть опасность, что переусердствуйте с наказанием. И придется вам таскаться по следователям (если повезет с подпиской), изыскивать откупные, опять же не спать по ночам...

Не могу удержаться, не напомнить еще раз: весь этот «гембель» на свою голову организовали вы сами. Прошли бы себе мимо...

Ладно, продолжим...

Совет третий: после того, как надувательство состоялось, соберите волю в кулак и спокойно, вдумчиво осмотритесь. Постарайтесь осмотром выявить бригадира. Он должен быть где-то поблизости. В должностные обязанности его входит общий надзор. Поддерживание на уровне трудовой дисциплины в коллективе (главным образом — отслеживание бдительности выставленных в дозор братцев). Выплата дани местным милиционерам тоже его прерогатива. И обычно он же берет на себя проблему снятия стресса у предрасположенных к обморокам жертв и урегулирование конфликтов с жертвами повышенно строптивыми.

Вычислить его можно по вполне представительной внешности и по пресыщенно-скучающему выражению лица надсмотрщика плантаций. И еще по взглядам, которые время от времени бросают на него подопечные.

Если самим вам вычислить бригадира не удалось, можете обратиться к рядовому труженику-кидале. Но опять же без напора. Сдержанно, даже интеллигентно. (Воля все еще в кулаке.) Но и без замысловатостей. Примерно так:

— Хочу поговорить с начальством.

Скорее всего вам ответят с неискренним недоумением:

— С каким начальством?

Или:

— Вы о чем?

Но могут и не выпендриваться. Поинтересоваться:

— Зачем?

В любом случае ваша следующая реплика:

— Не хочу скандала.

Без угрожающих интонаций.

В связи с тем, что это ваше нехотение наверняка совпадет с нехотением всего трудового коллектива, начальство вам скорее всего представят.

В сторонке, куда оно (начальство) вас отведет, рассыпаться в дипломатических любезностях нет смысла, так же как нет смысла хватать его (начальство) за грудки. Со спокойной убежденностью (воля... — помните?) излагайте проблему по существу. Например, так:

— Деньги надо вернуть.

Вряд ли начальство будет округлять глаза, прикидываться несведущим. Вероятнее всего, поддержит дипломатический разговор:

— Чего вдруг?

Только не взвивайтесь в ответ на это негодованием:

— Ты что, охерел?!..

И не изображайте скорбь, готовую в этот же момент разродиться рыданиями.

Миссия-то у вас дипломатическая. Вот и ведите себя подобающе. Объясните человеку:

— Не мои бабки. Там такие люди в долях... Не отпустят.

— Тебя не отпустят, — резонно ответят вам. Или спросят: — Кто тебе виноват?..

Не спорьте. Ни с тем, что достанется и вам, ни с тем, что вина ваша. Только уточните:

— Никого не отпустят. Такие люди.

— Ну? — спросят вас. Не совсем риторически.

Пожмите на это плечами. Дескать, и самому неприятно подсказывать такое, но... куда деваться. И подскажите:

— Надо делать возврат.

Разговор может затянуться. Возможно, у вас будут интересоваться, что за люди — в долях. В каких именно долях эти люди. В одном можете не сомневаться: в том, что, если даже ущерб вам согласятся возместить, без торга не обойдется.

Что ж, торгуйтесь. И помните: сколько бы вы ни выторговали — это не часть вашей потери. Это ваше приобретение.

Совет четвертый: дуйте в ближайшее отделение милиции. Ведомые нелоховской убежденностью в том, что милиция обязана оберегать вас и исправлять ошибки вашего лоховского мировоззрения, а уверенные в том, что те, кто вас кинул, под крышей этой самой милиции и промышляют (в девяносто девяти процентах случаев.)

В милиции вас первым делом оглядят оценивающе, а потом небрежно спросят:

— Заявление писать будете?

— Буду, — должны сказать вы.

Можете не сомневаться: с подачей заявления так просто номер у вас не пройдет. Вам будут долго говорить:

— Кто вам виноват?

...

— Зачем вам это нужно?

...

— Где же мы их найдем?

...

— Если даже найдем, денег у кидал скорее всего не окажется. Это раз. И два: если найдем, они, кидалы, непременно зададут вопрос: где доказательства?

И, спохватившись, спросят:

— Кстати, доказательства у вас есть?

Стойте на своем. На требовании листа бумаги и ручки.

И еще... Корпя над заявлением, в какой-то момент отвлекитесь от него, задумчиво оброните:

— Может, лучше сразу в городское управление идти? Там у меня тесть. Скорее толк будет.

И, посомневавшись чуток, прежде чем продолжите корпеть, озвучьте устроивший вас вариант:

— Попробуем сначала у вас. Если не получится...

Можете быть уверены: при достаточной упертости с вашей стороны — получится. Деньги вам принесут прямо в отделение. Без всяких вычетов на затраченные усилия кидал. Правда, самих кидал задержать не удастся. Так обычно бывает. Деньги возвращаются вроде как из ниоткуда. Такое впечатление, что либо милиционеры в курсе, где их подопечные складируют добычу, либо сами кидалы, прослышав о вашей упертости, спешат подбросить изъятую у вас сумму под дверь отделения.

Совет последний, самый верный, предназначенный не для всех: предназначается совет исключительно тем, у кого и впрямь тесть (кум, сват, брат) — работник милиции. При этом, разумеется, не вертухай в следственном изоляторе и не управленческий писарь. Оказавшись «кинутыми», рысачьте прямиком к родичу. А уж он в курсе, что надо делать. Чем быстрее побежите, тем лучше. Но если припозднитесь с визитом, тоже не страшно. Никуда ваши кровные не денутся. Вернут вам их и на следующий день, и через три дня. Опять же, такое впечатление, что у кидал отстойник имеется. Для ожидающей востребования добычи.

Все. Советовать больше нечего. Кроме того, что стоит рискнуть еще разок. В смысле, пообщаться с кидалами. Авось отыграетесь, вернете свое...

Ну, все, все...

Последний совет — тест. Если по прочтении его взгляд у вас вдруг стал такой, словно вы увидели недоумка, то все тип-топ. Вас можно смело выпускать на улицу. С деньгами.

Эпизод-иллюстрация и в этой главе будет из жизни четы Барских. На этот раз героиня эпизода — Наталья. Жена.

Сам Борис охарактеризовал супругу так:

— У нее инстинкт охотника.

И разъяснил, что имеет в виду. На примерах разъяснил.

Однажды к ней, увлеченной на улице разговором со свекровью, подкатил на мотороллере ловкач, специализирующийся на выхватывании женских сумочек. Со спины подкатил, якобы случайно проезжая мимо.

Поравнявшись, рванул из рук Натальи сумочку и дал по газам. С «газами» он погорячился. Надо было бы ему сначала убедиться, что сумочку уже ничто не держит. В смысле, никто. Но видно, очень уж он спешил. Потому и не убедился. А зря. Наталья среагировала мгновенно. Не растерянность, не испуг были первой ее реакцией. Реакцией было противодействие. И посыл подсознания: дать отпор.

Оплошал ловкач. Как говорится: поспешил — людей насмешил. Эффектно он крякнулся, с подлетом.

Свекровь потом недоумевала: откуда у невестки

такая цепкость? И реакция откуда... У Ван Дамма подобные трюки в фильмах ничуть не лучше смотрятся.

И другие примеры подтверждали: цепкость, готовность бороться за своих и за свое в Наталье всегда начеку.

Врожденная готовность. Ее-то муж, Барский, и обозвал инстинктом охотника.

Я, кажется, понял, что он имеет в виду.

Результатами исследования подобного врожденного инстинкта когда-то расстроили нас психологи.

Один из их экспериментов состоял в том, что исследователи-садюги пугали одновременно с десяток крохотных котят. Крохи, как и положено, со всех ног пускались наутек. За исключением одной. Эта спасаться и не думала. Выгибалась, выпучивала глаза, шипела... Явно заходилась от страха, но — убегать?.. Дудки.

Какому только психологическому прессингу ее ни подвергали: и пятернями растопыренными ее запугивали, и рычали по-собачьи, и в ладоши пугающе хлопали — шипит кроха, и только.

Ну и решили живодеры: врожденное это. В смысле, устойчивость перед опасностью. В инстинкты ее записали.

(Тем и расстроили, что если инстинкта нет, то, будь ты хоть спортсменом многометровым, многокиллограмовым, хоть спецназовцем, амуницией обвешанным, от позыва дать драпака при серьезной опасности никуда не денешься. Придется, в отличие от везунчиков с инстинктом, и на преодоление позыва энергию расходовать.)

В облике Натальи инстинкт не угадывается. Угадывается в ней тихая-мудрая, способная к терпению баба. Не зацикленная на собственной красоте даже в юности.

Правда, сразу же сбивает с толку лукавинка в глазах. Из-за нее мерещится, что эта женщина видит тебя насквозь. Или думает, что видит. Что тоже в общем-то беспокоит.

Потом, правда, успокаиваешься. Во-первых, этим настоящим или мнимым видением Наталья не злоупотребляет. А во-вторых, объясняешь лукавинку так: при таком супруге, да чтобы без нее...

Описание ощущения женственности, которое производит героиня, даю для того, чтобы после заявленного супругом «инстинкта охотника» читатель не сказал: «Э-э... Что это за пример? А что обыкновенным женщинам делать прикажешь?..»

Так что пример — самый тот. В аккурат и для женственных женщин.

Случился эпизод в те чудные времена, когда денег, даже и у разнорабочих недавней стройки коммунизма, было немерено. Когда покупатели и продавцы изъяснялись исключительно миллионами.

Понадобились как-то Наталье десять-двадцать миллионов для обустройства обеденного стола. А денег дома — ни копейки. В смысле, украинских денег. Пришлось хозяйке брать с собой на базар сиротливую американскую бумаженцию.

Продавцы базарные, разумеется, уперлись. Отказались в качестве оплаты вражескую деньгу принимать, знакомую большинству лишь понаслышке.

Пришлось Наталье идти в единственный в то время на Привозе обменный пункт. И уже от него — на поклон к менялам. Пункт оказался закрыт. Незачем хозяевам было держать его открытым. Проку от него, открытого... Ни кинуть, ни убежать.

В общем, к менялам Наталья подалась от безысходности.

Ну и, как положено (и как давеча насоветовано), прежде чем финансовую операцию провернуть, притаилась в сторонке. Присматривалась. Пыталась просчитать: к кому из клерков этого, не боящегося банкротства банка есть смысл подойти. Так, чтобы с наименьшим риском.

Что там было высматривать?.. Что ни клерк, то мачо. Все из одного инкубатора: брюнетистые, угрюмые, в одинаковой униформе. В попугаистых рубахах навыпуск и в фуражках с козырьками «навынос». Впрочем, вынесенные далеко вперед козырьки фуражек были оправданны. Явно имели целью защищать от солнца и без того загорелые, выдающиеся носы.

Клерка Наталья присмотрела. Единственную среди служащих банка девушку. Хрупкая, светловолосая, в оранжевом сарафанчике, она выделялась в толпе брюнетов так же, как выделялся бы апельсин в куче... чернослива.

Чем объяснить то, что Наталья все же решилась на операцию? Либо тем, что ее видение насквозь дало сбой, либо тем, что распространяется оно только на мужчин.

А еще вернее — тем, что и впрямь деваться ей было некуда.

Прежде чем подойти к девушке, не удержалась от ехидства. Взглянув на извещающие таблички в руках клерков, посоветовала двоим рядом стоящим:

— Если вы готовы купить доллары по пятьсот десять тысяч, а вы согласны продать по пятьсот, то почему бы вам не договориться.

На такую коммерческую рекомендацию мачо не обиделись. Отозвались:

— Нам деньги неважно. Нам познакомиться важно.

Подойдя к девушке, Наталья предложила ей отойти в сторонку. От греха подальше.

Та застенчиво пошла за ней. Видать, только начинала. Не выработала еще в себе беспечность при кидании.

Впрочем, застенчивость не помешала ей, приняв купюру, произнести текст-заклинание:

— Ой, я в долларах не понимаю. Пусть они обменяют...

После чего купюра сгинула. В одном из шести смуглых кулаков. Мачо, да не один — три, коварно обнаружились сзади.

Пресловутый инстинкт сработал. Наталья ухватила руку за запястье. Но мачо, владелец заветного кулака, проявил изворотливость. В смысле, решительно вывернул кулак. И обиженно протянул женщине увесистую пачку украинских денег. При этом произнес:

— За кого ты нас принимаешь?

«Кукла» сделала свое дело. Отвлекла внимание охотника.

Пока Наталья обследовала ее, троица с исполненным хором вопросом: «Милиция, да-а?..» подалась в базарную толпу.

Как и предполагалось: соврали мачо. Не познакомиться им было важно.

Кровь отхлынула от лица Натальи. Но прежде чем отойти, она пристально всмотрелась в «апельсинку». И наконец разглядела:

— Ты — не одесситка...

Наталья чувствовала себя выпачканной... не черносливом. Не могла она в таком виде вернуться домой. Надо было как-то очиститься. Как?.. И она пошла к единственной известной ей «прачечной», специализирующейся на чистках такого рода. В милицию.

— А зачем вы меняли не в пункте? — вопрошал у нее дежурный в «базарном» отделении. — Это, между прочим, незаконная валютная операция.

Наталья не ответила. Насквозь просматривала вопрошавшего. Тот чего-то смутился. Спросил:

— Ну и где мы его найдем?

— Я покажу где.

— Вы его запомнили?

— Запомнила.

— Опишите.

— Смуглый, с носом, в фуражке. Грузин.

Дежурный изумленно уставился на нее. Заподозрил, что она всерьез. Утомленно заключил:

— Не найдете вы его. Гарантирую.

И в это время двое сержантов, с виду торговцев

из картофельного ряда, переодетых в милицейскую форму, ввели в отделение задержанного граждани- на. Смуглого, носатого, в кепке.

Объявили с порога:

— Без документов.

Дежурный деловито, обыденно бросил им ключи от обезьянника. Один из сержантов открыл клетку, впустил в нее задержанного. Тот не упрямствовал. С равнодушным недоумением произнес, обустраи- ваясь в клетке:

— Зачем обезьянник?.. Гиви придет. Все решим. Как люди.

Наталья мешкала не дольше, чем позволил ин- стинкт. Вдруг издала:

— Это — он.

— Кто? — не понял дежурный.

— Про которого я вам говорила.

— Этот? — Дежурный был явно озадачен.

— Вы грузин? — уточнила у задержанного Ната- лья.

— Грузин, — с гордостью подтвердил тот.

— Вот видите, — обернулась Наталия к дежурно- му. — Это — он.

— Кто — он? — обеспокоился и приведенный.

— Который у меня сто долларов забрал.

— Я?! — опешил тот.

— Ну а кто же?.. Вот — нос, вот — кепка. Все сходится.

Дежурный уже все понял. Неприветливо разгля- дывал посетительницу. Спросил:

— Заявление писать будете?

— Чего ж нет? Если не вернет...

— Ты что говоришь, женщина?! — взвивался

этот, в клетке. — Какие сто долларов?!. Мамой кля-
нусь.

Наталья ожидающе смотрела на дежурного.

— Пишите, — после долгой паузы хмуро сказал
тот.

— Мамой... — повторил бедолага. — Не брал...

— Бумагу дадите? — спросила заявительница.

Милиционер дал ей лист.

Под причитания носатого маменькиного сынка
Наталья сочинила заявление.

В тот момент, когда дежурный бегло ознаком-
лялся с его содержанием, в отделение вошел Гиви.
Тоже — с носом, тоже — в кепке.

Запертый в обезьяннике подался вперед, схватился волосатыми кистями за прутья. Возмущенно
сообщил:

— Гиви, она говорит, что я украл сто долларов.

Вошедший спокойно, изучающе посмотрел на
Наталью. Наталья спокойно и тоже пристально посмотрела на Гиви.

— Почитай, — сказал ему дежурный. И протянул
заявление.

Гиви стал читать...

Прочел, оставил пока заявление у себя. Сказал
Наталье:

— Это — не он.

— Он.

— Нет.

— Если не он, то кто? — вильнула вдруг женщина.

— Откуда я знаю?..

— Тогда — он.

— Не он — точно знаю.

— Если все знаете, то пусть тот, кто украл, вернет деньги.

— Кто-то другой украл, а он отвечать должен? — сдержанно втолковывал Гиви. — Некрасиво. Забери заявление.

— Это ваши, грузинские, проблемы. Заявление не заберу.

Гиви посмотрел на дежурного.

Тот едва заметно пожал плечами, явно обозначая: ничего не могу поделать.

Гиви перевел взгляд на земляка. Тот безмолвно, полными надежды глазами, смотрел на него.

— Хотя бы — пятьдесят, — сказал тогда Гиви. — Просто так отдаю. Чтобы земляка выручить.

— Сто, — повторила Наталья. — И выручишь.

— Семьдесят...

Отдал он все сто.

— Проведите меня до такси, — обратилась к дежурному угомонившаяся заявительница.

— Я проведу, — вызвался Гиви.

Она «просмотрела его на свет». И согласилась:

— Ладно.

Она уже села в такси, когда Гиви спохватился:

— «Куклу» хотя бы верни...

У подъезда женщина на мгновение запнулась. Прислушалась к себе. И, удовлетворенная, шагнула в него.

На душе было чисто...

Глава 6

ШУЛЕРА

Возьмемся за коллег. В смысле за ситуации, в которые попадают горе-игроки, связавшись с профессионалами.

В книге «Я — шулер», в главе о том, как себя вести, я ограничился двумя советами тем, кого судьба свела с шулером: либо — не играть, либо — платить.

Есть ли еще что-то, что можно добавить к сказанному?

Есть. Во-первых, нюансы. Например, как определить, что судьба свела именно с шулером, а не просто с таким же удачливым лохом... э-э... порядочным игроком, как ты сам.

Во-вторых, описание кое-каких приемов. Контрмер, которые можно противопоставить «исполнителю» (так называют шулеров в их среде) в процессе самой игры.

И, наконец, в-третьих: рекомендуемое поведение облапошенного после того, как он таковым стал.

По порядку и пойду.

От некоторых больных игрой старых или новых знакомых то и дело слышу:

— Встреча с шулером мне не грозит, потому что я играю только с теми, кого знаю. Или с теми, кого знают те, кого я знаю.

Слушаю эту лоховскую теорию самоуспокоения обычно с тоской. Особенно тоскую, когда излагают мне ее люди зажиточные, позволяющие себе преферанс по десять долларов за вист. (Читатели-преферансисты поймут и изумятся. Всем прочим поясняю: при такой ставке на каждую примерно двухчасовую игру должно быть припасено не меньше десяти тысяч. В качестве так называемого ответа.)

Тоскую при этом не только от сочувствия к ним, зажиточным и беззащитным, но и от сочувствия к самому себе. Себе давнему, рыскающему по одесским пляжам в поисках клиентов, согласных играть хотя бы копеек по десять. Себе, пятнадцать лет назад готовому сорваться в любую точку Союза, в которой будет гарантирован двадцатикопеечный клиент.

С тоской думаю: где же вы, ребята, были в то время? С этой вашей уверенностью в собственной лоховской безнаказанности?

К чему я все это? Да к тому, что не бывает в картах своих. Своих настолько, чтобы они упустили возможность выиграть всерьез. И серьезные деньги. Если она, такая возможность, представится.

Пока что имею в виду только то, что любой из ваших («своих») партнеров в одном из промежутков между встречами с вами за карточным столом может волею случая получить доступ к сокровищнице шулерских навыков. А уж как он распорядится доступом — точно не известно никому. В том числе и ему самому. Хорошо, если заглянет в нее исключительно из любопытства. Порассматривает содержимое и отмахнется: не мое это, и ни к чему оно мне. А что, если пойдет черпать из сокровищницы? И из вашего благосостояния?

Ведь каждый исполнитель начинает карьеру игрока чистокровным фраером. И я начинал им. И кругом «своих» разжился, пребывая в этом состоянии.

Года на три подпитки хватило мне этого круга.

И только потому так ненадолго, что неправильно вел себя. По неопытности попирал законы конспирации, за что и поплатился. Другие-то десятилетиями подпитываются.

Согласен: преображение кого-то из «своих» в исполнителя — маловероятно. Куда менее вероятно, чем преображение шулера — в «своего». Уж эти-то случаи почти обязательны для любой постоянно действующей, дорого играющей компании.

Ведь новый партнер, введенный в круг «своим», тоже становится своим. Пусть не сразу, пусть после периода «обкатки». Поделюсь одним из секретов той самой сокровищницы: в том и заключается истинный профессионализм исполнителя, чтобы оказаться введенным в круг, пройти обкатку.

(Впрочем, см. «Я — шулер».)

И еще один нюанс к теме: «свои» — «не свои»...
Хочу поинтересоваться у своих знакомых. У тех самых, которые страхуются от игровых неурядиц, играя якобы только со своими. Неужели, оказавшись в новой, явно вызывающей доверие компании, вы упустите возможность проявить свои игровые таланты? (В которых сами вы не сомневаетесь.) Ведь каждый из вас, приобщенных судьбой к игре, непременно считает себя избранным.

Чтобы иметь возможность показать перед другими эту избранность и упустить ее?.. Чтобы другие, играя, форсили ею в вашем присутствии, а вы смиренно, инкогнито сносили их форс?.. Да быть такого не может. Ведь игроки — что лохи, что исполнители — это клан, каста, принадлежность к которой престижна. Так, во всяком случае, считают они сами. И вы считаете. И, обнаружив в каких бы там ни было обстоятельствах кастовых единомышленников, вряд ли станете скрываться от них. Руль за сто, что не удержитесь, дадите им понять: «Я — свой». Но вразумительно дать это понять вы сможете только игрой. Другие пароли: теоретические разглагольствования о раскладах, «рыбацкие» рассказы о ловленных вами мизерах, анализ игровых ситуаций за спиной сражающейся компании — тут не проходят. И вы это знаете. Пароль, определяющий принадлежность к клану, один: сама игра.

Столкнуться же (пересечься) с единомышленниками вы можете в любых обстоятельствах. В аэропорту в ожидании задерживаемого рейса, в купе, в круизе, на пляже, на вечеринке... Обратили внимание? Выявлению соратников по касте способствует праздность. Праздность клиента и время, убийством которого клиент озабочен, — вот союзники исполнителей в их промысле.

Ну что: убедил я читателя в том, что страхование собственного благополучия по методу «свой» — «не свой» неубедительно? И даже наоборот, чревато?

Если да, то перейдем к более внятным способам страховки. Займемся темой противостояния шулерам по существу.

Для начала — приметы, которые вовсе не означают, что пересекшийся с вами одноклановик — не шулер. Или что если их (соратников по касте) несколько, то они не одна шайка-лейка.

1. Пересечение состоялось по вашей инициативе.

2. Образ партнера ничуть не соответствует образу

шулера. Ни внешний образ, ни, если можно так выразиться, внутренний. Например, потенциальный партнер — инвалид без руки. Или художник-авангардист с трубкой в зубах и шевелюрой а-ля Эйнштейн. Или прапорщик с соответствующей лексикой и прожилками на носу.

3. Если партнеров несколько, они из явно разных социальных прослоек. Например, один — инвалид труда, другой — художник с трубкой, третий — прапорщик-матерщинник.

4. Партнер — женщина.

5. Партнер долго не решался начать игру.

6. Согласился (или согласились) играть только бесплатно либо по чрезвычайно низкой ставке.

7. Партнер плохо ориентируется в правилах игры или делает грубые игровые ошибки.

8. Партнеры конфликтуют между собой в процессе игры.

9. Партнер, недовольный развитием игры, то и дело норовит прервать ее, устраниться.

10. Партнер проиграл, либо в одной игре, либо в целой серии игр.

11. Ваши взаимоотношения с партнером вышли за рамки игры. (Вы подружились, вместе пошли после игры в ресторан, на пару присмотрели барышень для флирта.)

12. Партнером оказался тот, кто существенно помог вам в определенных обстоятельствах. (Помог устроиться в гостиницу, свел с нужными врачами, выбил для вас отдельную палату.)

13. Партнер утверждает, что игра — пустое, что главное — человеческое общение. Предлагает долгосрочное развитие этого общения, например — дружбу домами. Или совместный бизнес.

14. Партнер то и дело прощает вам существенную часть проигрыша.

15. Вы готовы дать голову на отсечение, что ваш партнер — порядочный человек.

А вот некоторые приметы, по которым можно угадать в партнере «исполнителя»:

1. Партнер, настаивавший или согласный играть бесплатно или по мизерным ставкам, идет на повышение их. Даже если инициатива повышения исходит от вас.

2. При игре на условную ставку (спички, мороженое) партнер вдруг начинает повышать ее до не вызывающих серьезного отношения размеров. (Если на спички — до тысячи коробок, если на мороженое — до лотка мороженицы.)

3. Оговаривая условия игры, обсуждая так называемые договоренности, партнер идет на уступки. Соглашается на все ваши пожелания.

4. Во время игры партнеры ссорятся исключительно друг с другом. Причем каждый в ссоре норовит привлечь вас, как нейтральное лицо, на свою сторону.

5. До игры партнер случайно или умышленно «засвечивает» значительную сумму денег.

6. Партнер, проиграв первую партию, непременно желает рассчитаться. Даже если вы изъявляете готовность подвести итог после нескольких партий. (Либо до начала игры дает понять, что желал бы производить расчет после каждой партии.)

7. Партнеру поразительно «прет» карта. Либо вам поразительно «не прет».

8. То и дело случаются маловероятные расклады.

Либо неудобные для вас, либо удобные для партнера.

9. Партнер демонстрирует великолепную интуицию.

10. Партнер смотрит не только в свои карты. Время от времени бросает ненавязчивые взгляды либо на карты, сдаваемые вам, либо на прикуп, либо на карты или руки других партнеров.

11. Проиграв партию, всегда готов начинать следующую.

12. Игра прерывается исключительно по вашей инициативе.

13. Проиграв серию игр, партнер заводит разговор (сразу либо позже) о том, что хорошо бы встретиться в другой обстановке.

14. Прощая вам существенную часть проигрыша, партнер, тем не менее, неизменно остается в выигрыше.

15. Вы готовы дать голову на отсечение, что ваш партнер порядочный человек.

Есть и другие характерные приметы, по которым можно сосчитать шулера. Но используют их преимущественно профессионалы. Тоже шулера.

Например — «хватка». Даже если «исполнитель», маскируясь под лоха, держит и тасует карты так, что они то и дело валятся у него из рук, то все равно... Кисть его нет-нет да и норовит ухватить колоду профессиональным движением. (Есть такое, и оно, движение, и называется «хваткой».)

Другой тест, используемый «исполнителями»,— это попытка исполнить трюк. Более или менее заметная попытка. Если партнер «повелся» на нее — значит, он в курсе. Значит, он — «свой» (!): шулер.

Впрочем, эти приметы вряд ли могут быть учтены теми, для кого книга предназначается. Так что перейдем к следующему разделу. К рекомендациям: что можно противопоставить шулерам в процессе самой игры.

Посидел, уставившись в экран компьютера, поразмыслил о возможных рекомендациях, и повествовательный кураж — ту-ту... Улетучился.

Вынужденно дал себе отчет: не выйдет с рекомендациями.

Почему? По трем причинам.

Во-первых, потому, что не опишешь всего.

Ведь каждый исполнительский трюк имеет контртрюк, каждый прием — контрприем. А трюков и приемов этих столько... По каждому разделу исполнительского мастерства учебник выпускать можно. Разновидности чеса (растасовывание карт в колоде нужным образом) — учебник. Варианты вольта (передергивания) — тоже учебник. По учебнику на разделы, посвященные «лишакам» (лишней карте), «гнутке» (гнутым картам), крапу, препарированной колоде, «маякам»... Отдельный том придется отвести специальным приложениям (ну, это совсем уже заумный раздел).

Конечно, профилактические меры зачастую обобщающие. Одна мера на несколько приемов, но все равно — главой не обойдешься. Да и тоскливым будет описание. Излишне детальным, скучным для непосвященного читателя.

Да и вообще... Трюки, как и контртрюки, не описывать — их показывать надо. Так что это скорее тема для видеокассеты, чем для книги.

Одно могу сказать: когда по какой-либо причине

«исполнители» пересекаются в игре между собой (из гонора ли, по недоразумению ли), то и происходящее за игровым столом ничуть не захватывает, как можно было бы ожидать. Уныло выглядит такая игра. Девяносто процентов времени ее уходит на эти самые контрмеры. «Исполнители» только и делают, что тасуют да перетасовывают друг за другом, считают да пересчитывают, снимают да переснимают. Скукота.

Бессмысленность попытки описания — это первая причина, по которой за нее лучше и не браться.

Есть и другая причина. Другая грань бессмысленности.

С некоторых пор ко мне то и дело обращаются граждане, пострадавшие от игры. Кто просит научить выигрывать, кто — хотя бы не проигрывать.

Каким приемам или контрприемам врожденного лоха (не обижайтесь: лох — это всего лишь доверчивый, не предрасположенный к матерости человек) ни учи, проку от обучения не будет. Еще бóльшие неприятности — это да. Они от обучения могут быть. Потому как, нахватавшись исполнительских верхов, лох отдаст себя в разработку с удвоенным энтузиазмом. Ведь кто может вызывать бóльшее сочувствие, чем лох? Только лох самозабвенный. Считающий себя прожженным, неуязвимым.

Но у книги-то задача — не усугублять возможную лоховитость читателя, а наоборот. Так сказать, смягчать ее.

И, наконец, третья причина, по которой детального описания контрмер не будет. Деликатная причина.

Я-то из карт ушел. По-людски вроде ушел. Никого не подставив, никому не оставшись должен.

Разве что тем, кто учил когда-то меня, несмышленого, уму-разуму.

Так вот, тем, что открою секреты, — подставлю. Подведу тех, кто до сих пор профессионально трудится на нивах, когда-то обрабатываемых и мною. Не так уж много их, тружеников, осталось. И не так уж хороши у них по нынешним, казиношным временам, дела.

Все остальные рекомендации: как шулера вычислить? как ему платить или не платить? — тоже не обрадуют бывших коллег. Но они, рекомендации, касаются, так сказать, общего антуража. Наружного.

А исполнительские приемы — это интимная жизнь «исполнителя». Мужику, оставившему жену, негоже смаковать интимные детали жизни с ней.

Когда-то один из тех, кого я числю в своих учителях (не картежник), обронил:

— Мужчина, раскрывающий подробности своих любовных побед, — потенциальный предатель.

Надеюсь, вы меня поймете...

Последнее из того, что, на мой взгляд, могу подсказать неудачникам, пересекшимся с «исполнителями», — это дать некоторые рекомендации: как правильно себя вести, если их уже обыграли.

И в этой фазе их взаимоотношений с шулерами нюансов хватает.

Базовый, приведенный в прошлой книге и в начале этой главы, совет платить — обсуждению, конечно же, не подлежит. За исключением тех случаев, когда платить нечем или нечем оплатить весь свой проигрыш.

Но как поступать, ежели подобный казус случился?

Как ни странно, правильных поведений при такой случившейся с вами (и с шулером) неприятности уйма. А неправильных только одно, максимум — два.

Первое из неправильных — это в момент ожидаемого расчета позволить себе объявить предвкушающему исполнителю:

— Да пошел ты...

Плохая это фраза. Способная глубоко обидеть «исполнителя», положившего на ваше облапошивание свой талант, свое терпение, свое время. Время, которое могло быть с толком использовано на обирание другого, более благонадежного лоха.

И уж если вы совершенно не склонны гуманно относиться к случайным игровым партнерам, то есть смысл не произносить эту (или подобную) фразу хотя бы из гуманности к себе.

Вторая разновидность неправильного поведения — это попытка потеряться.

В данном случае под «потеряться» подразумевается весь спектр «страусиных» самоустранений от общения с тем, кому вы остались должны.

От побега из уборной, в которую вам приспичило в аккурат к моменту расчета, до бегов более основательных, связанных со сменой места жительства.

Поведения эти ошибочны не только потому, что никуда вы не денетесь, что вас убедят в том, что негуманное отношение — это плохо. Наглядно убедят, буквально втемяшат (от слово «темечко».)

Нерезонность такого поведения не только в том, что вас, ушедшего в бега, непременно изловят. По правде говоря, не часто, но бывает и такое, что не излавливают. Вот только должники не чувствуют себя от этого намного беспечнее. В общем, плохо живется должникам, избравшим такие разновидности поведения. Нервно.

Так что лучше обратиться к видам поведения правильного.

Карточные игроки — одна из самых интеллигентных разновидностей граждан, слабо почитающих закон. И, как и со всеми людьми, претендующими на интеллигентность, договориться с ними можно. Например, о том, когда вы сможете заплатить. Или какую часть.

Понятно, что речь идет о той ситуации, при которой имела место договоренность играть в долг.

Какие другие, последующие договоренности приняты у игроков, устраивающие обычно обе игравшие стороны? На какие льготы вправе рассчитывать проигравшийся?

Самая существенная льгота — «за расчет». Что это значит? Проиграл, скажем, некто в долг впечатляющую сумму денег. Отдать их должен до оговоренной заранее даты. Но он вправе предложить: плачу сразу меньшую сумму «за расчет». Сумма эта обычно существенно меньше проигранной. При десятитысячном проигрыше «за расчет» могут взять и пять тысяч, и даже три.

У «исполнителей»-то свои профессиональные проблемы. Получение — проблема для них технологически последняя, но самая насущная. Они просто виду не подают, что каждый раз, когда приближается момент расчета, нервничают. Еще как нервничают. Ведь ради этого момента все и было. И ловля клиента, и психологическая обработка его. Ну и, конечно, сама игра (самое несложное во всем процессе облапошивания).

Причем проблема получения для «исполнителей» еще и в том, что если он ее не решит, то собственная «исполнительская» репутация окажется под сомнением. А репутация — это самое ценное, что есть у игрока. В первую очередь от нее зависит его рейтинг.

Так что в том, чтобы ситуация, при которой проигравший оказывается не в состоянии соблюсти долг чести, разрешилась благополучно, заинтересован и сам «исполнитель». Речь-то и о его чести идет. Потому-то и не имеет он права сносить негуманные фразы, экзаменующие его репутацию. Не имеет право со скучающим видом смотреть вслед проскочившему на скорости мимо сортира должнику. Но именно поэтому он вынужден идти на уступки жертве, превысившей свои финансовые возможности.

И идет. И «за расчет» до двадцати процентов берет. И на рассрочку соглашается. Как и на другие варианты. Например, на вариант, при котором должник в качестве расчета устраивает чью-то дочь в институт. Или знакомит исполнителя с влиятельным приятелем. (Необязательно для того, чтобы и того обобрали.)

В общем, торгуйтесь. Дайте «исполнителю» шанс выйти достойно из ситуации, в которую он сам себя загнал.

Ведь как ни крути, как ни вини вас за повышенную лоховитость, но «исполнитель» и сам лоханулся. Нарушил одну из главных заповедей: не выигрывай у человека больше, чем тот в состоянии отдать.

Теперь другая разновидность поведения. Поведения, которое проигравший может позволить себе в том случае, когда рассчитаться возможность у него есть, а желания — ни малейшего.

Есть ли у него шанс с соблюдением чести сэкономить хотя бы на части своего проигрыша?

Есть шанс.

Шанс этот — те самые нюансы, зачастую известные только профессионалам.

Нюансов таких два.

Первый. В каждой игре существует такое понятие, как «ответ». Существует оно в тех играх, где деньги в процессе игры не фигурируют. Не ставятся на кон, не бросаются в банк.

Например, при игре в «деберц» — это стоимость одной партии. При преферансе — это финансовое обеспечение тысячи вистов.

Так что, если трое «умельцев» нагрузили вас за одну «пулю» на большее количество (как это обычно бывает), вы вправе оплатить только тысячу проигранных вами вистов.

Можете не сомневаться, что, нарвавшись на подобную вашу осведомленность, умельцы хоть и поворчат, но зауважают. Да и ворчать-то будут больше на тему:

— Предупредил бы сразу, что в курсе... А то зря кота за хвост тянули...

Умельцев понять тоже надо. Хотели как лучше. Ан вишь, как все обернулось... С этой вашей осведомленностью.

Нюанс второй. Тоже известный преимущественно профессионалам. В момент расчета вы вправе потребовать у своего удачливого партнера:

— Предъяви.

Партнер при этом обязан предъявить сумму, которую выиграл. Если у него ее не окажется, то вы вправе заплатить столько, сколько вам будет предъявлено. Причем в этот момент везунчик-партнер уже не имеет права просить недостающую сумму в долг у кого-то со стороны.

Впрочем, для далекого от карт читателя все это слишком заумно.

А «близкий» пусть мотает на ус. И пользуется на здоровье...

Глава 7

АВТОКРИМИНАЛ

Существует три разновидности криминальных неприятностей, которые могут свалиться на голову среднестатического автолюбителя.

Первая разновидность — автомобиль просто угнали.

За «просто» — прошу прощения. Не у угонщиков, которым, возможно, угон дался непросто: с нервами, с изнурительной предварительной подготовкой. Прощения прошу у тех, кто лишился самого близкого для себя существа. Либо самого дорогого. Этим «просто» я всего лишь хотел сказать, что заурядный «угон» — разновидность пересечения с криминалом автомобильным самая для вас безобидная.

По поводу этой разновидности советовать можно либо как уберечься от угона, либо что надо делать, чтобы угнанную машину вернуть.

Как уберечься?.. Это слишком узконаправленная тема. Список названий надежных сигнализаций приводить не буду. Рекламные предложения от фирм-изготовителей, увы, не поступали.

Не буду также рекомендовать автомобилистам обзавестись гаражом. Знаю, какую реакцию вызовет эта рекомендация. Спасибо люди скажут. Ехидно.

Не рискну и рекомендовать автолюбителям надежные в противоугонном смысле «Москвичи». Потому что опять же знаю реакцию. И производителей, и водителей. (Ехидством на этот раз реакция вряд ли ограничится.)

По поводу противоугонных средств и методов не стану цитировать соображения авторитетных автомобильных журналов (им с рекламодателями повезло больше). Перескажу мнение профессионала. Профессионального угонщика, дававшего однажды инкогнито интервью нашей криминальной хронике.

Почему-то и он не зацикливался на названиях фирм. Такое впечатление, что они для него не имели существенного значения.

А вот *что* — для него, как для угонщика, имеет значение — сказал.

Сразу же оговорился, что имеет значение: угоняется ли машина под заказ или «для души»(!).

Если под заказ, то исполнение его требует бóльшей ответственности, а значит, скрупулезности. Машина-жертва тщательней выбирается, дольше «ведется», изучается. И в самом угоне задействуются, как правило, несколько специалистов.

Если же машина угоняется «для души», то возможна импровизация: исполнение в зависимости от обстоятельств.

Цель такого угона: во-первых, получение выкупа с незадачливого автовладельца, а во-вторых, поддержание на уровне профессионализма самого угонщика. Если с выкупом не складывается, то угнанная дурочка либо уходит за символическую плату торговцам запчастями, либо бросается где-нибудь в закоулке (бывало и такое). Вынужденно бросается: места в конспиративных боксах — подороже, чем на автостоянках.

Будущих гипотетических жертв, чьи машины волею случая могут попасть «под заказ», он не обнадежил. Выразился в том смысле, что если сподвижники его на машину положили глаз, то никуда она, бедняга, не денется. Хоть навигационной сигнализацией оборудуй ее, хоть бультерьера оставляй за сторожа или гюрзу — не поможет. Обречена машина.

По «душевным» угонам ситуация для автохозяев не столь безнадежная.

Вот какими профессиональными нюансами поделился герой передачи по этому поводу.

Первый. У машины с иногородними номерами шансы быть угнанной значительно возрастают.

Второй. Если машина не угоняется в течение нескольких минут (он сказал: трех), то попытку прекращают.

Третий. Сигнализации «проходятся». Все.

Четвертый. Популярные и более или менее надежные в недавнем прошлом потайные разрывы электрической цепи автомобиля для угонщиков — уже не проблема. С цепью в таком случае профессионалы не возятся. Полностью снимают ее. И набрасывают свою, специально припасенную.

Четвертый. Самая бессмысленная защита — фиксатор педали и руля. Ее «проходят» мгновенно, срезая часть окружности руля.

Пятый. Самая толковая защита — механические

«примочки». Тот же «Мульти лок». И он «проходится» — например, срезается подключенный к прикуривателю фрезой. Но на это надо время.

(Это его мнение вполне вяжется с историей, которую поведал, кажется, Леонид Якубович. Рассказал он о том, что пытавшиеся угнать его иномарку угонщики так и не сумели «пройти» «Мульти лок» и, осерчав на «непроходимость», порезали в автомобиле обшивку сидений.)

«Спец» рассказал и о том, что заказы бывают разные. Не обязательно от тех, кто намеревается перебить номера и перегнать машину в ближнее зарубежье.

Такой, например, заказ однажды имел место. Поступивший от коллег по воровскому цеху. Вернее, от коллег из соседнего воровского цеха. От домушников. (История более уместна была бы в главе о квартирных ворах, но раз уж поведал ее персонаж главы «автомобильной», то пусть тут и остается.)

Странный был заказ: угнать указанную машину из гаража. Двое суток продержать ее в боксе. После чего тщательно помыть и вернуть на место. В хозяйский гараж.

Как говорится: за ваши деньги — любой каприз.

Хотя угонщики-технари еще больше недоумевали, когда принимающий «помывку» представитель заказчика, прежде чем дать добро на возвращение, бросил на заднее сиденье машины запечатанный конверт.

Не сам конверт вызвал недоумение. Его содержимое.

Исполнители не удержались, конверт вскрыли. Резонно прикинули, что хозяева, которым явно он предназначался, вряд ли будут в курсе: запечатан ли конверт был изначально.

В конверте обнаружились два билета на премьеру в престижный театр и послание примерно такого содержания: «Просим прощения за причиненное беспокойство. Мы вынужденно воспользовались вашей машиной. Возвращаем ее в целости и сохранности. Как компенсацию беспокойства просим принять эти два билета. С благодарностью и уважением — более тонкие похитители, чем вы думаете».

Позже угонщики узнали из газет о том, что квартира тех самых хозяев была обворована. В тот вечер, когда хозяева наслаждались премьерой.

И впрямь — похитители оказались более тонкими, чем хозяева могли ожидать.

Теперь другая грань проблемы угона. Что надо делать, чтобы угнанную машину вернуть?

Понятно что: искать выходы на угонщиков. Либо через местных авторитетов, либо через объявления в местной прессе и на телевидении. Ну и, само собой, готовить выкуп.

Попытки дармового возврата автомобиля обычно результата не дают. Не способствуют возврату ни знакомства, ни должностной авторитет.

(Был случай: в областном центре угнали «мерс» одного из первых лиц правительства Украины. Навороченный «мерс», напичканный сигнализациями до неприличия. Неприлично ведь правительственному чину опасаться угона, как простому смертному. Лицу положено пребывать в уверенности, что на его имущество позариться никто не посмеет.

Этот допускал возможность «позаривания». За что, вероятно, и поплатился.

Умыкнули «мерс».

«Лицо» в амбиции впало. Местный милицейский генералитет на ноги подняло. Генералитет ему и передал пожелание угонщиков. Десять тысяч откупных пожелали те. Исключительно из уважения к должности скидку сделали.

Как заходилось «лицо» от такой наглости... Слюной исходило в генеральском кабинете. Поисходило-поисходило, да и приняло условие. Деньги на указанный счет были переведены.)

Простым смертным проще. Амбиции им не мешают, а значит, и душевные травмы от сделки, заключенной с похитителями, легче.

Но даже если вы все делаете правильно (ищете выход на авторитета, даете объявление в прессе, собираете деньги для выкупа), заявление в милицию писать надо. На тот случай, если «машина» всплывет сама по себе. Где-нибудь в закоулке. Или по ходу очередного рейда.

Заявление — вспомогательная мера. Всерьез рассчитывать на него — несерьезно. Случайное всплытие — из области везения. Вряд ли вам есть смысл уповать на собственную везучесть после того, что произошло.

Вторая разновидность криминальных ситуаций, в которые могут попасть автомобилисты «через» своего бензинового пропойцу, — это грабежи. Их два варианта. Первый, при котором насильно изымается сам автомобиль. Второй — когда пассажирами изымается все ценное, что оказывается в салоне. От имеющейся у водителя наличности до магнитофона и свисающего перед лобовым стеклом чертика.

Еще несколько лет назад, во времена тотального беспредела, когда население подавалось в бандиты куда массовее, чем когда-то на север за длинным рублем, для обывателей безнадежных, престижная в криминальном мире профессия угонщика катастрофически теряла рейтинг. Так же как профессии аферистов, катал, карманников.

Тонкое, виртуозное владение ремеслом смысла не имело. И безо всякой виртуозности новоявленная бандитская поросль добивалась во всех этих разновидностях криминального промысла тех же результатов, что и профессионалы. Бо́льшего добивалась.

Аферы сводились к выхватыванию купюр из доверчиво протянутых к менялам лоховских рук. Шулерские приемы — к навязыванию партнерам беспроигрышных для себя правил игры. Промысел карманника... Он вообще «поросли» был непонятен: зачем втихаря извлекать из кармана лоха кошелек, когда можно потребовать его открыто. Такое исполнение сбоев вообще не давало.

Хитроумные методы угонщиков «поросль» тоже считала лишним. Какие три минуты? Минута максимум... Ее хватало даже и впавшему в транс лоховодиле на то, чтобы понять: пребыванием в трансе злоупотреблять не стоит. Если вообще в планах — выйти из него. Отдавать ключи и освобождать место в машине этим ребятам с тяжелыми взглядами гипнотизеров желательно как можно резвее.

Нынче и в преступной среде все более или менее

нормализовалось. Вернулось на круги своя. Дилетанты, как и все остальные, попали под естественный отбор. Оказались отобраны спохватившейся властью преимущественно в тюрьмы.

Так что шансы водителей попасть в ситуацию, когда машину у них незатейливо отнимают, значительно снизились. Снизились, но не сошли на нет.

Некоторые, обреченные на вымирание криминальные особи еще экспериментируют с законами диалектики. Дилетантствуют до поры до времени.

На случай таких экспериментов и стоит иметь в виду, как правильно себя в их процессе вести.

Обыкновенно вести, как и при любом другом грабеже. Как можно трезвее оценить свои шансы при самообороне и иметь в виду: жизнь дороже даже нулевого «Феррари».

В случае с водителями, у которого под угрозой для его жизни конфискуют автомобиль, возможен дополнительный вариант правильного поведения. Подготовленного заранее.

Именно на такой случай есть смысл заранее оборудовать машину тем самым секретным разрывом электрической цепи. И если, не приведи господи, случай представится, то, прежде чем уступить место громиле-дилетанту, украдкой приложиться к скрытой кнопке.

Понятно, что, исполнив маневр и наблюдая со стороны за растерянно щелкающим ключом зажигания громилой, насмехаться над ним не стоит. Не стоит взирать на него сочувственно, с красноречивой миной, дескать:

— Ну-ка, ну-ка... Посмотрим, как ты, олух, уедешь...

Правильнее будет взирать с недоумением. А еще лучше с расстройством по поводу очередного каприза двигателя. И реплика правильная при этом должна быть примерно такая:

— Ну вот, опять... Сегодня утром час не мог завестись. С трамблером что-то.

Не помешает для верности поискать сочувствия у грабителя:

— И главное, никто сказать толком не может, в чем проблема. Спецы, мать их...

Почти со стопроцентной уверенностью можно сказать: для автомобиля такой случай закончится благополучно. Относительно водителя процент несколько меньше.

Дать тумака ему могут. Но только от досады. И от обиды на него, не следящего надлежащим образом за техническим состоянием автомобиля.

Теперь о другом варианте ограбления. О том, при котором злоумышленники зарятся не на сам автомобиль, а на его содержимое.

Понятно, что позариться могут только случайные попутчики. Чаще всего клиенты, которых на свой страх и риск пускает себе за спину или под бок водитель, занимающийся извозом.

Советовать тут приходится издалека. Из того далека, с которого водитель видит голосующих у дороги потенциальных пассажиров.

Первый совет: быть физиономистом-антропологом-лингвистом. Предвидеть неприятности во внешнем облике пассажиров. В их возрасте, прическе, манере одеваться, осанке. Позже, когда, склонившись к опущенному стеклу, они подадут голос, — в голосе.

Детализировать совет смысла нет. У каждого свой вкус на потенциальную опасность. Исходя из него, и следует поступать. Главное, не отмахиваться от мнения вкуса. Доверять. И при малейшем выраженным им недоверии — не возражать. Относиться к недоверию как к закону «вето».

Второй совет: если пассажир один, не следует пускать его на заднее сиденье. Если водитель, как это часто бывает, «бомбит» в компании, для страховки берет с собой на маршрут кого-то из близких, то этому «близкому» положено занимать место за спиной водителя.

Совет третий: если пассажир, которого вы вздумали подобрать, норовит непременно оказаться на заднем сиденье, то от него лучше отказаться вообще. От греха подальше.

Четвертый совет: если процесс ограбления пошел... (См. по поводу трезвой оценки перспектив самозащиты.)

Совет пятый: если сзади на вашу шею набросили удавку, не пытайтесь договориться. Выход в такой ситуации, последней степени тяжести, только один. Вдавить до упора педаль газа и направить машину в ближайший стоящий автомобиль. Желательно в автомобиль с водителем. Если ввиду пустынности местности припаркованная машина не подвернется, то врезайтесь в дом. В аккурат под освещенное окно. Столб для аварии не так хорош. Но, на худой конец, сгодится и он. Врезаться, разумеется, надо правой стороной автомобиля. Не сомневайтесь: ошарашенный грабитель мгновенно утратит интерес к вам. Не до того ему станет. Разве что он шарахнется до уровня отключки. Но и возражать в таком случае вашим попыткам высвободиться он вряд ли будет.

Следует обратить внимание на приложение к четвертому совету. Если, противодействуя грабителю, вы переусердствуете, окочурите его, то ваши юридические перспективы окажутся нерадужными.

Доказать факт самообороны вам будет не просто. Больше того, сообщник злоумышленника, если таковой будет, даст показания против вас. Так что при оценке, рекомендуемой в четвертом пункте, следует учитывать и это.

(Поправка к приложению: уважительная просьба не истолковывать приложение как рекомендацию окочурить и сообщника.)

Вот и все советы, которые могут быть даны водителям на случай ограбления пассажирами. Отдаю себе отчет: незатейливые советы, наверняка известные каждому. Что поделаешь... Попытки разжиться в милиции и у самих автограбителей советами посвежее оказались безуспешными.

И, наконец, последняя разновидность криминальных ситуаций, связанных с автолюбительщиной. Ситуаций заурядных, когда имеет место обычная авария.

Вернее, не вполне обычная. По той причине, что одной из попавших в аварию сторон являются автолюбители с криминальным менталитетом.

В последнее время именно эта разновидность автодорожных неприятностей рядовых водителей, пожалуй, и является самой распространенной.

Еще бы... Именно крутые блатные парни, с их куражом и презрением к всякого рода нормам поведения, имеют обыкновение создавать на дорогах аварийно-опасные ситуации.

Гоняют парни между воспитанно движущимися автомобилями, как горнолыжники между флажками. А знаки дорожные и правила движения для них — что... Этих-то условностей для них вообще не существует.

Как при таком кураже и водительской самобытности да без аварий? Никак.

С одной стороны, оно бы и неплохо дать парням кое-какие привилегии. Означенные в анекдоте. Заплывать за буйки, стоять под стрелой, проезжать на красный свет.

Но что касается буйков и стрел, то привилегии пусть будут, никому они не помешают. С красным светом все несколько сложнее. Отдуваться-то за предоставленную льготу придется сообща. Хотя и это вряд ли. Отдуваться, как правило, приходится тем, кто правила чтит.

Но как это сделать без потерь для своего здоровья и кошелька?

Правильное поведение в ситуации, возникшей на месте аварии, на месте пересечения вашего автомобиля с автомобилем криминального элемента, может быть только одно...

Впрочем, прежде чем огласить его, надо бы сделать кое-какую подводочку.

При всем аварийном опыте приблатненных водил-беспредельщиков каждая авария для них полная неожиданность. Полнейшая. Так уж и впрямь самобытно и твердолобо они устроены, что, сколько ни наступают на грабли, винят каждый раз в набитых шишках исключительно сельскохозяйственный инструмент.

И того, кто стал на пути их автомобиля, будут

винить. Со всей присущей им категоричностью и невменяемостью.

В этом, безусловно, заключается самый главный минус такой ситуации для каждого добропорядочного водителя.

Но и плюс ее в этом же. В полнейшей неожиданности и для блатных. Это тот самый случай, когда блатные в принципе не могут предполагать, на кого нарвались.

Ведь их готовность винить в своих неприятностях первого подвернувшегося (партнер по аварии — самый что ни на есть подвернувшийся) — для вас это еще не сама неприятность. Всего лишь предпосылка к ней. А уж насколько полноценно перерастет одно в другое — в большей степени зависит от вас.

Значит, не давайте ей перерасти.

Направьте предполагаемые способности оппонентов в нужное вам русло. Постарайтесь направить.

Сделать это можно единственным образом. Демонстрацией уверенности в себе.

Вот и демонстрируйте изо всех сил. Но запомните: без суеты. Без суетливой скандальности. Уверенность скандалиста — всегда подозрительна. А подозрений давать вы не имеете права.

Так что ограничьтесь снисходительно-небрежным осмотром повреждений, беспечной погруженностью в собственные размышления в ответ на матюки-междометия и сочувствующим взглядом в ответ на угрозы.

Когда вам объявят, сколько вы должны, не торгуйтесь. И не удивляйтесь неискренне:

— Я должен? Ты гонишь?

Максимум, что вы можете позволить себе, — это обронить:

— Дурашка.

Или посоветовать участливо:

— Не делай ошибок.

Все. Больше — ни-ни. Каждое лишнее слово с вашей стороны чревато разоблачением в вас замаскировавшегося лоха. Так что держите слова при себе.

Спросите на всякий случай:

— Менты тебя интересуют? Нет? Тогда созвонимся.

(Если менты блатных заинтересуют (что вряд ли), тем лучше. Ваша-то задача — выстоять, уцелеть психологически и физически в первый момент после аварии.)

Техпаспорт отдавать не следует ни в коем случае. Любая «отдача» — уступка. А образ, который вы играете, на уступки не горазд. На требование техпаспорта ответьте:

— Документы отдаю только ментам.

Небрежно черкните номер телефона (настоящий или мнимый — на ваш выбор). Сами ограничьтесь записью номера машины оппонента.

Пряча блокнот в карман, заметьте:

— Я тебя найду.

Вот теперь уже точно — все. На данном этапе.

А будет ли этап следующий — решать вам. Захотите — можете искать выход на тех, кто в состоянии решить проблему получения средств на устранение последствий аварии. Хотите — махните рукой. Тут уж все зависит от вашего менталитета.

Сказать по правде: махнуть предпочтительнее. Не те это ребята, которые готовы платить за свои ошибки. Да и вы — не тот, кто за ошибки с таких ребят взыскивает. (Если, конечно, вы тот, кому совет предназначен.) В общем, решайте сами.

В любом случае проблему, возникшую на месте происшествия и заключающуюся в том, что виноватым в аварии должны были быть только вы, удастся снять.

Приложение 1. В случаях, когда автобандиты промышляют тем, что умышленно подставляют под удар задок специально предназначенного для промысла автомобиля, поведение попавшегося водилы должно быть таким же. Разве что еще более убедительным.

Приложение 2. Престижность вашего автомобиля, конечно, имеет значение. Владельцу пресловутого «Запорожца» будет сложновато подавить психологически хозяина пресловутого «шестисотого». Вывод: владельцам «стыдных» автомобилей есть смысл все свое имущество переписать на ближайших родственников. Так же, как это зачастую делают владельцы «шестисотых» (?!.).

В качестве иллюстрации к главе об автонеприятностях приведу историю, приключившуюся с Хмелем. Так ее и озаглавлю:

ХМЕЛЬ

Он и моя жена только-только закончили анализ его позавчерашнего дня рождения.

Он переключился на меня.

Лихо оседлал своего любимого коня — политику. Тембр его мгновенно принял знакомые вещательные интонации. В том, что и текст окажется мне знаком, я не сомневался. Правильно не сомневался. Он начал, как ему казалось, издалека:

— Англичане — цивилизованная нация. Они могут позволить себе из двух зол не выбирать ни одного. Нам приходится выбирать меньшее...

Какое из зол для нас меньшее, он не сказал. Не успел.

За окном раздался пронзительно-протяжный визг тормозов, оборванный звуком мощного удара. Подобную партитуру исполняют в кино падающие бомбы. Сначала — пронзительный нарастающий вой, потом взрыв.

Сверхзадача такого звукового построения проста и неизменна в любом исполнении, при любых обстоятельствах: вызывать ужас и панику.

И ужас, и панику в глазах осекшегося собеседника я уловил.

Он понял, куда попала бомба. Или что там еще визжало.

Метнулся к окну. Прильнул к нему. Убедился, что понял правильно. Бросил то ли мне, то ли себе саркастическое:

— Есть!..

И уже без особой спешки (к месту падения бомбы спеши не спеши...) направился к двери.

Я тоже выглянул в окно. «Девятка» гостя стояла на привычном месте. Если бы стекла обладали обещанной мне при установке звуконепроницаемостью, то ни я, ни хозяин машины, в очередной раз профилактически выглянув в окно, вряд ли заподозрили бы неладное. Если бы, конечно, к тому моменту раскуроченный «Опель», врезавшийся в «девятку», успели оттранспортировать с глаз долой.

«Опель» стоял за «девяткой». Тоже с невинным, припаркованнным видом. Но, глядя на него, не заподозрить неладное было невозможно. Капот «Опеля», особенно с левой стороны, был вмят и раскурочен так, словно машину специально готовили для предупреждающего стенда ГАИ.

Я тоже вышел на улицу.

Там застал такую картину. Трое мужчин — мой гость, некий гражданин исламской наружности и гражданин наружности глубоко славянской, изможденной сельскохозяйственным трудом и самогоном — с траурными лицами стояли между «трупом» «Опеля» и «раненой» «девяткой». Молча.

Потом мусульманин спохватился. Опасливо косясь на моего скорбящего гостя, ободрал с собственных шеи и руки увесистые золотые оковы. Сунул их в карман. Проделал все это насколько мог незаметно.

Я подошел к «девятке». Сказал гостю:

— Не понял.

— От удара закатилась на тротуар, ударилась о стену дома и откатилась назад.

Если бы на месте аварии оказались работники ВАЗа, они наверняка запечатлели бы повреждения «девятки» на пленку. Чтобы потом использовать в рекламе безопасности собственного детища.

По сравнению с иномаркой «Лада» отделалась легким испугом. Только задний бампер и правое заднее крыло оказались слегка деформированы. И разбит правый фонарь.

Картина аварии являла собой иллюстрацию ошибочности одного из ключевых законов физики. Того, который насчет действия, которому положено быть равным противодействию.

Даже как-то не вязалось в сознании, что один и

тот же удар мог до такой степени отразиться на «Опеле» и до такой степени не отразиться на «девятке».

На этот раз в результате прицельного попадания бомбы пострадала преимущественно сама бомба.

Изможденный славянин, как оказалось, принимал участие в траурной процессии неспроста. Его «копейка», третья участница аварии, сиротливо торчала метрах в пятидесяти от столкновения. Аккурат в центре пустынного в этот час перекрестка.

Скорбеть гражданину был прямой смысл.

Как стало проясняться из реплик оживившихся членов процессии, именно его «копейка» оказалась всему виной. Вроде бы она подрезала пытающийся проскочить на скорости «Опель», тот ударился о бордюр, потерял управление, врезался в «девятку»...

Впрочем, да простит меня гость, все эти детали — в самый раз для протокола, но не для новеллы о нем (госте).

Вступившие в пробный диспут славянин и мусульманин явно имели целью произвести положительное впечатление на самую невинную сторону сложившегося треугольника. На хозяина «девятки».

Хозяин, как и положено политически зрелому гражданину, был уверен в себе. Он наконец дозвонился по мобильнику в ГАИ.

Услышав позывной: «Алло, ГАИ?..», мусульманин встрепенулся, невежливо оставил без ответа последнюю реплику славянина, шагнул к звонящему:

— Зачем милиция? Поговорим так...

«На того напал...» — с ехидством подумал я.

Звонивший на предложение поговорить не откликнулся. Вернул мобильник в барсетку.

— Золото видел? — украдкой вложил я ему мусульманина.

— Видел. Никуда он не денется.

На этот счет у меня были сомнения, но я их оставил при себе. Я слишком хорошо знал своего гостя. И его болезненную склонность к законопослушанию.

Гаишники приехали почти мгновенно. Со скучающими лицами патологоанатомов взялись исполнять свои третейские обязанности: мерить, опрашивать, протоколировать.

Я, конечно же, не мог не присовокупить к корочке работника исполкома, предъявленной моим другом, собственную корочку репортера криминальной хроники.

Это, судя по одобрительному кивку одного из патологоанатомов, произвело на того благоприятное впечатление.

— И так все ясно, — демонстрируя уверенность в правоте своей позиции, громко заметил мне друг. Небрежно заметил, со знакомой вещательной интонацией. Так, чтобы слышал и гаишник.

Прикидывающийся бедным (несостоятельно) родственником мусульманин, судя по всему, друга совсем не интересовал.

И когда гаишники покончили со своими профессиональными хлопотами, один из них, тот самый, которому тыкали в лицо ксивами, по-свойски посоветовал другу, кивнув на виновников аварии:

— Говори с ними сейчас.

Друг не внял совету. Тем более что отвлекся на зуммер мобильника. Сказал в трубку привычно веско:

— Слушаю.

И впрямь — стал слушать. Долго.

Потом отрезал:

— Сейчас буду. — И пошел к «девятке».

И собратья по несчастью, и гаишник, да и я с недоумением смотрели на него, устраивающегося за
рулем.

Мне кое-какие разъяснения перепали:

— У Лоры серьезные проблемы.

— Ты уверен, что с этими нет смысла говорить? —
напомнил я.

— У Лоры проблемы, — повторил он. И, захлоп-
нув дверцу, бросил: — Я позвоню...

Я к чему-то вспомнил его незаконченную мысль
насчет выбора предпочтительного зла... Догадывался, что он имел в виду. Или кого. Вероятнее всего,
одного из кандидатов. То ли в мэры, то ли в губерна-
торы, то ли в президенты. Не то чтобы мне это было
так уж интересно... И даже наоборот: меня лично
проблема выбора, свойственного нашему неанглий-
скому менталитету, почему-то абсолютно не волно-
вала. Впрочем, я не сомневался: мысль он еще за-
кончит. И не один раз. Не сомневался, что при следующей встрече он с этого и начнет.

Как оказалось позже, не сомневался напрасно.
Какому из зол не повезло, я так и не узнал. Почему?
Об этом рассказ.

Начало истории, которую собираюсь описать,
было положено в тот вечер. В вечер аварии. Именно
поэтому рассказ, на мой взгляд, уместен в главе об
автомобильных проблемах. И еще потому, что авария эта оказалась в истории не единственной.

Свидетелем начала истории был я сам. Дальнейшие события буду воссоздавать в силу известных мне фактов и при поддержке собственного воображения.

Итак... Пока герой спешно катит на покалеченной «девятке» к Лоре, есть смысл воспользоваться паузой и попробовать описать его.

Зовут его Хмель. Вернее, имя у него Анатолий, но для друзей, хороших знакомых и партнеров по интернетному преферансу он — Хмель.

Псевдоним вовсе не означает его мохнатость или слабость к закладыванию за воротник. Он, псевдоним, всего лишь огрызок его фамилии: Хмелевский.

Выглядит Хмель полноценным южанином. Невысокий, коренастый, смуглый, с заметными аракуловыми глазами. По внешности не разберешь, кто он. Гадаешь: то ли испанец, то ли какой-то неведомый тебе курд. Потом спохватываешься: грек. Ну конечно. Кто же еще. В общем, классическая одесская помесь, которую в паспортном столе, не мудрствуя, обозначили: украинец.

Главное, что можно сказать о Хмеле, — это то, что он — хороший друг и хороший политаналитик. Насчет второго могу только предполагать. Излагает, во всяком случае, он складно. Если бы еще не вещательные интонации...

Насчет друга читатель и так все поймет по ходу повествования. Насчет аналитика надо бы доразъяснить.

Есть все основания подозревать в Хмеле склонность к политическому карьеризму. Тем более что он и сам ее не скрывает.

На его примере я получил возможность изучать эту склонность, так сказать, с близкого расстояния.

До этого граждан, делающих политическую карьеру, я воспринимал исключительно как коллег по своей бывшей профессии. Как аферистов. Снисходительно слушал и наблюдал на экранах и в жизни политических шельм разного уровня, разводящих лохов... э-э... народ. С пониманием слушал. Ребята промышляют, как умеют, чего уж тут... Как бывший аферист, к аферистам претензий к ним не имел. Вернее, не имел бы, если бы они: во-первых, не демонстрировали порой чрезвычайно низкий мошеннический уровень, во-вторых, не обирали до нитки неимущих и, в-третьих, цинично не нахальствовали с неприкосновенностью.

Уважающим себя аферистам других профилей последнее и в голову прийти не могло. Цинизм тоже должен знать меру.

Хмель убежденностью в том, что политическая карьера может пригодиться не только для собственного благополучия карьериста, сбил это мое восприятие с толку.

И как было этому не произойти, если Хмель, этот законопослушный чистоплюй, медленно, но верно двигался по иерархической политической лестнице вверх.

Уже ступеньки и председателя районной избирательной комиссии, и помощника депутата прошел. Вплотную к депутатству горсовета подобрался. Должность в исполкоме получил. Вполне начальственную, коммунальную.

Но дело даже не в должности. В том, что вся эта политико-чиновничья атмосфера была его тарелкой. И он в этой тарелке чувствовал себя уверенно и защищенно.

Теперь все же пару слов о его второй характерной черте: таланту к дружбе. Как уже было сказано, об этой черте читателю будет предоставлена возможность судить по ходу истории. История-то уже началась. Герой уже мчится к Лоре. И это — первый повод для суждения.

Дело в том, что Лора ему не друг. Она всего лишь жена его друга. И то бывшего. Бывшего не потому, что Жеку (бывшего друга) девять дней как похоронили. Дружба скончалась раньше. (Цинично звучащий оборот, но игнорировать факты я, как рассказчик, не могу. Тем более факты, существенные для повествования.)

Опять же, в двух словах надо обозначить историю взаимоотношений Хмеля с Жекой.

Дружили они лет пятнадцать, еще с той поры, когда Хмель, студент-третьекурсник, занимался организационной деятельностью на выборах в Верховный Совет УССР.

Год назад Хмель, подвизавшийся в некоем бизнесе (что-то масштабное, связанное с поставкой каких-то генераторов), уговорил компаньонов включить в состав учредителей безработного Жеку.

Еще через полгода компаньоны общим собранием вывели из состава самого Хмеля. Так им захотелось. Так они посчитали для себя выгодным. Еще бы... Решающая сделка входила в завершающую фазу, в фазу получения денег. Серьезных денег. А тут как раз освободился из-под следствия зачинатель дела. Некий Мазур. Освободившись, решил, что лишний рот, в виде «мусоренка» Хмеля (так он обозвал его, узнав о его политических наклонностях), ни к чему.

Финансовый пролет не главное, что потрясло Хмеля в той ситуации. Потряс его Жека. Не просто оставшийся в корпорации, но и не подавший на том самом собрании голос «против».

Тогда-то дружба и умерла.

А еще через полгода умер при загадочных обстоятельствах сам Жека. Его нашли в луже грязи на расстоянии двух квартальных пролетов от собственного частного дома. Заключение экспертов гласило: инфаркт.

Лора стала вдовой с двумя крохами.

Хмель, конечно же, был на похоронах. Недолго. Уехал с кладбища. Не пожелал соседствовать с бывшими его соучредителями на поминках.

Так что судите сами: были ли основания у Хмеля по звонку вдовы предавшего его друга срываться сломя голову ей на помощь.

Сам он посчитал, что основания есть.

Всю эту ситуацию с бизнесом, с поступком друга, с его, друга, смертью я знал от самого Хмеля.

Дальнейшие события выстраивал в цепочку потом. Вот она, цепочка, состоящая из звеньев, эпизодов...

— Ну, все-все... — сказал он Лоре, закрывающей за ним калитку. — Разгребем.

Не потому успокаивал, что разглядел в полумраке ее заплаканные глаза. Их, заплаканные, он представлял при давешнем телефонном разговоре с ней.

— Сволочи, — только и отозвалась женщина.

— Не в дом, — сказал ей, впереди идущей, Хмель. И напомнил: — Дети.

Лора послушно вильнула к гостевому флигелю.

— Рассказывай, — велел ей гость, оседлав верхом стул, оперевшись о спинку скрещенными на груди руками.. Веско велел. Не как участливый бывший друг ее бывшего мужа. Как уверенный в собственном рейтинге и связях политический деятель, способный разрешить любую проблему. — Сколько их было?

— Двое.

— Кто?

— С работы. Серый и еще один.

— Я его знаю?

Женщина пожала плечами. Откуда, в самом деле, она могла знать: знает ли второго Хмель. Сказала:

— Он у них — недавно. Рыжий такой. На гоблина похож.

Хмель кивнул:

— С чего начали?

Лора попыталась было ответить. И не смогла. Отвернулась, закрыла руками лицо...

— С чего начали? — с безжалостностью политика повторил вопрос гость.

Женщина взяла себя в руки, подобралась:

— С того и начали. С того, что дом придется продать...

Она не сдержалась, снова попыталась отвернуться. Хмель развиться плачу не дал. Одернул:

— Не реви. Я же сказал — разгребем...

Его решительность подействовала. Дальше женщина излагала ситуацию вполне связно:

— Принесли какие-то договора, расписки. Показали. Но я же ничего в этом не понимаю. Жека меня не подпускал... Ну, ты же знаешь... В общем, сказали, что он остался им должен... Пятьдесят тысяч.

— Гривен? — задал непозволительный для политического деятеля серьезного масштаба вопрос Хмель.

— Долларов.

— Так. И что?

— Дом... — сказала Лора. И все же заплакала.

Хмель помолчал. Молча, деловито смотрел на нее. Подытожил:

— За дом можешь быть спокойна. Ничего они не сделают. Это я тебе обещаю.

— Они сказали... — сквозь слезы подала голос Лора. И совсем зашлась рыданиями.

Хмель ждал. Не дождавшись, поторопил:

— Ну?

— Про детей сказали...

— Что сказали?

Она, по-прежнему закрывая лицо руками, покачала головой. Словно отгоняла воспоминание. Но произнесла:

— Спросили: как дети?

— Кстати, как дети? — спросил и Хмель.

Женщина замерла. Этот простой вопрос, кажется, мгновенно успокоил ее. Почти успокоил. Она убрала руки с лица. Вроде удивленно посмотрела на гостя. Ответила растерянно:

— Спасибо, ничего...

— Все будет хорошо, — заключил Хмель. Как и положено политику, банально.

На этот раз банальность пришлась как нельзя кстати.

Женщина взирала на гостя с надеждой. Пыталась разглядеть: *то* ли он сказал, что думает.

Хмель выдержал взгляд. Почему бы ему было его не выдержать, когда он и в самом деле в тот момент считал, что все будет хорошо. Что он сумеет все разгрести.

Он встал. Сказал напоследок:

— Умойся. — И еще раз напомнил: — Дети...

И уверенной поступью пошел из флигеля.

Хмель ехал к Мазуру. С того момента, как его бесцеремонно вышвырнули из корпорации, он был уверен, что в жизни не захочет ни знать, ни даже видеть негодяя. И лелеял надежду, даже мечту о том, что когда-нибудь с его врагом случится нечто такое, что заставит Мазура прибежать к нему, к Хмелю. И просить выручить.

Но вот... Случилось. У самого Хмеля. Почти у самого. И Хмель ехал к врагу сам.

Мазур тоже жил на Фонтане. Тоже в частном доме, точнее, в трехэтажном особняке.

У ворот особняка стояли три машины. «Трехсотый» «мерс» самого Мазура, джип Серого и «копейка».

Хмель нажал на кнопку переговорного устройства у калитки.

— Кто? — спросил его потрескивающий в динамике голос Мазура.

— Я, — сказал Хмель и добавил: — Хмель...евский.

— Ну? — спросил голос.

Хмель смутился.

Конструктивный диалог с переговорным устройством не входил в его планы.

— Надо поговорить, — сказал он.

— Говори.

Хмель глупо смотрел на устройство. Он не знал, как быть. Дурацкая ситуация...

— Сейчас выйду, — смилостивился динамик. И стих.

Мазур собирался долго. Минут пять. Хмель успел основательно понервничать. Наконец замок калитки щелкнул. И в проеме ее возникла массивная, загородившая весь проем фигура хозяина.

— Говори, — повторила фигура осипшим голосом. Оказывается, хрипел не динамик.

В общем-то Хмель рассчитывал вести переговоры в более располагающей обстановке. Но раз уж его не пригласили...

— Я бы хотел глянуть документы, — сказал он.

— Какие документы?

— С которыми Серый приезжал к Лоре.

— А кто ты такой, чтобы их глядеть?

Вопрос сбил приехавшего с толку.

Мазур насмешливо рассматривал Хмеля.

— Я — друг, — вынужден был сказать тот.

— Ну?.. — удивился хозяин.

И секунд десять то ли с сочувствием, то ли с любопытством пялился на «друга». Потом вдруг взгляд его потяжелел. И он жестко спросил:

— Ты подписываешься за нее?

— В каком смысле? — растерялся Хмель.

— В смысле — мазу тянешь?

Хмель молчал.

Мазур жестко, в упор разглядывал его.

Хмель не выдержал взгляд. Он привык общаться, обсуждать, договариваться на разумном уровне. Не обязательно на уровне логики. Общественная, должностная значимость, на его взгляд, тоже были разумными категориями. И он умел и был приучен строить свои отношения с окружающими, исходя из них. А тут... Мазур подавлял его взглядом. И он, Хмель, ничего не мог с этим поделать.

А потом Мазур еще и сказал. Тоже в разрез логике и общественной значимости собеседника:

— Пшел вон.

И добавил:

— Мусоренок.

И захлопнул калитку.

Хмель катил восвояси с пылающим от унижения лицом.

Унижение — великая вещь. Великая по своим возможностям менять униженного. Способная на попа поставить все его восприятие мира. Все понятия, в согласии с которыми он существовал в нормальном человеческом, не униженном состоянии.

Правда, оно обычно и меняет, и ставит на попа ненадолго. На то время, которое проходит до того, как нас «отпустит». (Притом, что до конца — не отпускает никогда. Каждое унижение — это вросший осколок, который со временем вроде бы и перестает мешать жизнедеятельности, но который невозможно удалить.) А уж как быстро отпустит, как быстро перестанет жизнедеятельности мешать — это как кому повезет. В смысле, каким повезет уродиться.

Родившиеся политическими деятелями весьма уязвимы для подобных осколков. (Хотя посмотришь на экранные лица — и не скажешь. А ведь каждый через такое собственное плебейство проходит, прежде чем сам начнет ранить... Нормальный человек никаких неприкосновенностей не захотел бы.)

В общем, не позавидуешь избранникам. Но ничего. Обустраиваются как-то ребята. Психологически.

В политике плебейство — в правилах игры. Этим-то деятели себя и утешают. Уважительное отношение к правилам для них — анестезия при осколочных ранениях.

Но то в политике. Когда же деятелей ранит чужак, анестезия не действует. И как и в любом простом смертном, начинается в них перестановка понятий. И постановка их на попа.

Кидняк с бизнесом Хмель негодяям простил. Не то чтобы простил, но считал, что главная, подавляющая потеря его в той ситуации — потеря друга.

То, что произошло сейчас, он прощать не собирался. Он смутно пока предполагал, что сделает, как проучит. Включит свои связи, организует дело по наезду на Лору. А заодно — по бизнесу. Он знал его слабые, юридически не защищенные места. Он придумает, как проучить. Уже начал придумывать. Хотя и несколько сумбурно.

Чтобы какой-то бывший зэк так разговаривал с ним, без пяти минут депутатом горсовета?..

Даже удивительно, как это Хмелю, с его ранимым достоинством, удалось пронести это самое достоинство в целости и сохранности через минное поле криминальных послеперестроечных времен.

Он не поехал ни к Лоре (хотя собирался заехать после разговора с Мазуром), ни домой. Несмотря на поздний час, он сразу же решил объехать коллег по клану. По сплоченному клану политиков и государственных служащих.

Первый, к кому он заехал, был его хороший приятель Герман, улыбчивый мужик с бородой а-ля геолог. По профилю работы Герман тесно контачил с милицией и налоговиками. Он как будто даже обрадовался визиту сослуживца.

Заговорщицки бросил в прихожей:

— Давай на кухню, — и сам первый убыл на нее.

Хмель, заперев дверь, проследовал за ним. Наскоро подивившись крутизне кухонного интерьера, осел на мягком уголке. И пока Герман суетился с кофе, взялся излагать проблему. Утерпеть, выдержать дипломатическую, да и просто гостевую паузу при своем пылающем состоянии он не смог.

Герман слушал. Из-за вросших в углы глаз морщинок, казалось, иронично.

Разлил кофе, уселся напротив, отхлебнул свой. И переспросил:

— Как, говоришь, его кличут?

— Кого?

— Этого... Мазура?

— Мазур.

— Это не тот, который освободился полгода назад?

— Тот.

Герман задумался. Сделал губы трубочкой. Отхлебнул в очередной раз и неожиданно выдал:

— Плохо.

— Что — плохо? — несколько растерялся Хмель. Растерялся, хотя уже предчувствовал неладное.

— Ты знаешь, кто за ним?

— Кто?

Герман усмехнулся.

— Кто за ним может быть? Он чистый ублюдок, — начал горячиться Хмель.

— Да знаю я. За ним кто-то в Киеве.

— И что?

Хозяин посмотрел на него с укоризной.

Теперь, в свою очередь, стал горячиться Хмель:

— Там же натуральное вымогательство. С угрозами.

— Надо подумать, — изрек после паузы сослуживец. Таким тоном, что Хмель понял: ни хрена он думать не будет.

— Ладно, — сказал гость. — Пойду. К Гоше еще хочу подъехать. Может, он...

— Не может, — сказал ехидный Герман. — Надо переждать. Все выяснить как следует...

«Что пережидать? — чуть было не взвился Хмель. — Пережидать, когда Лорку выселят в общагу?»

О том, что и ему есть смысл пережидать, когда отпустит унижение, он не подумал. Он, как и любой бы на его месте, был уверен, что оно не отпустит никогда.

Хмель не взвился. Взял себя в руки. Промолчал.

И даже воспитанно пожал Герману на прощание мягкую, совершенно не геологическую руку.

— Слушай, мои уже спят, — сказал ему Гоша. Через порог сказал. — Позвонил бы — я бы тебя предупредил. Чтобы зря не мотался. Завтра на работе поговорим...

Хмель не спорил. Посмотрел пристально Гоше в глаза и пошел к лифту.

Он вдруг понял, что Гоша уже знает о его проблеме. Вероятно, Герман воспитанно предупредил его звонком.

Мобильник дал о себе знать в лифте.

— Да? — сказал в него Хмель. Без привычной вескости сказал.

И услышал голос Лоры. Прорывающийся сквозь с трудом сдерживаемую истерику:

— Он только что был у меня. Сам.

— Кто?

— Мазур.

Хмель почувствовал, где у него сердце.

— И что? — спросил он.

— Он сказал, что дом будем переписывать за-

втра. Нам выделят комнату в коммуне. — Истерика
перестала быть сдерживаемой.

Хмель не обуздал ее привычным: «Не реви».

Даже не попытался обуздать. Пережидал. До-
ждавшишь, когда она пошла на убыль, спросил:

— Что за спешка?

— Он сказал, что хотел по-хорошему, а я... повела себя плохо.

— Как — плохо?

— Я стала искать варианты. Так он сказал.

Хмель понял, что «вариант» — это он. Его приход обозлил, подстегнул Мазура.

— Что делать? — молящим голосом спросила
Лора.

— Завтра я все решу, — без желанной им самим
твердости издал Хмель.

— Когда завтра? Они придут утром.

— Скажи, что документы не в порядке.

— Они действительно не в порядке. Жека не
успел...

— Тем более. Нужен еще день-два...

Они помолчали. Хмель вдруг почувствовал, что
Лора хочет что-то сказать. Ждал.

Она наконец сказала:

— Может, попробовать достать деньги?

— Ты что? — изумился он. — Пятьдесят тысяч...

— Дом стоит минимум семьдесят. Если продать,
останется еще двадцать... Как раз на квартиру.

— Нельзя ничего давать. У тех, кто отдает, отбирают все... — умудренно изрек Хмель. (Интересно,
где он этого набрался?)

— Настенька и Егор... — напомнила Лора. —
Они уже боятся. Чувствуют.

— Меньше реви, — неуверенно сказал Хмель.
И неуверенно добавил: — У меня всего пять тысяч.

— Может, у кого одолжить?

— У кого? Кто даст такие деньги?

— У тебя же связи...

Хмель задумался. Надолго. Говорящие по мобильнику обычно избегают в разговорах таких затяжных пауз. Потом подвел черту:

— Завтра я все решу.

И отключился.

Он принял решение.

В машине Хмель задумался. Правильнее было сначала связаться с Доком, чтобы точно знать: едет ли завтра он, Хмель, в Киев. Пришел к выводу, что ехать все равно придется, и все равно — завтра. Значит, в любом случае есть смысл уже сейчас передать через кого-то из своих, чтобы завтра на работе его не ждали.

Через кого передать? Хмель наскоро перебрал в памяти сослуживцев. И остановился на Германе. Тот, возможно, еще не спит. Герман был не тем, с кем хотел бы сейчас общаться Хмель. С сегодняшнего вечера он, Герман, стал уже не тем, с кем Хмель вообще хотел бы общаться, но... Политический карьеризм предполагает в карьеристе способность к компромиссам.

Хмель набрал номер бородача. Не рассусоливал:

— Завтра меня не будет. Уладишь?

— Нет проблем, — откликнулся тот. С готовностью, естественной при просьбе о помощи, исходящей от коллеги по клану. И с той же естественностью поинтересовался: — Что-то случилось?

— Смотаюсь в Киев, — зачем-то разоткровенничался Хмель. Почему было не разоткровенничаться?

Коллега у коллеги спросил. Коллега коллеге ответил.

— По тем делам? — понял Герман. — Думаешь, поможет?

— Попробую. Есть один выход.

— Валяй.

Они прервали связь.

Как наваждение, Хмеля посетила мысль: у Германа, пожалуй, можно было бы попросить денег в долг. Пусть не всю сумму. Часть. Вишь, какую кухню отгрохал за тот месяц, что Хмель не был у него. Интересно, что бородач наворотил в остальных семи комнатах?

Наваждение Хмель отогнал. Путь отдачи денег — тупиковый. Законопослушным гражданам негоже идти на поводу у вымогателей.

Он повернул ключ зажигания. Теперь на скорости домой. Док должен быть в клубе. Если он в нем, значит, все тип-топ. Завтра — в Киев.

Док был в префклубе.

Хмель только вошел на сайт, как партнер откликнулся на доске диалогов:

— Привет, Хмель.

— Привет, — отстучал на клавиатуре Хмель, — есть разговор. Отвлечешься?

— Давай, ненадолго.

Хмель набрал номер телефона.

Поздоровались еще раз.

По телефону вводить Дока в курс собственных и Лориных проблем Хмель не стал. Только сказал:

— Есть проблемы.

— Я так понимаю, серьезные.

— Вполне. Нужна твоя помощь.

— Приезжай.

Именно это Хмель и хотел услышать. Спросил:

— Ты — на месте?

— Завтра — дома. Так что прямиком ко мне. Адрес не потерял?

— Нет.

— Лады. Играть будешь?

— Может быть, завтра. Живьем.

Они попрощались.

Хмель задумался: сможет ли Док помочь ему?

Он вспомнил, как познакомился с Доком. Сначала в клубе, за игровым столом. Потом живьем. В Одессе.

Док — псевдоним. Такой же, как у Хмеля. Не дело депутату Думы, доктору наук светить себя в интернетной тусовке. Пусть даже в «бриллиантовом» зале. А поиграть охота. Так что доктору и завкомитетом Госдумы Вишневскому пришлось прикинуться вполне хипповым Доком.

Потом, по отдельным репликам на разговорной доске, они заподозрили друг друга в принадлежности к одному клану. Причем не только к клану картежников. Заподозрив, связались сначала по «аське», потом по телефону.

Летом Док приезжал в Одессу. И Хмель даже сделал ему, депутату, уйму одолжений. Знакомил Дока с нужными тому людьми, да и просто организовывал ему досуг.

Док даже вроде бы почувствовал себя весьма обязанным единомышленнику по преферансу, и не только по нему.

Прощаясь тогда в аэропорту, не раз напомнил:

— Соберешься в Киев — попробуй не позвони. Завистую... И если какие проблемы — звонишь запросто. Лады?

Проблема возникла, и Хмель позвонил. Запросто. В полпервого ночи.

Если уж кто-то и мог помочь решить их, то только Док. Так считал Хмель, ставя будильник на пять утра.

В Киеве он был в одиннадцать. Почти в Киеве. На въезде в него. На въезде все и произошло.

Конечно, Хмель спешил. Меньше ста километров в час себе не позволял даже в населенных пунктах.

Его дважды ловили радаром. Оба раза откупаться не пришлось. Выручила корочка мэрии. И объяснение гаишникам, что несется он по государственным делам. В первый раз его отпустили безрадостно, но без долгих разговоров (дело было еще в Одесской области). Второй раз, за Уманью, пойманному пришлось пускать в ход вескость. В конце концов и там гаишники поняли, что выдурить откупные им не удастся. Не в том дело, что не удастся, а боязно стало выдуривать. В общем, отпустили.

На том самом въезде скорость пришлось сбросить. Из-за вальяжно волочащегося впереди него «шестисотого» «мерса» с почти обнуленным номерным знаком. Правая полоса была занята колонной военных грузовиков, а этот черный магический красавец нахально катил со скоростью восемьдесят. Так ему хотелось.

У красавцев, особенно у черных, ощущение собственной значимости и бесцеремонность по отношению к другим — в порядке вещей.

Хмель несколько раз пытался протиснуться между «шестисотым» и колонной. Безуспешно. «Мерс» не собирался уступать ему ни метра шоссе. Такое впечатление, что Хмеля он не замечал в упор. Не замечал и не слышал его сигналов.

В тот момент, когда «девятка» предприняла очередную попытку проскользнуть, начала забирать вправо, «мерс» затормозил. Не от прихоти.

Напротив, слева у обочины, обступив уставленные харчами капоты двух «шестерок», пристроилась трапезничать компания автотуристов.

По-видимому, их овчарка и выскочила на дорогу. На полосу, по которой катила «шестисотая» капля.

Хмель среагировать не успел. Слишком он был занят предстоящим маневром.

Бампер его «девятки» врезался аккурат в ту же точку, в которую давеча к ней самой приложился получивший смертельные увечья «Опель».

Удар получился, конечно, не столь знатным. Но Хмеля он потряс значительно больше.

С минуту он сидел в машине, обездвиженный не от страха. От леденящего ощущения: теперь — все. А Лора — ждет...

Через стекло он увидел, как из «мерса» вышли двое: водитель — спортивный немолодой мужик с волевыми подбородком и скулами и пассажир — коротышка с пузом, вполне пожилой, морщинистый, с выраженными отеками под глазами.

Неспешно, без энтузиазма осмотрели повреждения. «Девятка» и тот, кто в ней, казалось, их совсем не занимали. Потом пузатый все же постучал брелоком о капот «девятки». Небрежно стукнул пару раз, по-прежнему не глядя на нее. Такое впечатление, что не глядел из вредности.

Хмель вышел.

«Девятке» его перепало несильно. Но он оценил

это потом. После того, как переключил на нее внимание с повреждений «мерса».

Крыло и бампер у «девятки» были вмяты. Левая фара разбита. У «шестисотого» повреждения были те же: бампер, крыло, фара. Только задние.

Хмель ощущал себя ничуть не лучше, чем пресловутый герой анекдотов. Тот, который на «Запорожце». Тем более что и этим, из «мерса», кажется, было все едино. Что «Запорожец», что «девятка».

Впрочем, вели они себя странно. Молча, снисходительно.

Пузатый достал мобильник, что-то сказал в него. Что-то короткое. Хмель расслышал только:

— ...двенадцатый километр. И у меня мало времени.

О том, что если у толстяка так мало времени, то почему они еле тащились, не подумал. Не до того ему было.

Коротышка спрятал мобильник и наконец посмотрел на Хмеля. Не угрожающе, не вопросительно. Даже не сочувственно. Никак. Как на случайную, возможно, даже неодушевленную помеху своим планам. На помеху, к которой есть смысл относиться исключительно философски.

Странно, что при таком его подходе к помехам дуреха овчарка уцелела.

Тем не менее Хмель понял: с ним, как с овчаркой, церемониться не станут.

Пока что не было произнесено ни слова. Хмель считал неделикатным первым нарушать молчание. Да и что он мог сказать...

Первым заговорил капитан ГАИ, поразительно шустро прибывший на место аварии на своей «семерке» в компании с сержантом. С момента аварии до момента их появления прошло минуты три. Похоже, «семерка» случайно проезжала мимо.

Капитан не заговорил. Он присвистнул, осмотрев повреждения. И с полноценным, даже с каким-то предвкушающим сочувствием уставился на Хмеля. Спросил у толстяка:

— Протокол пишем?

Тот не слышал вопроса. В упор не слышал. Бросил наконец Хмелю:

— Техпаспорт.

Хмель послушно достал документ.

Коротышка кивнул своему волевому водителю, и тот, склонившись над капотом «девятки», стал переписывать данные. Переписал.

— Дай ему номер, — непонятно сказал ему хозяин.

Водитель чиркнул что-то в блокноте и вырвал лист. Протянул его коротышке.

Дальше произошло и вовсе непонятное.

Коротышка сунул блокнотный лист под «дворник» «мерса» и выдал:

— Ключи и техпаспорт — в машине. Это телефон. Сделаешь как было — позвонишь. Только не тяни.

И пошел куда-то вперед. Обернулся и добавил:

— Только рихтовать не надо. Не люблю.

Хмель и гаишник завороженно наблюдали, как водитель и хозяин «мерса» уселись в подъехавшую машину. В братца-близнеца оставленного красавца. В черный, лоснящийся блеском «шестисотый» «мерс». С теми же четырьмя нулями на номерном знаке.

До прибытия его с момента звонка коротышки прошло минут пять, не больше.

— Ни хрена себе, — вновь присвистнул капитан

им вслед. — Дежурят они у него, что ли? Никак, по всему городу расставлены. — И опять сочувственно, но уже без предвкушения посмотрел на Хмеля. Потом изрек: — Куда ехать, командир?

Хмель растерянно уставился на него.

— Сам с двумя не управишься, — пояснил свистун. — Подсоблю. Какая СТО?

— Понятия не имею, — издал Хмель. — Я — не киевлянин.

Капитан отнесся к новости с пониманием. Предложил:

— Тогда покажу.

И уточнил:

— Ты на чем?

Хмель не понял.

— На своей? — спрашиваю. — Или по-королевски?

— На своей, — сказал Хмель.

— Правильно, — не спорил гаишник. — И я хоть раз прокачусь. Давай — за мной.

Он как ни в чем не бывало плюхнулся в водительское кресло «Мерседеса».

Хмель открыл дверцу «девятки».

И тут зазвонил его мобильник.

— Да, — тусклым голосом отозвался он.

— Хмель, это — я!.. — всхлипывая, сказала Лора. И взвыла: — Они забрали Настеньку!..

Он осмысливал услышанное уже в пути. Из сбивчивого, истеричного рассказа Лоры сложил картину случившегося.

Сегодня утром к ней, как и обещал Мазур, приехали его люди. Переписывать дом.

Переоформление сорвалось, потому что документы и впрямь оказались не готовы. Не только поэтому. Лора не проявила рвения к тому, чтобы подготовить их за день-два. И они поняли это. И то поняли, что рвения она не проявила, рассчитывая на Хмеля. Они откуда-то знали, что он рванул в Киев. И даже знали, что рванул, чтобы решать ее проблему.

«Герман — сука», — подумал Хмель в этом месте ее рассказа.

Предупредив, что время работает не на нее, они ушли.

Лора повела детей в школу. Решила, что оставаться с ними в пустынном частном доме — бо́льшая опасность, чем быть на людях. Решила, что пробудет с ними в школе весь день.

Первым у Егора был урок физкультуры. У Настеньки — арифметика. Занятия на воздухе вызывали у Лоры бо́льшие опасения. Потому она и пробыла до звонка у спортплощадки. Держа под наблюдением вход в школу.

Когда по звонку школьники высыпали во двор, она с Егором сначала ждала дочь у выхода, потом пошла искать ее в школе. И не нашла.

Классный руководитель сказала, что девочку после урока ждал некий мужчина, представившийся другом ее папы. Представился он руководительнице. Девочка подтвердила представление.

«Друг» сказал учительнице, что мама ждет Настеньку у спортплощадки.

Как они вышли из школы — неизвестно. Возможно, через черный ход, который круглогодично заперт на ключ.

Лора в истерике вздумала звонить в милицию. Да потом передумала. Уже с трубкой в руке — испугалась, что сделает хуже. Сказав учителям, что напутала, что и в самом деле друг бывшего мужа по договоренности с ней должен был забрать Настеньку, она поспешила домой. Чтобы позвонить ему, Хмелю.

«Герман — сука...» — повторно подумал Хмель, прогнав в памяти рассказ Лоры в очередной раз.

Колонна из трех машин: впереди — «мерс», за ним — «девятка», сзади — «семерка» ГАИ — уже внедрилась глубоко в столицу, когда Хмель спохватился. Принялся сигналить капитану.

Тот затормозил.

Хмель остановился напротив него. Склонившись над креслом пассажира, передал гаишнику листок с адресом Дока. Сказал:

— Давай сначала сюда.

Капитан глянул на адрес. И не стал возражать:

— Как скажешь, командир.

— Подождать? — спросил он, припарковав «мерс» у высотки, указанной в адресе.

— Не надо, — сказал Хмель. — Дальше я сам.

Он подумал, что неизвестно, как долго задержится у Дока.

Гаишник не возражал. Выбравшись из машины, все никак не мог угомониться. То цокал, то насвистывал от восхищения ездой. Но все же спохватился:

— Давай справки выпишем. Для СТО.

— Давай, — не стал спорил Хмель.

— На чью фамилию его оформить? — кивнув на «мерс», задал вопрос сержант.

Что ответить, Хмель не знал.

— Выпиши — на его, а в скобках — по техпаспорту, — нашелся капитан.

Гаишники уже собирались отъезжать, когда капитан спросил:

— Задок-то у тебя тоже... Справка есть? А то можем выписать.

— Есть.

— Как скажешь. — И после паузы, словно спохватившись, добавил: — Командир.

У Дока Хмель пробыл недолго.

— Мазур? Не слышал, — сказал Док.

Они сидели на мягком уголке в огромной зале. Хмель не подозревал, что в кажущейся обычной типовой высотке могут умещаться такие громадные свободные площади.

— Но узнать можно? — спросил Хмель. Просто спросил, как тот, кому когда-то было разрешено обращаться с любыми проблемами.

Док задумался. Но думал он, как оказалось, совсем не о том, на что рассчитывал Хмель. Всего лишь о том, как бы получше объяснить гостю. Объяснил:

— Если он под кем-то, то... Неважно под кем. Я не могу на него наехать... Потому что завтра этот кто-то наедет на тех, кто подо мной. И что это будет?

Что это будет, Хмель не знал. Но вообще-то предполагал, что это было бы неплохо. Предположение на всякий случай оставил при себе.

— Надо договариваться на месте, — почти сразу подытожил всемогущий Док.

«Чего ж ты предлагал помощь? И чего я перся сюда, подставив Лору? И Настеньку...» — тупо думал Хмель.

И вдруг придумал:

— Слушай, может, ты одолжишь... В смысле де-

нег. Она продаст дом... — Он осекся, обнаружив, что
Док улыбается.

Причину улыбки Док пояснил вопросом-пого-
воркой:

— Знаешь, что надо сделать, чтобы потерять
друга?

Хмель кивнул. Поговорку он знал.

Но Док все же договорил:

— Дать другу в долг.

Хмель криво усмехнулся. Вставая, съехидничал:

— Удобно. И экономно, и все — в друзьях.

Док не обиделся. Серьезному политику не положено обижаться. Так же как положено обещать решение всех проблем.

Хмель двинул к выходу.

— Давай проведу, — гостеприимно вызвался хозяин.

На улице он с недоумением взглянул на «мерс».

— А этот что здесь делает?

— Этот — со мной, — сказал Хмель.

— Не понял.

Хмель в двух словах объяснил.

Док ухмыльнулся. Сказал непонятно:

— Это в его стиле. — И спросил: — Ты хоть знаешь, чей он?

— Нет, — признался Хмель. — Чей?

— Тогда лучше и не знать, — улыбнулся Док. —
Так ты будешь спокойней.

— Надо как-то отогнать его на СТО. Сюда гаишники доставили. А дальше... Боюсь — тормознут.
Отмазывайся потом.

— Не тормознут.

Хмель непонимающе уставился на Дока. Тот не
разъяснил. Улыбался. Потом предложил:

— «Девятку» отрихтуют за углом. А для «мерса» я тебе адресок дам. Все наши там ремонтируются.

— Давай, — сказал Хмель, подумав: «С драной овцы...»

У него все лучше и лучше получалось держать мысли при себе.

— Сколько это может стоить? — спросил он, кивнув на задок «мерса». — Если все менять?

— Менять? — удивился Док. — Это он так велел? Гусь! — И пожал плечами: — Понятия не имею. Штуки четыре. Не меньше.

«Неплохо, — екнуло у Хмеля. — Пять штук было — и те коту под хвост».

— «Девятку» загонишь за угол, потом направо... — взялся объяснять хозяин.

— На «девятке» я — домой... — оборвал было его гость. И осекся. Подстегнул объяснения: — Направо, а дальше?

Так Хмель еще никогда не ездил. Не в смысле — с таким комфортом, и не в смысле — с такой скоростью. С таким ощущением уверенности. Она, уверенность, окрепла до максимальной к выезду на трассу.

Дело не только в том, что почти все машины боязливо сторонились «мерса», уступали ему дорогу. Уверенность вселили гаишники, попадавшиеся на пути. Такое впечатление, что служители закона даже маленько вытягивались в струнку, когда он проносился мимо них.

Почему Хмель вздумал ехать в Одессу на странным образом свалившейся на него машине, он толком не знал. Он подумал: почему нет?

Во-первых, в справке — его фамилия, а во-вторых, Док сказал:

— Не тормознут.

И он явно знал, что говорил.

Теперь это узнал и Хмель.

На трассе ни один гаишник, даже из тех, которые с радаром, не посмел поднять жезл. Хотели было, но, разглядев машину, передумывали. Тоже норовили — в струнку.

В Одессе Хмель был в семь вечера. Он четко представлял, что будет делать в первую очередь.

В первую очередь заехал домой. Забрал жену и дочь.

Увидев машину, дочь пришла в восторг. Потом, обнаружив испуганные глаза матери, тоже испугалась.

— Все нормально, — успокоил их папа и муж. — Это мне премия. На время.

Он не имел обыкновения вводить жену в курс своих дел. А тем более — в курс проблем. У южных мужчин, у греков ли, у курдов ли, это в порядке вещей — не слишком церемониться с домашними.

Жену и дочь он отвез к свекрови. Сказал:

— На день-два, максимум. Потом объясню.

Жена не спорила. Легкая степень деспотичности мужа была ей привычна.

Читатель, поди, уже все знает. Думает, поди: с «мерсом»-то у героя все заладится. И деньги ему искать не придется. И Настеньку немедленно вернут матери. В общем, все будет, как у героя Марка Твена, которому на халяву перепал банковский билет стоимостью в один миллион фунтов.

Если бы все и в жизни было так складно, как мы предвидим, следуя за книжными сюжетами. Если бы все было так, как хочется, чтобы было...

Впрочем, и в нашей истории без этого не обошлось.

Еще на трассе, подъезжая к Одессе, Хмель позвонил Лоре. Узнал, что новостей нет. Поэтому теперь, подстраховавшись с женой и дочерью, направился прямиком к Мазуру.

Все было так же. Вечер почти такой же темный, как вчера, «Мерседес», джип и «копейка» — у ворот особняка врага.

Хмель припарковал «мерс» рядом с мазуровским. Конечно, умышленно. Он быстро «прибавлял», набирался ума-разума. Если бы у него выдалась свободная минутка или хоть на время освободились мозги, возможно, он позволил бы себе понедоумевать на тему: что же я делал всю жизнь? Почему не набирался ума-разума раньше? Или набирался, но не того.

Но ни свободных мозгов, ни свободной минуты у него не было.

Как и вчера, он вдавил кнопку переговорного устройства. И, как и вчера, голос врага спросил:

— Кто?

На этом похожесть ситуаций закончилась.

Вчера Хмель сказал:

— Я.

Сегодня он потребовал:

— Открывай.

— Не понял... — сказало устройство.

— Открывай — объясню.

Где он этого набрался, этой хамской снисходительности по отношению пусть даже и к врагу, Хмель и сам не знал. Он всего лишь изображал, играл образ, который, на его взгляд, соответствовал «мерсу». А может быть, и иначе: в салоне «шестисотого», как в горниле, он перековался в другого Хмеля. Пафосная метафора. Жаль, неточная. Ни хрена он не перековался. Он остался прежним. Он всего лишь, как и положено политику с врожденной приспособленческой железой, приспособился. К «Мерседесу». И к прилагаемым обстоятельствам. Как и положено политику, искренне приспособился. Они, политики, все делают, как им кажется, искренне. Не верят в бога, потом — верят. Славят партию, потом хают ее. Искренне верят, что они слуги народа. Уговаривая его, народ, в этом. Вообще, вживаться, затем соответствовать новому образу для того, чтобы что-то с этого поиметь, — основополагающая черта любого уважающего себя афериста.

— Хмель? — явно озадаченно прошипел динамик.

— Открывай, — повторил Хмель.

Шипение прекратилось.

На этот раз замок калитки щелкнул секунд через тридцать.

— Ты?.. — даже как-то разочарованно изумился хозяин. За его спиной сбоку маячил еще один силуэт. Этого, второго, Хмель не знал. Но понял, кто он, — гоблин.

— Имею пару слов, — спокойно, в соответствии с образом, объявил Хмель.

— Говори.

Хмель молчал. Молча, с усмешкой наблюдал тот самый подавляющий взгляд. Почему-то усмешка ему давалась без труда. Пресловутый взгляд Мазура вдруг испарился. Стрельнул куда-то мимо него.

Хозяин шагнул в сторону, уставился на «мерс». Спросил недоуменно:

— Ты не один?

Хмель с удовольствием расслышал в вопросе тревогу.

— Пока — один, — ответил он.

Мазур бросил прощальный взгляд на «Мерседес» и пошел во двор. Оставив калитку открытой. Для Хмеля.

В дом, впрочем, не вошел. Направился к беседке. Гоблин следовал за ними. Пристроился он рядом с беседкой, на пеньке.

— Настю вернешь сегодня... — начал Хмель.

— Ша, — оборвал его вдруг хозяин. — Не борзей. Я понимаю, что за тобой — люди, но не борзей.

Хмель молча подождал, не скажет ли он чего еще. Он сказал:

— У тебя свои дела. У меня — свои. С девчонкой — порядок. Отвечаю. Побудет пару дней у меня.

— Здесь? — не утерпел Хмель.

— Ты гонишь?.. Перепишем хату — верну.

— Что там с бабками?

— Бабки были. Его послали в Киев. С полтяшкой «зелени». Должен был передать людям. Не передал. Тут все путем. Просто так ее никто не грузит.

Хмель ему не поверил. Но он понял, что Настю ему сегодня не отдадут.

Он встал. Направился к калитке.

— Просто интересно, — спросил следующий за ним хозяин. — Ты прикидывался лохом? Или в натуре был. Так же не бывает.

— Бывает, — сказал Хмель.

— Пол-литик, — с восхищенным ехидством издал Мазур.

У калитки Хмель обернулся. Спросил неожиданно у гоблина. Неожиданно не только для гоблина, но и для себя:

— Инфаркт — твоя работа?

Ответа не дождался.

Бросил на прощание:

— Если узнаю, что да, — ты мой враг.

С момента вчерашнего нахождения Хмеля в этой точке прошли без малого сутки.

Он матерел на глазах. Уже заматерел до уровня, неприличного для политика средней руки. Подобные метаморфозы с персонажами бывают только в кино. И в жизни. Если прихватит.

Под взглядами врагов он небрежно сел в «мерс». Небрежно, с юзом развернулся. Небрежно вдавил педаль газа, уводя «шестисотого» джинна во тьму фонтанского проулка.

Подъезжая к дому Лоры, Хмель в очередной раз подумал: «Может, толкнуть «мерс»...»

И в очередной раз тут же отбросил вариант. Во-первых: за сколько его можно продать?.. «Мерс»-то крутой, но без полноценных документов. А во-вторых, те же проблемы, которые сейчас он имеет с Лорой, в случае продажи «мерса» он будет иметь с собственной семьей. Не те же — бо́льшие.

— С Настей все в порядке, — объявил он Лоре у калитки.

— Ты ее видел?

— Да. Она не у Мазура. Но мне ее показали. Привезли в машине вместе с другими детьми. Играет с ними как ни в чем не бывало. Нормальные дети, приличные... Знакомых, наверное.

Лора смотрела на него полными ужаса глазами, пытаясь сообразить: не врет ли? И хорошо это или плохо — то, что он сказал.

Хмель выдержал взгляд.

И уже во флигеле объявил вторую новость:

— Дом придется продавать.

Лора с готовностью кивнула. Похоже, не послушалась Хмеля, сама пришла к этой мысли. Накрутила себя, запугала. Готова уже была на что угодно. Еще бы. Когда такое с дочкой.

— Займемся этим с утра. Что там с документами? Лора сказала.

Хмель слушал. Эти-то хлопоты для него, работника исполкома, не проблема.

— Они говорят, что деньги были, — сказал вдруг он. И пытливо взглянул на нее. Не то чтобы он ей не верил, но думал... может, хоть о чем-то догадывается.

Лора замерла. Взгляд ее делался все более изумленным.

— Две штуки — в доме, — сказала она. — Все, что осталось после покупки дома. И ремонта.

Он кивнул. Спросил:

— Хорошо искала?

— Что там искать? — недоумевала она. — Откуда деньги? Он чужой копейки не взял бы. Ты же его знал... — Она осеклась. Спохватилась, что заехала не туда... И попробовала, как могла, выправить ситуацию: — Если б ты знал, как он переживал. Не спал тогда...

— Ладно, — сказал Хмель. — Дело прошлое. Может, попробовать поискать? В доме...

— Да нету тут ничего... Ну, хочешь — попробуем.

Хмель и сам понимал, что затея бессмысленна.

— Он в Киев ездил? Накануне?

— Да.

«Если Жека собирался кинуть своих, то зачем он мотался в Киев? Может, деньги таки в Киеве. Спрятал там?..»

— Точно ездил?

— Мы его провожали. Не только мы... Но мы тоже были на вокзале. Он сел в поезд. В СВ.

«Может, его в СВ «кинули». Ограбили. Как раз с теми, кто едет в СВ, такое случается».

— В Киеве у него знакомые были? Личные знакомые. Только его? — спросил Хмель.

— Не знаю.

Он немного подумал.

— Какие-то блокноты остались?

— Старые. Он же электронной книжкой пользовался.

— Она есть?

Лора какое-то время смотрела на него. Поняла, что Хмель ждет, что для него это важно, и ушла в дом.

Вернулась через минуту. Протянула электронный блокнот.

Хмель раскрыл его. Вошел в записную книжку, нажимая кнопки, принялся листать ее. Понял, что это будет слишком долго. Пошел по другому пути. Задал поиск — по телефонному коду Киева.

Получил несколько номеров. С именами. Переписал их в свой блокнот.

И вновь стал искать наугад. Не искать, так просматривать... На всякий случай. Ощущения, что, изучая чужой блокнот, он поступает бестактно, не испытывал.

Пока не нарвался на страницу, озаглавленную словом: «Хмель».

Жека сохранил всего его данные. Все телефоны. Больше чем сохранил. Новый рабочий телефон, которого у Жеки не должно было быть, оказался в книжке.

И еще в ней, на страничке Хмеля, значился длинный ряд цифр. Незнакомый Хмелю.

Ряд этот не мог быть номером телефона. Для номера он был слишком длинным. И записан был как-то странно. Четыре цифры, потом, через интервал, еще двенадцать.

Странным было и то, что у Хмеля возникло ощущение, что ряд ему знаком. Хотя он, ряд, точно не имел к нему, Хмелю, отношения.

— Что это? — спросил Хмель у Лоры, повернув к ней экран.

Та взглянула. И пожала плечами:

— Наверное, телефон.

«Расчетный счет? Нет. Камера хранения?.. Точно! Четыре цифры — номер ячейки. Остальные — шифр. Нет, не сходится. Шифр в камерах — максимум шестизначный. Шифр ячейки банка? Там он может быть и двенадцатизначным. Деньги — в банке?! Все сходится. Но в каком? В одном из одесских? Киевских?..»

— Он никогда не говорил... может быть, случайно... Какой банк считает надежным?

— Нет. Он же меня не вводил в курс.

— Почему эта запись на моей странице? — не столько у Лоры, сколько у себя спросил Хмель.

— Не знаю. Я только знаю, что он очень переживал. И он несколько раз хотел ехать к тебе...

— Прошлое... — сказал Хмель хмуро.

— И на день рождения собирался.

Хмель удивился. Но скрыл удивление. Повторил:

— Прошлое. Проехали.

— Только не знал, что подарить, — не унималась Лора. — Сказал, что, наверное, подарит билет.

Хмель взглядом попросил ее: кончай... И вдруг подобрался:

— Какой билет?

— Лотерейный. На удачу. Говорил, что если билет окажется выигрышным, то... это будет повод... Чтобы вы опять...

«Билет — точно. В блокноте — серия и номер лотерейного билета. Выигрышного».

— Билет он купил?

Лора, видя, как встрепенулся Хмель, растерянно ответила:

— Да...

— Он его привез из Киева?

— Не знаю.

— Но ты видела билет после того, как он вернулся из Киева?

— Да.

— Где он?

— Кто?

— Билет.

— Лотерейный?

Непонятливость ее вызвала в Хмеле некоторое раздражение. Не раздражение — досаду. Он был уверен, что взял верный след.

— Лотерейный, — взяв себя в руки, как можно спокойно сказал он.

— Не знаю.

— Найди.

— Это так важно?

Хмель подумал: может, сказать ей? А то это будет долго. Сказал:

— Я думаю, что он стоит полтинник. Как минимум. Пятьдесят тысяч. Те самые.

Лора изумилась чрезвычайно. Изумилась и испугалась. Задала совсем уже глупый вопрос:

— Он столько выиграл?

— Билет — да. А Жека заплатил за него всю сумму. Может быть, даже бо́льшую.

Она молчала. Кажется, начала понимать.

— Ищи билет, — сказал он...

Билет она не нашла. Хотя перерыла все в доме. Хмель тоже подключился к поискам. И даже внес в поиск систему. Комнаты они разбили на квадраты и тщательно прошерстили каждый квадрат. Билета не было.

В два часа ночи, опустошенные, они вновь осели во флигеле.

— Где он может быть? — задалась не очень умным риторическим вопросом Лора.

— При каких обстоятельствах ты его видела в последний раз? — устало, с деловитостью госчиновника спросил Хмель.

— Я его только раз и видела.

— Когда? Как?

— Жека сказал, что собирается к тебе на день рождения. И показал билет. Сказал, что если билет окажется...

— И куда он его дел?

— Понятия не имею.

— Во что он был в тот момент одет? — спросил вдруг Хмель. Спросил — и только потом догадался.

— Не помню... кажется, в костюм.

— В какой?

— В новый. В нем он собирался к тебе. Точно. Он его как раз примерял. Готовился...

— Этот костюм мы обыскивали?

— Нет. — Лицо Лоры вдруг посерело.

— Почему?

— Потому, что в нем Жека...

Разрешение на раскопку могилы Хмель получил в десять утра. Для работника исполкома это не оказалось такой уж проблемой. Для политического карьериста, способного на любые компромиссы, — тем более. С разрешением помог Герман.

Лору на кладбище Хмель, конечно же, не взял. Если бы можно было бы, он бы и сам устранился. Перепоручил бы акцию кому-то другому. Но перепоручать было нельзя.

Хмель гнал «Мерседес» к кладбищу, одолеваемый безрадостными мыслями. Если Жека пошел на такое, значит, для него это было важно. «Это» — это он, Хмель. Их дружба. Настолько важно, что, по словам Лоры, он не мог спать. Неужели в самом деле — инфаркт? Тогда Мазур и гоблин, или кто там еще, ни при чем. «При чем», но — не в лоб. Не напрямую... Но это надо будет еще выяснить. Хмель не сомневался, что выяснит.

В четверть одиннадцатого он уже разговаривал с директором кладбища — пятидесятилетним, дородным, моложавым оптимистом.

Директор долго изучал разрешение. Наконец оптимистично улыбнулся и сообщил:

— Ничего не выйдет.

Такого примерно ответа Хмель и ожидал. Не стал давить на законность. Прямо предупредил:

— Премиальные получат все.

— Не выйдет, — повторил оптимист. — Людей нет.

Хмель, когда входил к директору, видел в подсобке группу мужчин недвусмысленного вида. Уточнил:

— Премиальные — приличные.

Директор пристально посмотрел на него и крикнул:

— Ильич!

Один из «недвусмысленных» почти мгновенно возник на пороге директорского кабинета.

— Ильич, тут у товарища проблема, — сказал ему шеф. — Надо помочь. Поможете?

— Чего ж нет, — с готовностью откликнулся Ильич. — Дорогая проблема?

— Товарищ говорит, что недешевая. — Директор взглянул на Хмеля в ожидании подтверждения, что он правильно товарища понял.

Хмель подтвердил правильность кивком.

— Пошли, — просто сказал Хмелю Ильич. — И направился к выходу.

— Премиальные у нас обычно вручают здесь, — проинструктировал Хмеля напоследок директор.

— Есть работа, — кликнул сподвижников-гробокопателей Ильич, проходя мимо подсобки.

Сподвижники, неспешно разбирая сложенный в углу инструмент (как нерадивые, поднятые по тревоге солдаты оружие), потянулись за бригадиром и клиентом.

— Где копать, согласовали? — уже в пути осведомился Ильич.

— Согласовали.

Ильич одобрительно кивнул.

Хмель привел группу к могиле Жеки. Подойдя к ней, нервничал чрезвычайно. Все думал, как бы так устроить, чтобы не смотреть. Попросить этих очерствевших жлобов обыскать карманы костюма? За еще одну премию, конечно, согласятся. Но что, если, несмотря на всю их пропитость, обнаружив билет, сообразят, ради чего их наняли?..

— Здесь, — сказал Хмель.

— Не понял, — озадачился Ильич.

И все озадачились.

Ильич пояснил:

— Тут совсем свежее. Поверх — нельзя.

— Можно. У меня разрешение.

— На что?

— На вскрытие могилы.

— Зачем? — Гробокопатели были явно потрясены. Еще как потрясены. Хотя и молчали. Переглядывались.

— Копайте, — распорядился Хмель. — Каждому накину по двадцатке.

Недвусмысленные не шелохнулись.

— Долларов, — уточнил Хмель.

Мужики стояли памятниками.

— Будете копать? — не понял Хмель.

— Нет, — сказал Ильич. — Что мы, эти... некрофилы...

Хмель не понимал, что с ними. Чего они уперлись...

...Не понимал до тех пор, пока нанятые им на скорую руку кладбищенские бомжи не раскопали могилу. Не сняли крышку гроба. (Описание состояния Хмеля опускаю умышленно. Нет смысла в нем, в описании.)

Капризничанье гробокопателей получило объяс-

КНИГИ

Тот самый Хмель вместе с автором книги на фоне той самой «девятки», из-за которой разгорелся весь сыр-бор.

Тренер женской команды по волейболу Василич.

Многие становились жертвами «наперсточников» и «лохотронщиков». Почему же нас так неудержимо тянет сыграть еще и еще раз?

Все помнят, как лихо Глеб Жеглов
нейтрализовал Кирпича и спас женщину от
карманника. Но в жизни все сложнее, и нам далеко
не всегда удается сохранить содержимое
своих карманов от воров.

Знаменитый актер комик-группы «Маски» Борис Барский с супругой Натальей читают с экрана компьютера главу про себя из новой книги А. Барбакару.

нение в тот момент, когда бомжи, не извлекая гроб из могилы, сняли с него крышку.

Хмель изо всех сил старался не увидеть лишнее. Например, лицо бывшего друга. Судорожно соображал, как бы исхитриться не видеть. Но то, что увидел, не увидеть не мог. Жека, или то, что от него осталось, лежал в гробу голый.

По пути к административному зданию Хмель взял себя в руки. Дал себе отчет в том, что нахрапом он вряд ли чего-то добьется. Копатели пойдут в отказ. Срок им будет гарантирован. А значит, вариант поведения у них один — стоять на своем: не наших лопат и рук дело.

Хмель-политик даже не дошел до кабинета директора. Заглянул в подсобку. Обнаружил в ней одного Ильича. Все понял. И мотнул бригадиру: выйдем.

Ильич, с излишне невозмутимым видом, пошел за ним.

— Закуривай, — предложил ему Хмель у крыльца. Озадаченный бригадир закурил.

— Вот что, Ильич, — сказал Хмель. — Варианта у вас может быть только два. — Он сделал несколько неспешных затяжек.

Ильич ждал. Варианты его явно заинтересовали.

— Два, — повторил после паузы Хмель. — Причем срока среди них нет. Первый вариант: я сложу вас в эту могилу. Штабелем. — Хмель снова уделил внимание исключительно сигарете.

— А второй? — не утерпел Ильич.

— Второй — вы возвращаете вещи. И все тихо.

— Все? — не поверил Ильич.

— Все. Даже ваш директор-бодряк не узнает. Если он не с вами.

Ильич молчал. Насупившись, курил. Осмысливал варианты. Осмыслил. Спросил:

— Все вещи?

— Все.

— Трусы, носки — тоже?

Хмель ощутил позыв к рвоте. От близости этого некрофила.

— Костюм и рубашку, — сказал он.

— Если получится, — непонятно сказал Ильич. И еще сказал: — Я — сейчас. — И скрылся в здании.

Вернулся через пару минут. Безрадостный. Сообщил:

— Генка шмотки сдал.

— Кому? — Хмель понял, что все было зря.

— Не «кому», а «куда». В магазин.

— В какой магазин?

— Там, в кармане, была бумажка...

«Нашли, значит», — окончательно потерял надежду Хмель.

— Бумажка, — продолжил Ильич. — Квитанция...

— Какая квитанция?

— Не квитанция... Как его?.. Чек. Из магазина, где костюм купили. Ну, Генка его назад и сдал. Хорошо, если опять не продали...

— Что за магазин? — ожил Хмель.

— «Спутник» называется. На Греческой. Генка говорит — там шмотки...

Хмель уже шел к воротам.

К нему, припарковавшему «мерс» у «Спутника», продавцы кинулись до того, как он коснулся ручки дверей магазина.

Хмель понимал, что шарить по карманам сотен костюмов, развешанных в магазине, бессмысленно. И потом... Продавцов его поведение, как минимум, озадачит.

Он сразу объявил тем, кто перехватил его у дверей:

— Дней восемь назад вам вернули костюм. По чеку. Я бы хотел его купить.

— Именно этот костюм? — удивилась, как он понял, старшая продавщица.

— Да. Именно. Я передумал. Костюм мне подходит.

— Но сдавали не вы, — не столько спросила, сколько уточнила продавец.

— Не я. Но я — куплю.

— Посмотрим, — сказала девушка. И пошла к кассе — смотреть. Перебирая квитанции, заметила: — Если его продали... У нас есть такие же...

Хмель молчал. Ждал.

— Сдавали только один, — закончила поиски продавец, отобрав одну из квитанций.

И пошла к костюмам. Перебирала их, изучая бирки. Отобрала несколько. Объявила:

— Один из этих. Выбирайте.

Хмель смотрел на костюмы и отдавал себе отчет в том, что прикоснуться к ним не посмеет. После некоторой паузы он попросил продавца:

— Не могли бы вы поискать в карманах...

Девушка все поняла. Обозначила понимание усмешкой.

— Тот костюм я куплю, — заверил ее Хмель.

Она стала искать. Хмель следил, чтобы ни один из карманов не был ею пропущен.

Билет оказался в маленьком потайном кармане брюк. Сложенную в несколько раз бумаженцию девушка долго держала в протянутой к клиенту руке. Хмель так и не взял ее. Только попросил:

— Разверните.

Она развернула бумаженцию. Это был он, билет.

— Заверните, — отдал ей распоряжение странный покупатель.

— Костюм? — не поняла продавец.

— И костюм, и билет. Отдельно.

— Интересно, какой выигрыш? — лукаво поинтересовалась девушка, упаковывая костюм.

— Раскладушка, — сказал Хмель. И попросил: — Билет, если можно, в отдельный пакет.

На СТО «Мерседесов» Хмель заехал первым делом только потому, что она оказалась по пути к Мазуру. Он все время помнил о Настеньке. В первую очередь он собирался решить вопрос с ее возвращением.

Но станция оказалась по пути, и он на нее заехал.

— Две штуки, — выдал ему заключение спец. Уважительно выдал.

В столице депутатов и прочих знатных ездоков явно догружали. А почему бы и нет? Раз уж они экономят на осетрине в буфетах Думы.

— Детали фирменные? — уточнил Хмель.

— А как же. На такую тачку нефирменных не бывает.

— Надо быстро.

— Неделя — устроит?

— Нет.

— Еще пятьсот, и послезавтра все будет.

— А раньше?

— Раньше — никак.

— Тогда — послезавтра. — Он отсчитал две с половиной тыщи. — Во сколько подъехать?

— Можно с утра.

Выбросив пакет с костюмом в мусорный контейнер у ворот СТО, Хмель продолжил путь. И продолжил думать о Жеке. Ему, Хмелю, всегда казались бессмысленными посмертные награждения. Он всегда недоумевал: кого они греют? А посмертно восстановленная дружба... Может ли согреть она? Хмель уже знал, что может.

Мазура до́ма не оказалось. Но тот, кто на этот раз разговаривал с Хмелем посредством динамика, по требованию Хмеля связался с хозяином по мобильнику.

Через десять минут Мазур подкатил к собственному особняку.

Хмель не тянул резину. Сказал:

— Звони. Пусть отвезут Настю домой.

Мазур непонимающе смотрел на него. Нормально смотрел. Без попытки подавить.

Хмель протянул ему пакет с билетом.

— Тут больше полтинника.

— Что это?

— Билет. Лотерейный.

Враг не понимал.

— Выигрыш — больше пятидесяти тысяч, — устало пояснил Хмель.

— В натуре? — удивился Мазур.

— В натуре. По телевизору объявляли.

Хмель еще вчера вспомнил, откуда ему могла быть знакома комбинация цифр. Вроде как знакома.

И выигрыш помнил лишь приблизительно. Когда пару недель назад ведущий розыгрыша объявил сумму выигрыша и номер билета, он, случайно нарвавшийся на программу, позавидовал неизвестному везунчику. Подумал: «Везет лохам!»

— Отвечаю, — сказал еще Хмель. — Все путем.

— Смотри... — Мазур, скомкав пакет, отбросив его, спрятал билет в карман.

Хмель открыл дверцу «мерса».

— Есть разговор, — сказал ему в спину враг.

— Говори. — Хмель уже был в машине.

— Я так подумал... Можешь вернуться... Там твоя доля... Полтинник, понятно, не получишь. Без тебя же заканчивали. Но на тридцатку можешь рассчитывать.

Хмель захлопнул дверцу.

— В натуре — полтинник не могу, — пояснил Мазур. — Дела херово пошли. Сам видишь: за полтинник сколько кипежу...

Хмель не усмехнулся. С серьезным лицом дал задний ход. Чтобы развернуться.

Через два дня он катил по Киевской трассе. Катил, уже ничуть не удивляясь деликатному поведению встречающихся гаишников.

За эти два дня он основательно вкусил от их деликатности. Не только от их.

В среде попутчиков по политической карьере «мерс» вызвал серьезный переполох. На нем Хмель обошел многих своих конкурентов. Непринужденно обошел. И без возражений с их стороны.

Как будет дальше? Когда «мерса» не станет? Он почему-то не особенно переживал по этому поводу.

Подъезжая к Киеву, он позвонил по тому самому телефону. Оставленному ему водителем коротышки. Девушке, попросившей его представиться, сказал:

— Передайте шефу, что машина в порядке. Пусть скажет, куда ее доставить.

— Одну минуточку, — прощебетала девушка. — Не отключайтесь.

И через секунд десять продиктовала адрес.

Машину принимал сам коротышка. Он вышел из зеркального здания, указанного телефонисткой, через полчаса после того, как к нему подъехал Хмель.

Осмотрел машину. И, кажется, остался доволен. По виду его определить это было невозможно. Удовлетворение обозначили слова:

— Молодец. Не тянул.

И еще. Неожиданно для Хмеля:

— Дерзкий пацан. Не побоялся в Одессу рвануть. А если бы угнали... Там у вас народ темный.

— Нормальный народ, — зачем-то сказал Хмель.

Ответ его, похоже, тоже вызвал удовлетворение. Коротышка кивнул.

И вдруг спросил:

— Дуреху свою забрал? (О «девятке».)

— Сейчас поеду.

Толстяк опять кивнул. И совсем уже неожиданно выдал:

— Отдохни с дороги. Сейчас подгонят. — Он с не ожидаемой от него пристальностью уставился на Хмеля. И спросил: — Сразу назад?

Хмель кивнул.

И тогда коротышка предложил. Не предложил — распорядился:

— Я сейчас на дачу. Так что проведу. За мной поедешь.

Через полчаса на собственной, отремонтированной со всех сторон «девятке», Хмель следовал за «мерсом». Он успел отвыкнуть от своей, как выразился этот толстосум, дурехи. И успел соскучиться по ней. У Хмеля никогда даже мысли не возникало сменить машину. Марку машины. И дело было не только в том, что он был из клана «девяточников»... А может быть, и в том. Он относился к машине как к другу. А менять друга, даже и на более удобного... Насчет этого про Хмеля, как я надеюсь, все уже должно быть понятно.

Это случилось...

(Отстучал последние два слова и что-то пожалел читателя. Пора прекращать выпендриваться. Но ведь случилось же...)

Это случилось почти на том же месте, на котором три дня назад «девятка» Хмеля сошлась с «мерсом». Хмель неважно ориентировался на местности, поэтому ему показалось, что почти там же.

«Мерс» и на этот раз катил со скоростью восемьдесят. Но Хмель от греха подальше держал дистанцию. Несколько нервно держал. И затормозил нервно. Когда замедлившийся «шестисотый» дал знать поворотником, что ему пора съезжать с трассы.

Хмель вжал тормоз и ощутил удар. Сзади серебристый тонированный «БМВ» не последнего, но разумного года выпуска въехал в только-только восстановленный задок «девятки». Не сильно въехал, но въехал же.

— Мама... — подумал Хмель.

И вышел из «девятки». Не сразу, после тридцатисекундной паузы. Когда двое стриженых молодцев, осмотрев повреждения, воинственно взялись за обе дверцы его машины.

Хмель их не видел. И не слышал. В упор. Он видел, что «мерс» не свернул. Остался на дороге. И увидел, что босс-коротышка и водитель на этот раз не засиживались в салоне, что они вышли и неспешно направляются к нему.

И тогда Хмель, этот катастрофически прогрессирующий наглец, достал блокнот и, склонившись над капотом собственной машины, стал писать в нем собственный телефон. Написал, вырвал лист. И сунул его под «дворник».

И сказал озадаченным молодцам:

— Ключи и техпаспорт в машине. Сделаете — позвоните. Только не тяните. И еще — не рихтуйте. Не люблю.

Сказал и увидел, что коротышка, стоящий в двух метрах от него, улыбается...

И позволил себе последнюю дерзость. Спросил у того:

— Подбросите?

— Садись уже. — Толстяк, продолжая улыбаться, хлопнул Хмеля по плечу.

Молодцы ошалело наблюдали, как тот, кого они приняли за «пассажира», исчез в салоне «мерса».

— Вот чему я завидую, — откровенничал коротышка. — Тоже хотелось бы — на каком-нибудь «Запорожце». И чтобы, если какой-то пижон ударит,

удивить его. Но не могу же я — на «Запорожце». Не
люблю. А ты — можешь. Дерзкий пацан. На лету
хватаешь. Вот и завидую...

«Мерс» уже подъезжал к дворцу, расположенно-
му на опушке леса.

Толстяк вдруг продолжил демонстрировать бла-
госклонность. Да как продолжил:

— Ты вот что, Васек, — сказал водителю. — От-
вези пацана.

Водитель кивнул.

— В Одессу? — не понял Хмель.

— Тебе куда надо?

— В Одессу.

— Значит, все правильно. И звони, если что. Те-
лефон-то есть.

Отремонтированную машину Хмелю доставили
через три дня. Доставили к исполкому.

Принимая ее, он ни слова не сказал доставив-
шим «девятку» молодцам. Только одобрительно кивнул. И на их фамильярный вопрос: «Как Папа?» —
не ответил. Не посчитал нужным отвечать.

Вот и вся история о трех авариях.

Какое из политических зол для нас меньшее, я
так и не узнал.

При очередной встрече Хмель почему-то не высказал мне по этому поводу своего мнения. Такое
впечатление, что и он подрастерял интерес к теме. (Интерес растерял, но значимость сохранил.
Правда, как мне показалось, стал реже пускать ее в
ход. Исключительно по необходимости. Карьера,
знаете.)

Да... А того исламиста, который раскурочил

«Опель» о «девятку», Хмель так и не нашел. Да и не-зачем ему было его искать. Машину-то и так сдела-ли. Бессмысленная мстительность или гонор — это не его черты.

Глава 8

СЕКСУАЛЬНОЕ НАСИЛИЕ

Что, читатель? Поди, в предвкушении потира-ешь руки: вот она — клубничка.

Вынужден маленько осадить тебя, предостеречь от разочарования. Глава не о том, как правильно на-силовать, а о том, как насилия избежать.

Тут сразу желательно разобраться с одним су-щественным малоприятным нюансом. Малопри-ятным для благопристойной части мужского насе-ления, упивающейся собственной галантностью. И форсящей тем, что овладевает женщинами толь-ко в случае единодушного с партнершей голосова-ния «за».

Так вот сексологи утверждают, что девяносто процентов женщин вынашивают фантазию быть из-насилованными. Разумеется, тем насильником, кого они себе нафантазировали.

Считаю нужным ввести уточнение: разбирается тот вариант насилия, при котором имидж насильни-ка не соответствует чаяниям мечтательниц.

Итак, вам не повезло. Либо вы оказались из зло-получных десяти процентов, либо насильник ока-зался абсолютно не тем, на кого вы рассчитывали. (У последнего вероятность — 99,9%.)

В общем, не повезло так не повезло. Как выходить из невезения? Как насилия избежать?

Советов по этому поводу может быть уйма. Стоит попробовать выбрать среди них самые-самые.

Например, самый пошлый.

Конечно, это тот, который рекомендует расслабиться... Подобным свинством со своей стороны вы напрочь выбьете идеологическую почву из-под ног насильника. Успокаивать себя при этом рекомендуется примерно так: «Удовольствия захотел? А на-кось — выкуси! Не на ту напал! Сама отдамся. Что, простофиля? Съел?»

Впрочем, если вам удастся расслабиться, то как-нибудь на досуге, когда будете в очередной раз с блаженной улыбкой переживать произошедшее с вами несчастье, заодно пошарьте еще разок фонариком у себя в душе. Может, вы вытащили счастливый билет и насильник исхитрился попасть в согревающие душу 0,01 процента.

В любом случае, если расслабление удастся, то насилием последующий процесс и впрямь не назовешь. Если для вас как для жертвы важна в первую очередь именно проблема названия, то валяйте, расслабляйтесь. И дальше эту главу можете не читать. Метод, который вы избрали, самый безотказный, позволяющий избежать практически любого вида изнасилования. Правда, с таким же успехом можно избежать собственного убийства, застрелившись. Или не дать провести себя мошеннику, предупредительно отдав ему кошелек.

В общем, пока...

Для тех, кто остался, продолжу...

Совет очередной: самый бессмысленный. Здесь пригодятся рекомендации воспользоваться всевозможными средствами самообороны. От приемов рукопашного боя до баллончиков и пистолетов.

В кино это у дамочек лихо выходит: пшикнула, стрельнула, пнула туфелькой в промежность — и насильник в дураках. В жизни попытки так защититься чреваты недоразумениями.

Той барышне, рискнувшей освежить дыхание насильников из баллончика, на котором русским языком было написано: «Нервно-паралитический», все содержимое ее баллона в лицо и впрыснули. Пришлось ей лично удостовериться, что газ таки паралитический, но при правильном его использовании. Неэкономном.

Пистолеты преимущественно просто отбирают. И преимущественно до того, как приступают к насилию. Правда, и тут возможны варианты. Бывали случаи, когда садисты с педагогическими замашками и милитаристскими фантазиями такими затейниками себя проявляли... Хоть бери и, как в том анекдоте, рекомендуй мушки спиливать. Впрочем, сейчас речь о совете не самом пошлом, а самом бессмысленном...

Тех же дамочек, которые только и ждут повода от души приложиться в мужскую промежность, почему-то и вовсе не насилуют. Что-то в них есть такое, не вызывающее вожделения.

(Одна из «желтых», но уважаемых центральных газет дала читательницам совет в виде якобы имевшего место курьеза. Дескать, некая натренированная дамочка так накачала мышцы промежности, что защемила ими орудие насилия. Да так, что насильник потерял сознание.

Сразу видно: курьез состряпала барышня. Причем барышня сексуально малообразованная. К ней и обращаюсь сейчас. Прежде чем фантазии свои выносить на всеобщее обозрение, полистайте анатомию. Ту главу, где препарируются мужские особи. А то насоветуете вы вашему брату... В смысле — вашей сестре.)

Со всеми этими средствами самообороны — сплошные конфузы.

Более или менее толковый совет по этому поводу высказала одна бывшая школьная отличница. Привыкшая слепо доверять напечатанному слову, она на себе проверила бездейственность всех вычитанных рекомендаций. И вывела свой рецепт защиты, состоящий всего из двух ингредиентов. Вот он:

1. Баллончик при себе нужно иметь обязательно. И обязательно с качественным содержимым. 2. В случае попытки насилия нужно как можно быстрее пустить струю из баллончика себе в лицо. До полной отключки.

Шутка, конечно. (Как бы не сыскалась еще одна доверчивая читающая дуреха.)

И кстати, если почти без иронии... Паралитические газы в баллончиках и патронах бывают только у спецслужб. А самый популярный CS, который импортные хитрованы всучивают нашим «челнокам» как «паралитик», хоть и действен, но на кого как. Алкоголь, например, его нейтрализует. Так что, прежде чем брызгать, проведите тест на трезвость. Скажем, обязуйте домогателя дыхнуть в трубочку. И заодно устройте ему на скорую руку экспертизу на употребление наркотиков. По коленям молоточком постучите, заставьте по бровке пройтись, пусть за

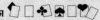

пальчиком вашим наманикюренным минутку-другую понаблюдает. Потому как на наркоманов газ тоже действует значительно слабее.

И уж если все окажется тип-топ, пшикайте и стреляйте на здоровье. Но помните, что и на граждан, у которых из вредных привычек — только привычка насильничать, CS действует по-разному: кто уже через пять секунд рыдать начнет, а кто и через тридцать — всего лишь слегка прослезится.

Среди претендентов на самые бессмысленные советы есть и другие. Например, совет не одеваться ярко.

Конечно, переодевшись в бомжиху, вы будете более или менее застрахованы от возможности насилия. Если, конечно, вас не смущает то, что насильником может оказаться бомж.

Впрочем, совет поостеречься собственной яркости, может быть, и не такой уж бессмысленный. Если он учитывает ваши планы и публику, общаться с которой вы собираетесь.

Если в ваших планах сдать экзамен профессору-греховоднику исключительно за счет знаний, то нет смысла выряжаться в декольте и мини-юбку. Тем более что добавочные лоскуты материи помогут вам спрятать несколько лишних шпаргалок.

Если вы работаете дворником, то ограничьте свою яркость традиционным оранжевым жилетом. А то как бы какой-нибудь проезжающий мимо маньяк-«жаворонок» не умыкнул вас прямо с обочины.

В общем, если в ваши планы не входит дразнить гусей, то и не дразните их.

Но почему же тогда я начал с того, что совет бессмысленный? Да потому, что дразнить гусей-мужиков — один из смыслов женского существования. И одна из немногих оставшихся у женщин радостей.

Конечно, самые толковые советы — это те, которые рекомендуют, как правильно себя вести. Например, что желательно кричать, когда процесс уже пошел.

Некоторые несмышленые женщины вопят «Караул!» или «Помогите!».

За наивность таких жертв даже как-то неудобно. Ну где вы в наше время видели, чтобы мужчину вдохновила на поступок просьба о помощи?

Но что же тогда кричать? А вот это уже дело вкуса. Желательно что-нибудь неординарное и по возможности залихватское. Одна оригиналка, когда ее попытались изнасиловать в детском городке спального района, неожиданно для себя завопила:

— Ур-ра-а!!!

И что же? Сбитый с толку насильник обозвал ее дурой и поспешил смыться.

Поведенческих советов уйма. Они распространяются почти на весь спектр женской натуры. Нужно быть либо совершенно невезучей, либо совершенно никчемной, чтобы не присмотреть себе какой-нибудь на черный день или на текущий случай.

Тут желательно проанализировать все этапы неприятности.

Допустим, вы заранее поняли, что вас присмотрели в объекты насилия. Наутек пускайтесь только в том случае, если трезво оцениваете свои стайерские способности. Дистанцию, время забега, цель.

Бежать по ночному парку — занятие праздное, очень смахивающее на то, как гоняют друг за дружкой влюбленные в березовой роще или в цветущем яблоневом саду. Обратили внимание: рано или поздно он непременно догоняет ее и, догнав, уже не церемонится.

По пустынной улице пробежаться, конечно, можно. Но обязательно с каким-нибудь криком, улюлюканьем (сгодится то же «ура!»). Есть шанс, что тот, с кем вы состязаетесь в скорости, сойдет с дистанции. Но в процессе бега оглядывайтесь. Если он проявит настырность, волю к победе, то дело плохо.

Тогда не вздумайте забегать в подъезды и стучать в двери квартир. Не загоняйте себя в силок и не теряйте темпа. Присматривайте на первом этаже светящееся окно, расположенное пониже, и ломитесь в него. Разбивайте его камнем, продавливайте сумочкой, выталкивайте собственным телом. И не ждите, что из окна придет подмога. Скорее всего не придет. Сами лезьте в него.

Да, чуть не забыл!.. Окно вы должны выбрать без решетки, а значит, покуролесить по городу вам придется дай боже (об оценке спортивных способностей см. выше).

Если вы в людном месте и поняли, что вас наметили в жертву, то тут проблема решается проще простого.

Присматривайте любого фактурного мужчинку и дуйте прямиком к нему. Только опять же не вздумайте просить о помощи. Этим вы либо сделаете себя обязанной ему, либо поставите приличного человека в дурацкое положение, заставив его впопыхах придумывать, по какой именно причине в данный момент на него нельзя рассчитывать.

Хорошо срабатывает подход с восторженной фразой:

— Лелик, ты почему не был на последней встрече выпускников?!

При данной реплике рекомендованы ритуальные объятия. Опыт показывает, что мало кто из мужчин в такой ситуации возражает против того, что он — Лелик.

Пусть это вас не смущает. Тщательно, не спеша расспросите его, кого из ваших он видел за последний год. Поинтересуйтесь, знает ли он о том, что биологичка Изольда уехала в Штаты. Изумитесь тому, что он не в курсе (если он окажется не в курсе), что Верка Отличница все же развелась с Вовкой Курносым.

Все это — пока он провожает вас. Под конец уточните:

— Лелик, а это точно ты? Ты меня не обманываешь?

Единственный возможный неприятный побочный эффект этого метода в том, что тот, кого вы выберете в однокашники, сам окажется не промах. Изнасилует вас. Значит, выбирайте тщательнее. Исходя из собственных фантазий (опять же: см. выше).

Одна знакомая барышня весьма виртуозно выбралась из назревающей безнадежной ситуации.

Она с двумя подругами пребывала за столиком в небольшом летнем кафе. Троица то ли мини-девичник устроила, то ли какие-то женские дела решала, то ли просто кофе дула.

Кафе было знакомое, проверенное временем на

отсутствие неприятных эксцессов. Подруги не раз устраивали в нем посиделки.

Но в этот вечер без эксцесса не обошлось.

Они спохватились поздно. Тогда, когда заурядное бегство уже не спасло бы. Заболтались сплетницы.

Обратили внимание на окружающих только тогда, когда атмосфера заведения стала совсем уже вязкой.

Чуть поодаль за сдвинутыми двумя столиками отдыхала на свой лад компания «бригадных». «Их лад» — это значит с матом, со свинским хохотом, с унизительными обращениями к официантам, с вызывающим разглядыванием посетителей.

Возможно, потому подруги сразу не обратили внимание на опасность, что «бригадные» входили в кураж, становились опасными постепенно. По мере перекачивания коньячных запасов заведения в их вместительные, предназначенные исключительно для подобных переливаний организмы.

К тому моменту, когда подруги спохватились, диспозиция приближающего эксцесса была следующей: четверо «бригадных» были уже при дамах. Причем по поведению их спутниц определить было невозможно, кутилы привезли их с собой или привлекли к кутежу тех, кого присмотрели здесь, в кафе.

Пятый «бригадный» был пока не пристроен. Он и обещал эксцесс. Взглядом. Стылым, не предвещающим возможности отвязаться.

Смотрел он на нее. Именно на нее. Она специально уронила помаду так, чтобы та откатилась. И когда сделала несколько шагов от столика, удостоверилась: взгляд следует за ней.

Было очевидно, что обустройством собственной

похоти на этой вечер он пока не занялся лишь потому, что был уверен: все уже обустроено. А почему нет? Есть женщина, есть желание, есть он сам. Что еще надо настоящему мужчине, чтобы достойно провести вечер?..

Она вдруг поняла, что он и не подойдет. Скорее всего поманит пальцем. А то и свистнет.

От одной мысли, что к ней могут так обратиться, а она обязана будет отозваться, потому что если не отзовется... От одной этой представленной картинки кровь схлынула с ее три минуты назад улыбающегося лица. И интересно, куда же она делась, кровь, если и в коленях ее вдруг не оказалось...

Кровь, по-видимому, потоком ринулась в мозг. Помогать тому искать выход.

План родился внезапно. Она, правда, не была уверена в том, что он сработает.

Тянуть было опасно. Мышеловка защелкнулась бы по сигналу. По свисту или по шевелению пальца.

— Девочки, улыбайтесь, — по-шпионски распорядилась она. И направилась к «неустроенному». Сама.

Тот отслеживал ее приближение тем же стылым взглядом. Впрочем, к тому моменту, когда она подошла, стылость незаметно видоизменилась в любопытство. В пьяное, но всего лишь в любопытство. Вполне безобидное.

— Можно вас пригласить? — интеллигентно спросила она.

— Меня? — вконец озадачился «бригадный». Еще несколько секунд недоумевал, глупо глядя куда-то в ее живот. И вдруг пьяно удивился: — А почему нет?.. — и выбрался из-за стола.

Удивительно, но в танце он проявил неожиданную деликатность. Не ухватил ее сразу лапищами, не прижал к себе. Пребывая в состоянии недоумения, на всякий случай осторожно держал ее за талию. Словно ждал еще каких-нибудь неожиданностей.

Она запросто опустила руки на его плечи. И наконец поведала:

— Я тебя сразу не узнала. Думаю, что за мужик смотрит. А потом смотрю — ты. Ну наконец-то... Ты не представляешь, как я счастлива, что ты опять рядом...

— Угу... — находчиво сказал он.

Продолжать не буду.

В этот вечер он проводил ее до дома. (Разумеется, дома — не ее.) Сразу и проводил. (Потому что у подруги день рождения. У ближайшей подруги. Гости уже собрались, ждут. А она — за тамаду.) Она очень расстроилась, что вынуждена опять расстаться с ним. Пусть даже всего лишь до завтра. И ей непременно нужна была его клятва в том, что он больше не поступит так жестоко, не пропадет из ее жизни.

Ошалевший, он обещал больше жестоким не быть.

Вот так, плавненько, мы и подошли к теме «разводов».

Совет «развести» — основополагающий. Он действен на любом этапе попытки насилия. И на дальних подступах (большинство предыдущих примеров — «разводы» и есть), и когда процесс уже запущен. Когда за вас взялись уже вплотную. Почти вплотную. Когда вас словами или действиями уже ввели в курс: «это насилие».

Что конкретного тут можно порекомендовать? Если совсем конкретно, то...

Одно время (в начале девяностых) одесские барышни с успехом использовали текст:

— Милый, оно тебе надо? Повремени до завтра. Я сейчас скажу тебе фамилию мужа, до завтра ты наведешь справки, и, если захочешь, мы встретимся. Думаешь, я против? Все мужчины собственники, не мой такой один. Он же никого не подпускает ко мне. Даже подойти поговорить. Чуть что, шлет своих бригадиров (!). Мочить. Но отходчивый. Скажу по секрету, мочит редко. Обычно просто выселяет из города. Как бы я хотела завести любовника. Знаешь, даже начальник УВД не рискнул...

Но подобный монолог приемлем, если тот, кто на вас покусился, производит впечатление «бригадного» или просто более или менее вменяемого урки.

Если же это чистый отморозок, из тех, что набрасываются на пустырях или в подъездах, то этих авторитетами не прошибешь. Тут предпочтительнее другая роль.

Например.

Он хватает вас за руки, волочет в пустырь, на стройку, в темень парадной. Ваш текст:

Первые несколько реплик могут быть искренними. (Другими они и не смогут быть.) Скажем:

— О господи!!! Что такое?! Кто это?!

Дальше никакой отсебятины, строго по образу:

— Ну наконец-то. Да! Да!

Можете не сомневаться, что насильник озадачится. Но вы продолжайте:

— Я об этом всегда мечтала! Кто ты, милый?! Как тебя зовут?

Даже если он не ответит, будьте уверены: он весь во внимании. Так что валяйте дальше:

— Я всегда этого хотела... чтобы вот так, внезапно. Чтобы такой незнакомец, как ты.... Сильный, мужественный, романтичный...

Если он будет продолжать процесс, одерните его. Но ни в коем случае не испуганно. Деловито, конструктивно:

— Не так, подожди, не торопись. Дай я сама. Ты делаешь это слишком резко, а мне нравится нежнее, вот попробуй. Тебе тоже понравится.

И затягивайте, затягивайте его в беседу. Поделитесь: что вы любите, как любите и где. Заставьте рассказать и его о том, что любит он.

В общем, договоритесь до того, что лучше бы все это организовать в обстановке поприличней. Можете даже немедля идти вместе с ним присматривать обстановку.

И по дороге продолжайте превращать его из насильника в собеседника, в сообщника по фантазии, в родственную душу. И не спеша обдумывайте собственный уход со сцены.

Могут быть и другие тексты, другая драматургия. Главное — вы должны: во-первых, навязать разговор, во-вторых, расслабить. Прошу обратить внимание: не расслабиться, а расслабить.

Это главный принцип «развода».

Если уж и он не поможет, то... не знаю...

Впрочем, погодите. Есть еще один способ, пожалуй, один из самых радикальных, который стоит иметь в запаснике на самый черный день. Сомневаюсь, правда, в том, что каждая женщина сумеет на него решиться. Хотя, если припрет...

Я узнал о способе случайно: кто бы посмел откровенничать со мной о таком ноу-хау в борьбе с насильниками?..

Один из арестованных насильников, попавших в персонажи нашей «криминалки», посетовал о том, как его неоднократно обламывали. Причем обламывала одна и та же жертва.

Она для него не была случайной. Это не значит, что он маньячил осмысленно... По-разному бывало. Обычно выходило все же наугад, с кондачка. Но эту барышню он присмотрел давно. Маньяки тоже люди и тоже имеют право на простые человеческие слабости. На привязанность, например. На верность одной жертве.

Так вот, эту вожделенную барышню он таки заполучил. Почти заполучил. Охоту провел технично. Познакомился интеллигентно, попросив помощи в решении кроссворда. Накормил эскимо, выгулял маленько. Выгуливая, Евтушенко с выражением почитал. Потом похвастал, что вот в этой близлежащей новостройке он получит трехкомнатную квартиру. Ну и заманил ее на стройку. Будущую трехкомнатную посмотреть. И уже там, на восьмом этаже, перестал церемониться. В чьей-то будущей спальне, в которой не было ни окон, ни дверей, зато имели место носилки со щебенкой и в качестве мебели стояли козлы, он сделал ей предложение. Предложил на выбор: носилки или козлы. Открыто так объявил, без поэтических аллегорий и намеков.

— Ну-ка, — сказал, — становись в позу. Хошь — на носилки. Хошь — на козлы. — И несколько вразрез с евтушенковскими строками дал избраннице упреждающую затрещину. Метод у него был такой: бить слегка, но сразу. Обычно после такой «вводной» хлопот убывало.

Затрещина, видать, все и испортила. Обделалась барышня. Самым натуральным образом. Да так обильно. Даже странно, что такой незначительный тумак дал такой грандиозный эффект. Какое уж тут насилие?

Не пошло ему.

— А кому бы пошло? — попытался он найти у меня понимание, поведав об этом драматическом эпизоде из своей маньячной карьеры.

Натерпелся он, бедолага. Неспроста же разоткровенничался со мной. Оказывается, позже он повторил попытку насилия. В смысле — над той же жертвой.

Правда, во второй раз стихов уже не читал и на эскимо сэкономил. Выследил предмет страсти, перехватил на склонах, возвращающуюся с пляжа и...

Тот же результат... Ну что ты скажешь? Что значит — не задалось с первого раза.

У подвернувшегося насильника я полюбопытствовал: какие жертвы были для него самыми неудобными?

Он ответил без запинки:

— Дуры, которые не боялись.

И тут же, спохватившись, добавил:

— Эта, умная, которая стихи любила, — не в счет...

Ну а теперь — иллюстрации. Их будет две. Две новеллы — два примера разновидностей поведения.

Первую я бы назвал так:

ХОЖДЕНИЕ ПО ТРУПАМ, ИЛИ ЗАПАХ ЖЕРТВЫ

Новеллу эту начну с описания персонажа не самого в ней главного. Почему так?.. Ну, во-первых, для того, чтобы ухватить нужный тон, не злорадный. Во-вторых, потому, что история эта через него ко мне и попала. И в-третьих... Я уже бог знает сколько лет держу его за друга и, надеюсь, узнал его за это время как облупленного. Так что начать с его описания — проще всего.

Я уже упоминал его. В «Записках шулера», в главе об учениках. Тем, кто читал, напомню: Василич. Лысоватый, похожий на вышибалу из ковбойского боевика, здоровяк. Врожденный холостяк. Весьма ироничный и терпимый к людям.

Теперь чуть поподробней. Он и впрямь числился моим учеником. В смысле игры. Во всех остальных, житейских, смыслах я невольно брал уроки у него. В первую очередь этой самой терпимости и учился. И не только ей. Мудрости, что ли, набирался (или набираться можно только ума?).

Василичу сейчас сорок пять. Он по-прежнему холост и по-прежнему обитает в своем глубоко периферийном поселке «Б».

Сколько раз я пытался переманить его в Одессу... Ни в какую. Недоумевает: зачем? Этот его простенький вопрос каждый раз застает меня врасплох.

В самом деле: зачем? Чтобы больше зарабатывать? Интереснее жить? Жениться, наконец?

Ему и у себя в деревне не скучно. С его ироничностью, с его делом, с отношением к нему сельчан. Заработков ему и так хватает. А насчет женитьбы... Похоже, он уже привык один.

И совсем уже мне нечем крыть, когда он бросает на стол спора два своих главных козыря:

— Тут у меня велосипед. И девчонки...

Велосипедные прогулки для него ежевечерний обряд. Маршрут: вокруг поселка на гору, с которой закат, как зарумянившееся море. Я однажды составил ему компанию. Прокатился рядом на «бээмвэшке». Вынужден признать: красиво.

Профессии у него две. Тренер по волейболу и портной, специалист по коже. Вот такое странное сочетание. В деревнях такие сочетания в порядке вещей.

Портной он весьма качественный. Есть такой редкий в наше время тип мастеровых. Каждую вещь делают как для себя. Не могут иначе.

Козырь «девчонки» — это его команда. Старшеклассницы, которые души в нем не чают. Но об этом позже...

Вот глянул, как подаю образ, и вижу: чего-то не хватает. Вырисовывается некий сельский зануда с претензией на интеллигентность. Может, пара штрихов-примеров ореалят (от слова «реальность») образ...

Чем не штрих одна из его фраз, которую он походя выдал как-то, когда мы кадрили на курорте отдыхающих:

— Не с той женщиной переспишь — утром встанешь с ощущением: обокрали.

Или другой его перл.

В их поселке некая местная молодка, имеющая репутацию богемной пьяницы и распутницы, положила на него глаз. Но до поры до времени многообещающими взглядами и ограничивалась. Ну разве что еще, встречая, делала незатейливые намеки.

Он старательно и деликатно прикидывался дурачком.

И вот однажды, пребывая в состоянии отчаянного подпития в сельском баре, она пошла ва-банк. Позвонила ему и объявила:

— Василич, я сейчас в баре. Я одна и пьяная. Приди и забери меня...

Знаете, что он ответил? Причем без запинки?

— Давай завтра.

— Как — завтра? — даже протрезвела она. — Я же в баре — сейчас. И... пьяная...

— Сейчас я не готов.

Чтобы не создалось впечатление, что он совершеннейший ханжа, вскрою один деликатный нюанс: при всех своих нравственных выкрутасах он, как и положено пожизненному холостяку, врожденный бабник. Правда, если можно так выразиться, бабник — основательный. Специализирующийся не на случайных мимолетных связях и даже не на интрижках, а на затяжных романах с продолжениями. Растолкую. Каждый из его романов традиционно и бурно начинается летом у моря, но потом непременно переходит в зимнее вялотекущее состояние, при котором то он наведывается к героине этого самого романа, то она к нему.

(Об одном из курьезов, как-то случившихся в

такой поездке, не могу не вспомнить. Тем более что курьез вполне сгодится как штрих.

Он прилетел к очередной героине, и та, устроив его в гостинице, поспешила домой к приходу мужа с работы.

Он обескуражился наличием мужа, о котором услышал впервые. Героиня же как ни в чем не бывало сообщила, что муж у нее мастер спорта по боксу. И посчитала нужным предостеречь возлюбленного:

— Ты, главное, берегись бокового слева...

Или еще один, на мой взгляд, характеризующий его эпизод. Не имеющий отношения к делам амурным. Эпизод этот я вставил было в главу об обворовывании квартир, потом передумал. Пусть уж будет тут. Вот он. В том виде, в каком был описан для той главы...

«Более гуманное отношение к ворам проявил один из моих приятелей, проживающий в частном доме.

Проживает он один. А дом хоть и одноэтажный, но огромный. С несколькими входами-выходами.

Ну и пока приятель в мастерской наяривал на швейной машинке, в жилые помещения пробрались двое несовершеннолетних воришек. Пятнадцатилетних пацанов.

Хитро пробрались, ориентируясь на стрекочущий шум от машинки. Под шумок и орудовали в дальних комнатах. Машинка затихала — и они замирали. Подлецы.

Но приятель все же почуял неладное. И тоже оказался не промах. Просчитал тактику злоумышленников. Придавил гантелей педаль машинки (электрической) и сам под шумок по следу пошел.

Застал он недорослей в недвусмысленной позиции: один примерял джинсовую куртку, другой пробовал на вес портативный телевизор.

Приятель, крепкий сорокапятилетний мужик, какое-то время наблюдал за примеркой и пробой. Потом деликатно откашлялся. И не побоялся же, что вор телевизор уронит. Впрочем, «Шилялис» все равно был неисправен. Руки не доходили в ремонт отнести.

Кондрашка чуть не хватила воров. Окаменели и онемели хлопцы.

Но долго оставаться без движения приятель им не дал.

Вывел в огород, всучил по лопате и заставил огород вскапывать. Весна была в разгаре, а сам он управляться с хозяйством не поспевал. Причем не для того ему огород вспаханный нужен был, что он собирался овощеводством заниматься. А просто... Земле-то дышать нужно, а тут как раз помощники подвернулись. В общем, всем хорошо. И земле, и хлопцам. (А что плохого? Не в милицию же сдали.) Ну и себе кое-какие дивиденды приятель присмотрел. Отправил одного из пойманных с телевизором в радиомастерскую. Пешком. И деньги на ремонт дал.

Велосипеды, на которых подельники на дело приехали, в сарае пока закрыл.

Может создаться впечатление, что он слишком пожалел пацанов. Но предупредил же:

— До ночи не закончите — будете ночевать в милиции.

Хлопцам вмиг отлынивать расхотелось. Мозоли на их руках за этот день не единожды набухали и лопались. Вот такое добродушие.

Но, правда, приятель копателей обедом накормил. И, приняв вечером работу, по червонцу заплатил.

Возвращая велосипеды, предупредил:

— Мне еще забор ставить надо. Так что, если что, подходите.

Но этот номер у него не прошел. Забор пришлось ставить самому».

Все, о Василиче — хватит. Дружба дружбой, но ведь и впрямь главный герой истории — не он. История-то — в главе о насилии, а значит, главной должна быть героиня...

Знакомясь, она представлялась:

— Анжелика.

При этом не врала. В паспорте у нее так и значилось: Анжелика. В селах родители обожают давать чадам экзотические имена. (Разводящую в их волейбольной команде звали, например, Златовласой, а одну из «вторых темпов» — Рамоной.)

Но, в отличие от черной как смоль Златовласы, Анжелика на Анжелику и походила. На ту, которая маркиза и прочее...

Родителям ее, рискнувших с именем, явно удалось забить баки судьбе.

Ценность акций, врученных ей природой, Анжелика осмыслила поздно, лет в пятнадцать.

До этого, уже развившись в пышноволосую рослую красавицу, ощущала себя такой же, как все. Деревенской девчонкой, на которую без скидки на возраст ложатся хлопоты по хозяйству. И смотрела на мир, как все ее сверстницы: застенчиво и пытливо. С осторожной надеждой.

В пятнадцать застенчивость была сброшена, как подростковая вещь, из которой она выросла.

Она вдруг осознала себя... не девушкой. Молодой женщиной. Анжеликой. Той самой. И даже сочинила легенду, из которой следовало, что она потомок маркизы. А почему нет? В послужном списке ее прославленной родственницы значился турецкий султан. А, как известно, их край как раз в то время был под турецким иго. В придуманную родословную она поверила и сама.

Надежда была сброшена вместе с застенчивостью. Переодеваться — так во все новое, соответствующее внешности и родословной. Надежда во взгляде была заменена уверенностью.

Произошло это в один момент. Почти внезапно. И виной переодевания стала всего лишь неосторожная реплика одного старого пердуна-экстрасенса.

В начале девяностых экстрасенсы обильно шустрили в столицах. Промышляли эстрадными и лечебными сеансами. За пару лет осточертели столичным жителям до пустых залов и вынуждены были взяться за города поменьше. Когда их и там вывели на чистую воду, подались в провинцию. Вот один такой, еще недавно прославленный колдун и осчастливил присутствием их богом забытый поселок.

В честь прибытия этого «Калиостро» председатель поселкового совета организовал праздник. С концертом самодеятельности, с показательной игрой в волейбол, с банкетом.

Колдун весьма благосклонно воспринял устроенный в его честь праздник.

И самодеятельности похлопал, и волейбол досмотрел до конца.

И даже изъявил готовность после игры пообщаться со спортсменками. Благословить их, что ли, вознамерился. Но если то, что пророк сотворил, и было благословением, то распространилось оно только на нее. На Анжелику.

Экстрасенса привели в раздевалку, в которой нервничали предупрежденные девчонки.

Он со снисходительной усмешкой сатира, которую все приняли за улыбку мудреца, обошел разгоряченных волейболисток. Пожимая каждой руку.

Руку Анжелики он не отпустил сразу. Пристально, чуть склонив голову, мудро улыбаясь, разглядывал ее. И спросил:

— Как тебя зовут, красавица?

— Анжелика. — Она не смела поднять на него глаза.

И тогда он выдал это свое благословение. Или проклятие:

— Запомни: тебя ждет большое будущее.

И, склонившись, поцеловал ее потную руку.

И она, и все обмерли настолько, что не расслышали последнюю, сказанную старческим шепотом, фразу благословения:

— Подходи вечером к гостинице.

Единственным, кто не обмер, был тренер. И он же единственный услышал сказанное.

Конечно, все девчонки в их команде были в Василича влюблены. Не только как в тренера. Как в идеал мужчины.

В спортивных секциях это частое явление. Но если для городских девчонок и пацанов занятие в секции — это чаще всего способ самоутвердиться (иногда не им, а их родителям), то для подростков в селах, в крохотных провинциальных городках спорт — это... это не просто отдушина, это возможность трижды в неделю побывать на другой планете. В мире, где нет огорода, который надо пропалывать, где нет некормленых кур, недоеных коров и недовольных родителей. Это жизнь, состоящая из праздников — тренировок и ожидания их. К редким соревнованиям, особенно тем, которые на выезде, отношение простое и определенное. Они вспоминаются, когда учителя или родители в очередной раз бурчат что-то о смысле жизни.

Тренер, который ввел тебя в этот мир и продолжает вести; тренер, который распоряжается твоим счастьем или несчастьем, быть или не быть в этом мире; тренер, который умнее, добрее и ироничнее всех, кого ты знала в этой жизни... Да разве может он не быть идеалом. И разве можно не быть в него влюбленной. И разве может быть зазорной влюбленность в него.

В нем хватило мудрости и той самой пресловутой терпимости стать им другом. Другом, с которым можно запросто обсудить любую проблему мирозданья, поспорить, которого можно подколоть, не боясь попасть в немилость.

Единственное, что отравляло праздник его воспитанницам, — это мысль о том, что... Нет, не о том, что рано или поздно они закончат школу, выйдут замуж и потеряют возможность улетать в другой мир. Это не пугало, потому что было неотвратимым, но далеким, а значит, нереальным.

Пугало их то, что Василич таки соблазнится большим городом (той же Одессой) и бросит их.

Они полагали, что горожане рано или поздно спохватятся — как это такой человек, как Василич, влачит существование в каком-то «Б», и затребуют тренера к себе.

Честно говоря, они даже недоумевали, почему Василич, их идеал, прозябает в деревне. (То, что он холост, недоумения не вызывало, потому что женщин, достойных его, в природе не существовало. Они, во всяком случае, таких не наблюдали.) И боялись: как бы он и сам не спохватился.

О том, почему он не уедет, спрашивать не смели. Опасались лишний раз напомнить ему о такой возможности. И боялись накликать беду.

Но когда одна из девчонок, заболтавшись с ним по душам, все же задала этот вопрос, то услышала:
— Зачем? Тут лучше...

Ответ тут же узнали все. И хоть и не поняли его, но перевели дух.

Анжелика тоже была влюблена в него. До того дня, когда «Калиостро» приложился к ее руке.

Она хоть и не расслышала приглашение старого блудника, но провела тогда в своей постели бессонную ночь. И утром оделась в обновки. В уверенности, что она наследница той самой Анжелики.

На следующей же тренировке девчонки были сбиты с толку переменой, произошедшей с ней. Неожиданной сдержанностью со всеми, надменностью даже. Особенно ошалели все от того, что надменность эта распространялась и на Василича.

Испуганно посматривали на него: как он отреагирует?

Тренер, как всегда, был ровен со всеми. Казалось, он ничего не заметил.

Объяснение перемены могло быть только одно: зазналась.

Именно это слово услышала Анжелика за своей спиной. Услышала не один раз за время тренировки.

И снизошла до ответной реплики:

— Быдло.

Два года она прожила наедине с собой. С кем же ей еще было жить? Достойных она не видела.

Конечно, она осталась в команде. Какое-то время девчонки ждали, что дурь из ее головы выветрится. Потом махнули рукой. Привыкли. Тем более что Василич по-прежнему ничего не замечал.

Велосипед — самое распространенное в поселке транспортное средство — был исключен из ее жизни. На тренировки она добиралась исключительно пешком. Анжелика — на велосипеде? Нонсенс!

Заштатные сельские кавалеры единственное, что позволяли себе в отношении Анжелики, — это перемывать ей косточки в компании ее бывших покладистых подруг.

Только верзила Витька Попов, с надрывом осиливший восьмилетку и делавший карьеру разнорабочего депо, как и прежде, не давал ей прохода. Впрочем, не давал прохода — не точная формулировка. Проходила она где хотела, но почти всегда в сопровождении Витьки. И когда он только работал?..

Вышагивать за Анжеликой след в след он начал еще классе в шестом. И, может быть, поэтому и не заметил произошедших с ней перемен. Они-то в основном произошли, так сказать, с другой ее стороны. В лице, во взгляде.

А разговорами она его и прежде не баловала. Хотя нет, случалось. Но он-то в основном молчал, слушал. Молчание кого хочешь достанет. Тех же учителей, например. То, что она перестала его замечать, Витьку не огорчало, воспринималось как должное. Кто он такой, чтобы его замечать. Терпеть, принимать все как есть, в том числе и отношение к себе, — в этом была его философия и мудрость. Между прочим, не худшая философия и не худшая мудрость в этом мире.

Витька поначалу (после той ночи) бесил ее. Со временем она смирилась с его шагами за спиной. Тем более что, поразмыслив, пришла к выводу: преданный, готовый ради нее на все воздыхатель — это в ее положении так естественно. В том, что он телок, полуумок, есть даже своя прелесть. И смысл. Любят-то сердцем. И он, несмышленыш, следует зову сердца.

Все эти сельские е..ари чешут о нее взгляды. Каждый небось спит и видит... Но каждый же и видит, что он не ее полета орел. Вот и остается им мыть ей кости. И тискать всяких доступных жлобех...

Когда ей было семнадцать, случилось второе благословение.

Летом она заканчивала школу и уже пребывала в некоторой растерянности. То, что надо переезжать в город, не обсуждалось. Проблема была в выборе: чем в этом городе заняться на первых порах? Она ничуть не сомневалась, что очень скоро проблема эта исчезнет сама собой. Что из проблем в городе ее ждет только одна. Опять же выбора, но иного: определить, кто из них, таких расточительных, влиятельных и настырных, самый-самый.

Возможно, что они начнут упорствовать с первого дня ее появления в городе. Десятка два предложений от поклонников-болельщиков во время последнего выездного турнира исключали сомнения на этот счет. Но она не имеет права спешить. Она, Анжелика, должна произвести впечатление независимой. А значит, у нее должно быть дело. Так что придется решить: какое?

Решить помог очередной гастролер. Заезжий актер одного из московских театров, мелькающий в фильмах, хотя и в эпизодах, но довольно часто.

Он засмотрелся на нее прямо в клубе. Со сцены. И смотрел на протяжении всего своего выступления. Собственно, он и выступал-то для нее. Она это поняла, и это произвело на Анжелику впечатление.

Даже когда ему несли и несли цветы и долго не отпускали со сцены, он не сводил с нее глаз. И слал поцелуи. Ей.

Когда концерт закончился, возбужденные зрители, остывая, потянулись к выходу.

После всего, что произошло, после собственного триумфа, ей ужас как не хотелось покидать клуб вместе со всеми односельчанами. Ведь все, что было, было для нее. И что же: все кончилось?.. Ничего не останется? И никто из присутствующих даже не поймет, что причиной всему — она? Ей хотелось рыдать.

Но ни покидать клуб, ни рыдать ей не пришлось.

Односельчане еще не покинули зал, когда к ней, засидевшейся в кресле, пробрался незнакомый белобрысый длинноволосый красавчик. С акающим акцентом он объявил Анжелике, что, во-первых, он — администратор знаменитости и что, во-вторых, ее ждут за кулисами.

Триумф не кончился. Анжелика особенно остро

это поняла, когда в грим-уборной знаменитость завалила ее всеми нанесенными зрителями цветами и несколько высокопарно пояснила:

— Они — ваши! Вы были моим вдохновением!

После чего запросто объявила:

— За это я должен вас расцеловать. Вы позволите?

Лите?

Она позволила.

Он овладел ею на скамейке возле памятника Неизвестному Солдату. Если то, что произошло, можно назвать овладением.

Устроить все в гостинице у него не было никакой возможности. Местная богема-интеллигенция осаждала его номер. Большей тоски, чем от выслушивания от провинциальных эстетов восторженные пошлости в свой адрес, он не знал. И он сбежал от всех.

Он еще там, во время выступления, понял, что зря раздолбал Вадьку-администратора за идиотскую сетку гастролей. Сюда приехать стоило. Ради нее.

После концерта, нокаутировав в грим-уборной эту... как ее... Анжелику цветами, он назначил ей свидание. У гостиницы, но не у входа. А справа. В начале парковой аллеи. Он, волчара, предвидел ажиотаж у номера. Он просчитал все. В том числе и тексты, которые сработают безошибочно. Хотя что там было просчитывать. Последний год он работал только по провинциям. Эти периферийные барышни так однообразны. Никакой возможности импровизировать.

Он как-то поделился с Вадькой: в смысле интеллекта все как из одного инкубатора. Но (искренне вздохнул) красивы, чертовки!

Она ждала его в тени клена. В пятидесяти метрах от освещенного входа в гостиницу тени еще существовали. Дальше, в парке, куда он повел ее, властвовала ровная сельская тьма.

Она пошла. Конечно, она догадывалась, чего он от нее хочет, зачем назначил встречу. Тем более не на людях. Но не то чтобы не боялась и не то чтобы была готова ко всему... Она поступила так, как поступила бы в данной ситуации ее знаменитая предшественница. Шагнула навстречу неизвестности.

Он сразу взял быка за рога. В смысле: барышню — за плечо. И пошел шпарить строго по тексту:

— Надеюсь, ты понимаешь, что эта глушь — не для тебя. Здесь ты пропадешь.

Он ненавидел эти реплики. Ненавидел себя за то, что произносит их. Он считал себя хорошим артистом. И, каждый раз говоря одно и то же, ненавидел ту, к которой обращался. Ведь все они желали слышать именно это.

— Я знаю, — вдруг просто сказала она. И сбила его с толку. Ей полагалось жалостливо спросить: «А что делать?»

— И что ты собираешься делать? — спросил он.

Она усмехнулась.

— Понимаю, — спохватился он. — Я имею в виду, чем собираешься в городе заняться?

Ему очень не нравились собственные интонации. Такое впечатление, что он напрашивается поучаствовать в судьбе этой смазливой буренки, а она милостиво выслушивает его и пока не знает, позволять ли ему участие.

— Меня пригласили на конкурс красоты, — неожиданно для себя соврала она.

Вот оно что! Кто-то уже навешал ей лапши. Тем более должна понимать, к чему ее обязывают консультации по поводу ее радужного будущего. Конечно, понимает. Иначе бы не пришла. И не шла бы сейчас все глубже и глубже в темень.

— На актерский не думала поступать? — небрежно спросил он, возвращаясь к плану.

— Предлагали. Но, наверное, выберу университет. — Сказав это, она опять изумилась себе: точно Анжелика!

— Зря, зря, — окончательно вернулся он в привычную колею. — Рекомендовал бы только актерский. Это — твое.

— А разве в Одессе есть актерский? — дала она слабину.

— Есть студия киноактера. У меня в этом году друг набирает курс. — Эта реплика и несколько последующих вызывали в нем особенную брезгливость к себе. Но что поделаешь: именно это клуши желали слышать больше всего. И именно они, эти реплики, прямиком вели его к успеху.

Они дошли до конца аллеи. До почти невидимого в темноте памятника Неизвестному Солдату.

Он прислушался: ни звука. Все нормалек.

— В самодеятельности занималась? — деловито осведомился он.

— Нет. У нас в клубе только народные танцы.

— Жаль, жаль. — Он якобы задумался. — Я, конечно, решу все с другом. Но нужны навыки. В комиссии он не один. С тобой кто-нибудь занимался?

— Нет.

— Плохо, — заключил он, подумав: «Ври больше». — Вот допустим — этюд... Знаешь, что это такое?

— Знаю.

— Тебе дают задание...

— Я не собираюсь в театральный. — Она была раздражающе спокойна.

Он начал нервничать, тем более что уже испытывал нетерпение. Чего она брыкается? Понимает же все. И сама хочет. Все они хотят. Потому что с таким, как он, другого шанса может и не выпасть.

Раздраженно согласился:

— Ну хорошо: не в театральный. На конкурсе красоты тоже могут задать этюд. Вот, например: ты молодая... — Его осенила идея: — Ты — Анжелика. И тебя привели к султану. Вот я — султан. Сижу на троне. — Он уселся на парковую скамейку. — Тебя привели визири. И ты решила меня... в смысле, султана... соблазнить. Изобрази.

Она стояла напротив. Столбом.

— Давай же, — нетерпеливо подстегнул он. И, ухватив ее за руку, потянул к себе. — Ты должна запросто усесться у меня... у султана... на коленях. — Он опять потянул ее к себе. Сопротивление, которое ощутил при этом, окончательно вывело его из себя. Он напрягся, вынуждая ее сесть ему на колени: — Вот так... Ведь ты же Анжелика, ты привыкла идти по трупам...

Зря он предложил именно этот этюд. Выбрал бы другой — может, и не схлопотал бы по мордам.

Она отвесила ему оплеуху. Не символическую — полноценную. Как будто приложилась к зависшему над сеткой мячу.

Сценарий совращения дал очевидный сбой. Но он не оценил свежести хода, оригинальности развития событий. Что он мог оценить, когда у него звенело в голове. То ли от оплеухи, то ли от вожделения.

Он, столичная знаменитость, повел себя как последний сельский е..арь. Именно как последний.

Как тот, которому ни одна не дает и который на почве воздержания дошел до крайней точки отчаяния.

Он обхватил плененную Анжелику за талию левой рукой, а правую бесцеремонно, как отчаявшийся е..арь или разбалованный султан, запустил ей под платье. Прямиком в трусы...

Она ощутила его пальцы в себе и испытала неведомое ей доселе омерзение.

И, взвыв, изо всех сил попыталась оттолкнуть его.

Он оказался неожиданно цепким. Видать, отчаяние вконец допекло. Продолжал, продолжал втискиваться в нее пальцами.

И вдруг ни с того ни сего выскользнул. И не только руку выдернул из-под платья, а еще и отскочил от нее на один то ли быстрый шаг, то ли прыжок. Впрочем, это только выглядело, как будто сам. Отшвырнул его телок Витька.

Она разглядела в темноте пажа-верзилу и не испытала облегчения. Омерзение осталось при ней. Ко всему происходящему.

Витька отшвырнул знаменитость только для начала. Отшвырнув и убедившись, что его королева в чувствах, шагнул к москвичу.

Тот увидел надвигающееся на него темное пятно размером с памятник и жалко предупредил:

— Я артист... — Он назвал свою фамилию.

Витька, на его беду, оказался недостаточно подкован в современном киноведении.

— Говно ты, — сказал Витька. И вслепую засветил знаменитости, как выяснилось позже, в левый глаз.

Сопровождаемая пажом, она вернулась домой. Ни слова не сказав родителям, закрылась в своей комнате. Как была, в платье, плюхнулась на панцирную кровать. И не шевельнулась до утра.

Утром она обнаружила на белье незапланированную кровь. Равнодушно порассматривала засохшие пятна. Начало ее женской стези оказалось не совсем таким, каким она его себе представляла.

Через две недели, сдав на тройки выпускные экзамены, она убыла в Одессу. Судя по телевизионной рекламе, до конкурса красоты оставался месяц. Она догадывалась, что это не так уж и много.

До автовокзала ей помогли добраться родители. Она сразу же отправила их. И сразу же скрылась в автобусе.

Никто из бывших подруг не провожал ее. Некому было провожать. Только Витька смотрел с остановки вслед увозящему ее автобусу.

Наблюдая за ним, поначалу огромным, а потом с каждым мгновением уменьшающимся, она ощутила неожиданную, до кома в горле, тоску.

В Одессе она сделала все так, как придумала. Как придумала там, в парке, на аллее.

В первый же день подала документы в университет. На философский. Ей показалось, что, когда об этом объявят на конкурсе, жюри не посмеет не оценить шарм сочетания ее образа и будущей специальности. Да и кем была ее знаменитая родственница? Физиком, биологом, педагогом? Пожалуй, именно философом.

О том, что у нее разряд по волейболу, при подаче заявления умолчала. Решила: хватит заниматься ребячеством. Пусть по площадке носятся, размазывая пот по лицу и сдувая с глаз липкие космы, те, кому больше нечем брать.

Средняя аттестационная тройка ее не смущала. Она видела на себе взгляды мужчин — членов приемной комиссии. И окончательно успокоилась: поступит.

Анжелика приехала поступать одной из первых и поэтому в комнате общежития, куда ее поселили, оказалась пока единственной.

Поселилась она только к вечеру, так что подачу заявления на конкурс перенесла на утро.

Но до утра надо было еще...

До утра-то она дожила. Или до утра дожила не она? Той ли она проснулась утром? Той. Другой она стала много раньше.

Общежитие было полупустым. Абитуриенты еще не начали заезжать, а студенты, сдав сессию, уже разъехались по домам. В комнатах по обе стороны длиннющего коридора обитали двоечники, аспиранты, родственники тех и других, а также случайный люд, сумевший договориться с комендантом о ночлеге.

Пришедший поздравить ее с новосельем сосед Костя представился аспирантом. На самом деле он был спортсменом, пожизненно находящимся то в академотпусках, то на повторных курсах обучения.

Об этом она узнала много-много позже. На следующий день. В первый вечер он произвел на нее вполне аспирантское впечатление: взрослый, интеллигентный мужчина, до тонкостей разбирающийся в институтских интригах.

— Философский? Так-так, — многозначительно издал он после того, как они выпили по первой поздравительной рюмке принесенного им коньяка. Издал и испытывающе глянул на нее. — На философский у нас набирает Рудик. — Он задумался. — Н-да. У Рудика без постели не проскочишь...

Она не ожидала, что все будет так незатейливо. Конечно, предполагала, что мужики, от которых будет зависеть ее поступление в институт, победа на конкурсе, успех в жизни... так вот, что мужики эти будут стараться затащить ее в постель. И понимала, что время от времени ей придется уступать (Анжелика-пра...бабка тоже не считала это зазорным). Но осчастливливать домогателей она рассчитывала либо по собственному выбору, либо в случае крайней необходимости.

Судя по реакции этого интригана Кости, случай с Рудиком как раз тот. Крайний. Ну и нравы в городе. Не зря ходили слухи...

Что ж, она готова идти по трупам (эта фраза, которая потрясла ее там, у памятника, позже всплыла в памяти, как благословение. Всплыла и больше не исчезала. Маячила на поверхности сознания, как спасательный буй, как знамя).

— Ты готова? — внезапно запросто, по-свойски спросил наставник-сосед. — С Рудиком?

— А он какой? — спросила вдруг она. — Старый? Костя замер. Ненадолго.

— Нормальный мужик. Студенткам нравится. Только... — Он опять оценивающе уставился на нее.

Она занервничала.

— Просто трахнуться с ним не пройдет.

— А как? — Странно, но ее уже ничуть не смущало то, что она поддерживает этот разговор. Циничный, грязный. Грязь, она только на других бросается в глаза.

— Уметь надо, — ответствовал он. — Что ты хочешь? На такой должности... Любой пресытится.

Что на это сказать, она не знала.

Зато он знал, что хотел бы слышать.

Опять разлил коньяк, сказал тост:

— За твое поступление. — И только после этого спросил, опять же деловито. Как врач-сексолог: — У тебя много мужиков было?

Она отрицательно качнула головой.

— Плохо, — резюмировал он. И опять пристально, цепко глянул на нее: — Ну хоть один был?

Она спешно кивнула.

— Ну, что с тобой делать? — вздохнул опытный гость. — Будем учить... — И он стянул с себя футболку.

Она испуганно вытаращилась на него. В голове была каша. То ли от выпитого, то ли от всех этих институтских нравов.

— Давай, — подбодрил он. — Считай, что тебе повезло.

Она во все глаза смотрела на него. На едва знакомого полуголого мужчину, такого простого, такого свойского. При этом шарила в сознании в поисках чего-то спасительного. Может, буя? Или знамени? И почему-то не находила. Не найдя, отрицательно качнула головой.

— Правильно, — одобрил вдруг он. — Рудик любит, когда маленько брыкаются.

Она брыкалась не маленько, но для него это не имело значения. Он все свел к игре, в которой она якобы противится насилию, а он якобы противление преодолевает. В игре этой он оказался докой.

— Поступишь, — закуривая, успокоил он ее после всего.

Она лежала отвернувшись, с открытыми глазами. Без слез и мыслей. С одной большой мутью в душе.

Он докурил сигарету. Опустил ноги на пол. Судя по шороху, натянул на себя одежду. Сказал:

— Не скучай. — И вышел.

Она не долго пролежала в темноте.

Он вернулся. Протопал к кровати, стянул с себя одежду и, улегшись, сзади прижался к ней.

Она не шевельнулась.

Он потянулся губами к ее мочке, и она... в ужасе отпрянула. Щека, которая только что ткнулась ей в шею, оскребла ее щетиной. Это был не Костя!..

— Кто вы?!. — взвилась она. — О господи!..

Сзади ее держали мертвой хваткой. Правда, при этом успокоили:

— Все в порядке. Это я, Рудик.

В этот раз она почти сразу перестала сопротивляться. То ли потому, что понимала тщетность сопротивления, то ли потому, что уже не видела в нем смысла. А может, потому, что вновь увидела буйзнамя.

Раскачиваемая сзади насильником, равнодушно думала: «Хорошо, если бы это и впрямь оказался Рудик...»

Но кто это был или хотя бы как он выглядел, она так и не узнала. Сделав свое дело, он на прощание похлопал ее по так и не развернувшемуся плечу. Молча.

Когда он вышел, она первым делом закрыла за ним дверь. На ключ...

Потом вернулась к кровати, плюхнулась на нее. Такую же панцирную, как у себя дома. В этот раз она не мучилась бессонницей. Уснула почти сразу. Чтобы утром проснуться окончательно другой.

Не зря о городских нравах ходили такие слухи. И зря она напридумывала себе, что решать, выбирать придется ей...

Следующим, кто совратил ее, был никакой не настоящий Рудик. Совратителем оказался всего лишь всамделишный ассистент преподавателя, принимающего экзамен по истории. Этот сутулый очкарик тоже не мудрствовал. Назначил ей консультацию. Демократично изъявил готовность проконсультировать ее в общежитии.

Она уже ничуть не обольщалась насчет того, зачем он вызвался взять над ней шефство по истории.

В общежитии ассистент проконсультировал ее дважды. Но, к счастью, оба раза на скорую руку.

Она уже привычно-безучастно восприняла очередной урок мужского скотства. Но даже большее отвращение, чем вынужденная близость, вызвали в ней взгляды Костика и его дружков-спортсменов, с которыми она столкнулась в коридоре, когда вела к себе консультанта. И не только взгляды. Все время, пока очкарик был у нее, коридор то и дело сотрясали взрывы животного хохота. Явно направленного в ее дверь.

«Сколько среди них было небритых?» — вспоминала она, чтобы хоть чем-то отвлечь себя в процессе.

После консультанта был председатель приемной комиссии. Пузатый обаяшка-весельчак, как оказалось, с белыми в синюю крапинку (или синими в крапинку белую) ногами. Он случайно увидел ее в вестибюле института и сделал официальное заявление:

— Такие люди должны учиться в нашем университете!

После этого предложил отвезти ее в общежитие на машине. Отвез, правда, на собственную дачу.

«Ну, этому-то сам бог велел», — уже с усмешкой думала она, соглашаясь на дачу. При этом сама точно не знала, что имеет в виду: то, что ему велено овладеть ею, или то, что ей велено отдаться именно ему.

Зато включение ее в состав участниц конкурса прошло без сюрпризов. Обязанность отужинать в ресторане после подачи заявления сюрпризом для нее на тот момент уже не была. Как и вся последующая культурная программа вечера. Спонсор-коротышка, обязавший ее, тоже был тем, кому не велено отказывать.

Она подивилась про себя вырисовывающейся (тьфу, словечко!) закономерности: как какой-нибудь низкорослый урод — так хочешь не хочешь... А как кто посимпатичней — можешь выкаблучиваться.

241 ЗАКОН ДЖУНГЛЕЙ. СПОСОБЫ ВЫЖИВАНИЯ ♢ ♢ ♣ ♠ ♡

Впрочем, она не выкаблучивалась почти ни с кем. Почему?

Во-первых, способность выкаблучиваться была сломлена первыми унижениями. Во-вторых, воля ее сломленная придумала себе отговорку: лучше не рисковать. Один раз заартачишься — и все предыдущие жертвоприношения, все унижения — коту под хвост. И в-третьих, эта самая сломленная воля продолжала цепко держаться за спасительный буй: иду по трупам. Как прабабушка-тезка.

Но как мужчины-скоты определяли в ней эту надломленность? У психологов есть такое понятие: запах жертвы. Способность чуять ее, надломленность, в генах — мужских.

Определяли иногда с первого, якобы случайного невинного прикосновения к ее локтю или плечу. Иногда с первого взгляда. Последнее — редко. Вид у нее был вполне недоступный. Как у всех натерпевшихся красавиц.

И именно поэтому, когда чутье самца вдруг обещало успех, с ней уже не церемонились. За собственный страх перед неприступностью женщины мужчины, заполучив ее, мстят с особым удовольствием.

Но что удивляло даже ее: почему почти ни один не стремился повторно быть с ней? С одной стороны, это радовало, с другой — странность эта вызывала беспокойство. Ведь даже самые крутые, самые видные мужики, переспав хоть раз с бабкой-Анжеликой, впадали в наркотическую зависимость от близости с ней.

А тут... Ни синеногий председатель комиссии, ни обильно потеющий спонсор даже не задержали на ней взгляд при последующих случайных встречах. Настолько не задержали, что она решила: все было зря. Но эти-то — ладно... Их нежелание повторяться можно было оправдать текучкой. Плотной чередой таких, как она (в одни руки больше одного раза не отпускать). Но все прочие... Ведь многие из них были настолько омерзительны, что если бы мир был устроен так, что женщины перепадали бы мужчинам исключительно по их, женскому желанию... Так вот, если бы мир был устроен подобным фантастическим образом, то сколько якобы сердцеедов умерли бы девственниками...

Но даже из них, из этих гипотетических девственников, ни один не повторился (дохляк историк пошел на второй заход явно только потому, что с первого и сам не успел осознать, что произошло).

Но почему? Неужели то, о чем трепался тогда гад Костик, настолько существенно?..

Встревоженная было, она легко нашла, чем успокоить себя. Тем, что другое время, другие нравы, другие, избалованные мужики...

Миленькая картинка вырисовывается. Но я всего лишь воспроизвожу на бумаге те слайды из памяти и души героини, которые она нащелкала за время своего «хождения по трупам». И, конечно же, сам озадачиваюсь. Не может быть, чтобы все было так густо. Вся эта грязь. Наверняка в жизни ее в тот период была не только она. Не может быть, чтобы в той ее эпопее не было ничего светлого, что стоило бы щелкнуть. Наверняка было. Она, правда, этого не заметила.

Первые несколько дней она, как все начинающие, пробовала считать свои связи. Потом, удивившись: «Зачем?» — махнула рукой. И тут же счет потеряла.

Но при желании она могла бы вспомнить их всех. Ведь вспомнила же потом. Это только счастье часто запоминается общим ощущением. Грязь, унижение — конкретны. Кто-то конкретный, имеющий имя, взгляд, запах, приносит их. Этого конкретного вряд ли можно забыть. Потому что в данном случае забыть означает простить.

Она помнит их всех...

Помнит лопоухого рыхлого режиссера-постановщика конкурса. Этого запомнила не только по ушам, волосатой спине и тому, что он овладел ею в одной из грим-уборных, заставив сыграть этюд, в котором она — Анжелика, а он — султан (!).

Она помнит его по замечанию, которое он сделал, застегивая ширинку:

— Тебя что, не предупредили? К конкурсу допускаются только претендентки с прическами. Так что надо подбриться.

Помнит, хоть и как в тумане, все, что происходило с ней в последний месяц завоевания города...

Терпеть не могу чернухи. Ни читать не люблю, ни тем более писать. По себе знаю: не то это чтиво, каким бы увлекательным оно ни было, к которому позже захочется вернуться. Не греет оно.

Не знаю, как ты, читатель, а я к книгам возвращаюсь, как к друзьям. Потому и все с большим трудом открываю для себя новых авторов.

(Отвлекусь. За сорок — это уже уклон. Банальный образ, но ведь и вправду: глянешь вперед — не вершина видна, а подножие. Причем разглядеть

его значительно проще, чем еще недавно вершину.
И топается уже легко, покладисто. Не замечаешь,
как днями-ножками перебираешь. Тут уже живешь
дружбами, нажитыми на подъеме.)

Чернуха не может стать другом. Разве что кому-
нибудь, что я пишу, и не набивается в друзья.

К чему я все это? К тому, что оправдываюсь. За
то, что вынужден буду отстучать на клавишах на
ближайших страницах...

Это случилось за день до конкурса красоты. Началось за день и растянулось на...

Последний день перед конкурсом организаторы
объявили выходным. Обнаружили в себе неожиданный гуманизм. Дали конкурсанткам очухаться, на-
браться напоследок сил.

С утра она сходила в парикмахерскую (конкурс-
ные мастера такое норовили с ее волосами учу-
дить!..), а когда вернулась, обнаружила в комнате
двух новых соседок.

Девчонки аж зашлись при виде ее:

— Ух ты! Красавица!..

Познакомились.

Одна из подселенных, похожая на Винни Пуха,
Марина, минут пять не могла оторвать от Анжелики
восторженных глаз. И все спрашивала свою вполне
симпатичную и более воспитанную подругу:

— Скажи, класс! Артистка, скажи!

Подруга Даша с тактичной улыбкой кивала.

И позже, уже выведывая у опытной Анжелики устав монастыря-института, Марина не забывала спохватываться:

— Ну ты даешь, ну класс!

И наконец сделала заключение:

— Ты-то, конечно, поступишь! Что тут, дураки — тебя не принять?

Анжелика поразилась. В девчонках, даже в той, которая посимпатичней, не было и тени зависти. Одно сплошное восхищение. И благодарность. За то, что она, Анжелика, не брезгует общаться с ними.

Впервые за все время городской жизни Анжелика вспомнила сельских девчат. Партнеров по команде. Вернее, впервые, вспомнив, ощутила неожиданную, щекочущую переносицу и глаза тоску.

— Что же мы сидим? — спохватилась Винни Пух. — Давайте обедать.

И принялась доставать из полосатых челночных сумок деревенские яства: колбасу, сало, помидоры, чеснок, закатанный в трехлитровую банку борщ.

Вдруг обескуражилась:

— Тю... А хлеб забыли... И какой хлеб!.. Мама специально спекла. В дорогу. — Она готова была расплакаться. То ли оттого, что расстроила маму, то ли оттого, что соседке-красавице не доведется отведать маминого хлеба.

— Тут рядом хлебный магазин, — как смогла, успокоила ее Анжелика.

Новенькие отправились за хлебом вместе. Они пока что явно опасались оставаться с городом один на один.

Анжелика подробно рассказала, где магазин. Еще раз успокоила:

— За десять минут обернетесь...

Но даже если бы они обернулись за десять минут, это бы ее не спасло. Потому что кавказец управился за пять. Если считать от момента его входа до момента выхода.

Усатая смуглая голова просунулась в проем двери почти сразу после ухода девчонок. Пару секунд оценивала обстановку. Оценив положительно, переместилась в комнату. И дала команду смуглой волосатой руке повернуть ключ в двери. Изнутри.

Вторая рука гостя протянула Анжелике розу.

Она не взяла ее. Она очень испугалась, потому что боялась кавказцев всегда. Еще у себя в поселке, где только слышала о них и видела исключительно по телевизору (хотите — верьте, хотите — нет). И она вспомнила, что видела этого типа и еще несколько таких же усатых, черных, страшных в окне бара, под общежитием. В компании с Костиком.

И в общежитии их видела. Они жили в нем, как в гостинице.

Она отступила на шаг.

— Обижаешь, — сказал пришедший. — Я пришел с уважением. — И, положив цветок на стол, он деловито расстегнул пуговицу на брюках. И деловито сказал: — Давай. А то порежу лицо. У тебя же завтра соревнования. Зачем доводить?..

Через пять минут он уже ушел. Оставив ее лежащей грудью на столе, уставленном колбасой, салом, борщом в трехлитровой банке...

Даже самые запоминающиеся, самые болезненные уроки не всегда усваиваются нами с первого раза.

Она не закрыла дверь. Она была просто парализована случившимся, чтобы хотя бы пошевелиться.

Когда услышала, что дверь вновь открылась, мобилизовалась, поспешила выпрямиться только потому, что испугалась, как бы девчонки не догадались.

Но дверь открыли не девчонки. Очередной усач, стоя на пороге, оценивал обстановку. Впрочем, он был явно предупрежден, что оценивать нечего, потому что ему хватило секунды. Он шагнул через порог. Закрыл дверь. Наработанно потянулся к ключу. И не успел повернуть его. Дверь неожиданно распахнулась.

Марина, румяная, как буханка хлеба, которую она прижимала к груди, возникла в проеме. На фоне Даши.

Соседки на мгновение замешкались. Они явно комплексовали из-за того, что еще плохо ориентировались в уставе местного монастыря. Но все же вошли.

Марина на всякий случай спросила:

— Не помешали?..

Анжелика отрицательно качнула головой. Паралич еще не вполне отпустил ее.

— Помешали, — издал вдруг обиженный усач. — Не видите, тут люди разговаривают. Мужчина и женщина.

Девчонки испуганно глянули на Анжелику.

— Я его в первый раз вижу, — просто сказала та.

— Как — в первый раз? — растерялась Марина. И недоуменно посмотрела на гостя.

— А вот так. — Анжелика бессмысленно поправляла на столе снедь. — Взял и вошел. Без стука.

— Ну ты-ы... — сказал незадачливый усач развернувшейся к нему грудью Винни Пуху, взявшей со стола огромный деревенский нож и угрожающе шагнувшей к нему. — Не шути с кинжалом. Накажу...

И несколько вразрез с собственным обещанием поспешил скрыться за дверью.

— Во дает! — восхитилась отчаянной дерзостью наглеца Марина. — Таким, как он, на нашу Анжелику даже смотреть запрещается. — И как ни в чем не бывало объявила: — Давайте лопать!..

День, который ей выделили для набора сил, едва перевалил за полдень. Отобедав (или сделав вид, что отобедала) с девчонками, она ушла из общежития. Решила не отравлять себе существование возможностью пересечения со смуглыми постояльцами. Тем более что соседки и сами засобирались в город. «В разведку боем».

Она решила вернуться в общагу как можно позже. Если бы это было возможно, она бы не возвращалась в нее никогда...

Девушка шла к центру пешком, не спеша. Она уже не замечала, что многие из проезжающих машин, особенно иномарок, притормаживают, поравнявшись с ней. Не слышала какофонии автомобильных сигналов, обращающихся к ней. О чем думала? Явно о чем-то безрадостном.

Тот, кто остановил напротив нее демонически черный «БМВ», сумел разглядеть это.

Он не сигналил, не ехал рядом, суперменисто высунувшись локтем в окно. Он бросил машину у обочины и собственной персоной встал у нее на пути. Но не как шлагбаум — как якобы тот, к кому она шла.

— Что-то случилось? — запросто спросил он.

Она подняла глаза. Смирившаяся, усталая, готовая к очередному мужскому скотству. И увидела перед собой Пьерака. Единственного возлюбленного своей неразборчивой в связях бабки.

Он был не просто похож на графа — от него веяло породой, благородством. Способностью на чудо.

— Случилось, — запросто ответила она.

— Обидели? — приступил к «чудодейству» незнакомец.

— Обидели.

Он взял ее за локоть и повел к машине. Уже взявшись за руль, спросил:

— Адрес?

Она дала адрес общежития. Она еще боялась поверить в то, что вот наконец начинает происходить то, что она видела во снах, и не только в них с пятнадцати лет. С того момента, когда старпер колдун облобызал ей руку.

Не верила пока только потому, что еще пять минут назад была уверена, что не верит никому и ничему в этой жизни.

Но как не поверишь в реальность мечты, когда процесс реализации — вот он, уже пошел. Когда тот, кто мерещился в мечте, уже под боком. Небрежно и благородно глядит на дорогу. И не лезет рукой под юбку.

Вахтерша общежития не посмела спросить у него пропуск. И он, проходя, даже не заметил ее.

Спросил у лифта:

— Какой этаж?

И уже на этаже:

— Комната?

Ни кто ее обидчики, ни сколько их, его не интересовало.

За дверью кавказцев было тихо. Кости тоже дома не оказалось.

Из других комнат на стук стали высовываться помятые и какие-то замызганные физиономии постояльцев. Высовывались, чтобы тут же исчезнуть. Спутник ее был не из тех, с кем хочется встречаться взглядом.

Она злорадствовала.

Решила: вся компашка в баре. И повела Пьерака вниз. И впервые разглядела бар не через окно, а изнутри.

И здесь взгляды посетителей безвольно отскакивали от них. Каждый из присутствующих понимал, что эта парочка кого-то ищет, и старался продемонстрировать своим якобы безразличием, что этот «кто-то» — не он.

Тех, кого они искали, в баре и впрямь не оказалось.

— Сильно обидели? — спросил он. Уже в машине.

Она неопределенно пожала плечами.

— Забудь, — сказал он. — Это в прошлом.

Она кивнула. Не потому, что поверила в это. Потому, что это... то, что все в прошлом, уже видела.

— Давай сегодня не расставаться, — предложил он.

— Давай, — сказала она, несколько обескураженная словом «сегодня».

И он увез ее. В сауну.

Ни место, ни ситуация не показались ей пошлыми. После всего, что она вкусила за последние несколько недель... После всех этих грим-уборных, дач, общаг, памятников выхоленная клубная сауна показалась ей райским приютом для влюбленных. Откуда в самом деле ей, только-только осваивающей город, было знать, что диван кожаный не столько для крутизны, сколько для удобства: чтобы достаточно было протереть. Что сукно на бильярде стерто не только шарами. Что массажный стол только называется массажным.

И то, что все началось с этого стола, ее ничуть не смутило. Потому, что именно на нем она впервые в жизни поняла, почему с этим сексом все носятся как с писаной торбой.

«Ради этого все и было. Ради этого стоило терпеть», — думала она сквозь собственный стон. И сквозь него же услышала, как зазвонил мобильный телефон.

Он тоже услышал зуммер. Она была уверена, что он не обратит на сигнал внимания. Пьерака, отвлекающегося от близости с возлюбленной по зову мобильника, представить трудно. Но он отвлекся. Опустился с нее и со стола на пол, прошлепал потными ступнями к вещам и, еще пять секунд назад такой страстный, такой принадлежащий ей, произнес в телефон:

— Ну? — После паузы: — Что этот гондон себе думает?.. — И еще, погодя: — Я с телкой в «Молдове». Подъезжай.

Она растерялась. Что значит «подъезжай»? И что значит «с телкой»? «Телка» — это она?..

— Неприятности? — терпимо, кротко, как и положено пожизненной возлюбленной, спросила она.

— Та... Гондон один, директор овощехранилища, башлять не хочет. Ничего. Яйца будут в тисках — заплатит... — И вдруг взвился в сердцах: — Ну, долбо...б!.. — То ли о директоре, то ли о том, с кем разговаривал.

На массажный стол они уже не вернулись. Дули пиво в кожаных креслах. Она сидела совершенно нагая, закинув ногу на ногу. Он уже успел сказать ей, что когда «со стороны», то ему нравится эта поза. Дверь распахнулась неожиданно, без стука.

Анжелика в панике метнулась за простыней. Она полагала, что дверь заперта. Изнутри.

Но дверь распахнулась. И вошедший парень с ежиком на голове и колючим взглядом совершенно не смутился. Как и тот, кто пребывал рядом с ней в кресле. Этот, пребывающий, еще и посоветовал ей:

— Ша, не дергайся, свои... — И заметил вошедшему: — Садись, рассказывай.

— Я ж говорю, — подхватил тот, усаживаясь на диван, — мы ему...

Они заговорили о своем. О «директоре-гондоне», которому, как оказалось, планировали устроить защемление ничуть не аллегорическое.

— Тиски у меня в гараже, — уточнял диспозицию мужчина ее мечты. — Но смотрите не пережмите. Там резьба крупная. Пусть помаленьку крутят... Гриню возьми. Он знает. Крутил уже.

— Так Гриню ж еще держат... — удивился ежик.

— Как — держат? — опешил Пьерак. — Со вчера?

— Ну да... Я думал: ты знаешь. Как закрыли, так и держат.

— Ну, долбо...б!.. — опять неопределенно поразился ее возлюбленный.

И стал собираться. Собираясь, бросил колючему:

— Жди здесь. Вернусь с Гриней — поедете.

Уже собравшись, уже взявшись за ручку двери, вспомнил об Анжелике, во все глаза следящей за ним. Глянув на нее, наказал остающемуся:

— Анжелику — не обижай. Только — по договору.

И закрыл за собой дверь.

Это нельзя было назвать «договором». Да и о чем может договориться совершенно обнаженная красивая женщина, оставшись наедине с молодым бандитом. Разве что только о том, что хорошо бы с презервативом...

Теперь уже они с «ежиком» сидели в креслах. Она, правда, на этот раз в простыне.

Опустевшая, сдавшаяся, она со смутным ужасом ожидала возвращения любимого. И Грини.

— Гриня подъедет на место, — сообщил товарищу с порога ее вернувшийся мужчина. И поразился его несобранному виду. — Ну ты, бл..., даешь. — Глянул на Анжелику в расчете, что та оценит юмор ситуации. Ей же подсказал, в чем соль юмора: — Попарил «кочан» и сидит. Яйца сушит. Нет чтобы собраться...

«Ежик» суетливо засобирался.

Им обоим стало не до нее.

Он вспомнил о ней, опять же спохватившись, уже из-за двери:

— Да, позвони мне. — Он продиктовал цифры номера. — И если кто обидит...

Она сидела на скамейке сквера. Сидела, опершись локтями о колени, склонив безвольно голову. Думала всего лишь о том, что славненько провела этот «свободный» день. (Так и думала: «славненько». Помаленьку осваивала самоиронию. Училась спасаться ею.)

Но день она провела еще не весь. Он, день, еще далеко не закончился.

Она подняла голову. И увидела двух милиционеров, вышагивающих, словно надсмотрщики плантации, вокруг памятника в центре сквера. Какое-то время бессмысленно наблюдала за ними, помахивающими дубинками, как хлыстами.

Какая-то невнятная мысль витала над нею. То ли мысль, то ли желание, то ли просто возникшая возможность.

Она вдруг поняла, что может хоть как-то постоять за себя. Отомстить. Ведь она запомнила телефон. И знает, что должно произойти с директором овощехранилища. *Что*, возможно, уже происходит. Гриня, поди, уже наворачивает круги. Она должна предупредить. Не может быть, чтобы в городе было так уж много овощехранилищ. Лже-Пьерака возьмут с поличным. И посадят. Это будет ее месть. Месть, достойная блядовитой бабки.

Она уже хотела встать со скамейки, чтобы идти к

патрульным. Но вдруг увидела, что они свернули с маршрута обходчиков-надсмотрщиков. Сами направляются к ней.

Она все же встала им навстречу, сделала шаг. И услышал приказ:

— Стоять!..

Замерла. Но еще не испугалась. Не успела. Решила, что ее с кем-то спутали. Что сейчас патрульные обнаружат свою ошибку и смутятся. От того, что ни с того ни с сего нагрубили красивой молодой девушке. Возможно, завтрашней мисс города.

— Стой, хуна, где стоишь, — не собираясь смущаться, бросил ей брезгливо один из милиционеров, тот, что пониже. И зачем-то не больно, но унижающе хлопнул ее дубинкой по ногам. Словно подравнивал их. С одной и с другой стороны коленей. Подровняв, отдал очередной приказ: — Руки!

— Что — руки? — жалко переспросила она.

И тут же получила дубинкой по локтям.

•И вместе с болью к ней пришел животный страх. Смешанный с пониманием: никто перед ней извиняться не станет. Ни в коем случае. Она вдруг увидела лица милиционеров. Лица точь-в-точь, как у нерадивых е...арей из ее поселка. Тех, которым ни одна...

Так и не поняв толком, чего от нее хотят, она все же вытянула обе руки.

Низкорослый виртуоз-дубиночник подпер их обе снизу дубинкой и осветил фонариком ложбинки над локтями. И озадаченно заметил второму:

— Чисто...

— Значит — в пах... — флегматично резюмировал второй.

Она не понимала, о чем речь.

— Пошла, — как лошадник, скомандовал первый. И, как он же, подстегнул ее дубинкой по заду.

Такого чувства унижения она еще не испытывала. По сравнению с тем, как с ней сейчас обращались эти свои, сельские парни, обхождение утренних кавказцев было верхом галантности.

Но она послушно пошла. Что еще оставалось делать?

Они повели ее в обход памятника к детским каруселям, расположенным в дальнем углу сквера. Конвоируемая милиционерами, она чувствовала на себе взгляды горожан, выбравшихся в сквер, провожающих очередной летний день. Взгляды женщин, цепко держащихся за коляски; взгляды детей, замерших на своих роликах; взгляды влюбленных, на время потерявших интерес друг к другу; взгляды пенсионеров и пенсионерок, запнувшихся на полуслове. Идти под этими взглядами было невыносимо.

Чтобы хоть как-то разрушить унизительную мизансцену, она попыталась обернуться. И заговорить:

— Ребята, а вы откуда?.. Я из... — Она назвала свой поселок.

И тут же в очередной раз получила удар дубинкой по ягодице. На этот раз весьма болезненный и почему-то ожесточенный. И услышала ненавидящее шипение:

— Рот закрой, хуна!..

Окружающие завороженно смотрели на них.

Как ей хотелось в тот момент не существовать. Исчезнуть. Если бы кто-то, с нимбом ли, с рогами ли, потребовал за такую возможность ее душу, она бы не мешкала ни мгновения.

Но стрижено-чубатые бесы, прикрытые нимбом фуражек, требовали от нее куда большего. Молча, покорно идти перед ними. Идти под этими взглядами.

На отшибе сквера, за каруселями притаился неказистый вагончик из тех, какие называют строительными. Этот правильнее было назвать милицейским. В нем, как оказалось, располагалась то ли дежурка местных патрульных, то ли их лежбище.

Находящегося в дежурке, то ли на вахте, то ли в засаде, еще одного служителя закона прибывшие застали за интеллектуальным занятием. Он пытался прочесть газетные строчки, прилипшие к лоснящемуся боку сваренного вкрутую, обчищенного яйца.

Служитель был настолько увлечен процессом самообразования, что даже не обернулся на шум.

— Наркошу привели. Красивая, блядота, — предвкушающе объявил с порога виртуоз-коротышка.

— Давай, — согласился интеллектуал. И, дочитав, засунул яйцо в рот, взглянул наконец на Анжелику. И присвистнул.

— Я — не наркоманка, — сказала Анжелика. Она решила, что этот любитель чтения — старший. Во-первых, работа у него вроде как в кабинете. Во-вторых, выглядел он заметно взрослее ее конвоиров. В их поселке такой тип возрастных е...арей тоже имел место. Считалось, что с ними можно о чем-то разговаривать.

— Руки показывай, — потребовал взрослый.

— Руки чистые, — предупредил его коротышка.

— Да?.. — вяло удивился старший. — Тогда снимай.

Она не поняла. Но почувствовала приближение

чего-то совсем уже гадкого. Отступила к двери. И в очередной раз получила дубинкой по ягодицам.

— Трусы снимай, — рявкнул коротышка.

Второй, флегматичный, снизошел до объяснения:

— Пах смотреть будем.

Она с ужасом увидела, как дубинка бесцеремонно юркнула ей под платье. Но та всего лишь задрала подол. Спереди.

И тогда она затравленно и покорно опустила трусы. И, закрыв от омерзения глаза, заплакала.

Слезы на блюстителей не произвели ни малейшего впечатления. Три мужские хари, дружно склонившись, разглядывали ее. С очень близкого расстояния.

— Ты смотри, — удивленно сказал кто-то. — И тут чисто.

— Тем лучше, — отозвался другой. И приказал: — Повернись.

Она повернулась спиной.

— Нагнись.

— Не нагнись, а прогнись, — поправил коротышка, и все заржали.

— Проблем не будет? — спросил вдруг флегматичный..

— Каких? — изумился коротышка.

— Ты чем занимаешься? — спросил у нее старший.

— Учусь в университете, — соврала она. — И еще участвую в конкурсе. Красоты.

— В каком конкурсе, что ты гонишь?! — аж зашелся от такой ереси коротышка. — Она из... — Он назвал ее село. — Сама сказала. Сельская, блядота.

— Сама? — удивился старший. И подтвердил приказ: — Тогда прогнись.

Она не знает, в какой последовательности они были с ней. Она стояла нагнувшись, до боли стиснув зубы и сильно-сильно сжав веки. Так сильно, как будто пыталась скопить в глазах слезы. Но те все же просачивались и срывались вниз, вдребезги разбиваясь о пол вагончика.

Она даже не пыталась вникнуть в смысл произносимых за ее спиной фраз:

— Слушай, одолжи гондон.

— У меня — один.

— Тю... А у тебя?

— И у меня последний. Заначка.

— Пи...дуны. Во, бля, не фарт...

— Какая тебе разница. Все равно с грибком ходишь.

— А если у нее СПИД или сифон?..

— Это вряд ли. На дозе не сидит.

— Страшно...

— Если страшно, трахай «демократизатором».

— А хер с ней... Риск — благородное дело.

В тот момент она точно знала, что жить не будет. После всего, что случилось, — не сумеет.

Если бы ее отпустили, возможно, что она и впрямь наложила бы на себя руки. Но ее не отпустили. Надо бы добавить: «к счастью». Но язык не поворачивается.

— Техосмотр закончен, — сказали ей после всего. — Молодец. — И в который уже раз заржали.

Ей разрешили присесть на деревянную скамью в углу вагончика. Все еще сжимая мокрые веки, она спросила:

— Мне можно уйти?

И вновь услышала ржание.

Разъяснять причины его ей не стали.

Она еще слишком недолго жила в городе, чтобы быть в курсе: стражи порядка, изнасиловав или не сумев изнасиловать понравившихся им иногородних женщин, имеют обыкновение из воспитательных соображений и из соображений собственной безопасности на время изолировать их. А почему нет? Если и место для этого подходящее имеется, и право такое им, стражам, дадено.

Позже, в телесюжете о событиях в Чечне, она увидела дорожный указатель: «Добро пожаловать в ад!» В памяти и душе у нее при этом всплыло свое. Слово «ад» имело для нее конкретное значение. И она знает, какое у него название в миру: режимный кожно-венерологический диспансер...

Помнится, в начале новеллы я что-то такое вякнул: «Чтобы ухватить незлорадный тон».

Какое уж тут злорадство...

Ее привезли туда на вызванном милицейском «бобике».

«Бобик» ткнулся фарами в массивные клепаные врата без ручек и просигналил заклинание. Врата распахнулись и впустили его в небольшой зарешеченный дворик. Впрочем, зарешеченным герметично он выглядел только в ночи. Из-за освещенных по периметру зарешеченных окон. Небо над головой не было разлинеено. Лети — не хочу.

Ее провели через дежурку, через милицейский пост у ворот. Коротышка, сопровождающий ее, при этом предупредил коллегу, веснушчатого увальня-часового:

— Смирная. Без проблем...

И через пару коридоров и дверей-решеток в приемном отделении, вручая ее с рук на руки дежурному врачу, поведал тому:

— Проститутка. Стометровщица.

Часы в приемном отделении показывали без пяти одиннадцать. До окончания выделенного на отдых дня оставался целый час. Целый час ада.

Палата, в которую ее направили, выглядела как тюремная камера, какие она видела в кино. Правда, кино еще не научилось передавать запахи. И еще... В кино в таких камерах обитали заключенные мужчины, а здесь мужчин не могло быть в принципе. Это было ее единственным утешением. В течение секунд десяти-пятнадцати, пока она осматривалась на пороге. И пока ее, осматривающуюся, изучали обитательницы. Потом утешаться стало нечем.

— Сюда иди, шалава, — позвали ее из дальнего угла. Позвал голос, который вполне мог оказаться и мужским...

Все, невмоготу смаковать человеческую низость. Понятно, что жанр повествования криминальный, понятно, что от реальности никуда не денешься, понятно, что «назвался груздем»... Но я-то вызывался не воображение садистам щекотать, а советовать тем, кому это интересно, как от насильников уберечься. Ведь когда пишешь, не просто чью-то историю излагаешь — проживаешь эту историю сам.

Сын семимесячный последние несколько дней плачет во сне. Может, улавливает образы, воскрешенные воображением папани, явно потерявшего чувство меры.

Все. Хватит. Дальше излагаю строго по фактам.

В палате-камере-аде ее не насиловали. Во всяком случае, сначала. Сначала ее заставили слизывать аджику с промежности другой новенькой. Пояснили: это для того, чтобы позже она смогла оценить, как это приятно. Когда без аджики.

Одноглазый татуированный цыган с огромной язвой на губе объявился в палате позже. Когда до конца дня оставалось минут пятнадцать. Он уложился в это время.

Его, как уплатившего таможенный сбор, таможенник-милиционер пропустил вниз из верхнего мужского отделения.

Цыган с ней вообще не говорил. Полопотал о чем-то с недовольной цыганкой, обнаружившейся на одной из нижних коек. Пристально взглянул на нее, Анжелику. Вдруг широко улыбнулся чернозубым ртом и ни с того ни с сего воткнул в стоящую рядом тумбочку нож. И толчком опрокинул ее на лежак. Потянулся язвой к ее губам.

Ей уже было все равно. Она даже не закрыла глаза. Запрокинув голову, смотрела мимо одноглазой физиономии. Наблюдала дергающуюся, зарешеченную лампочку; дергающуюся верхнюю койку; нож, воткнутый в тумбочку.

И вдруг равнодушно подумала: «Не воткнуть ли его в гуталиновую шею...»

И равнодушно же удивилась этой мысли. Стерла ее другой: втыкать нож стоило раньше. В вагончике, в сауне, в общежитии. А еще лучше в парке у памятника. Нет, еще раньше. В женской раздевалке, когда колдун склонился к ее руке...

Цыган управился до двенадцати.

Ровно в полночь та самая недовольная цыганка позвала ее. И, подозвав, усадила рядом с собой, лежащей. Погладила вдруг по голове. Нежно, по-матерински. И успокоила:

— Больше тебя никто не тронет. Ты будешь только со мной.

Она пробыла там месяц. Тот самый месяц, который собиралась сдавать экзамены. Который рассчитывала почивать на лаврах после победы на конкурсе.

Этот месяц ее продержали бы в диспансере в любом случае (так принято: профилактика). Но как раз это время и понадобилось на то, чтобы выкорчевать весь букет болячек, обнаруженных у нее.

Действительно, весь этот месяц она была только с Адой. (Ад-Ада — это всего лишь совпадение.) Больше ее никто не тронул. Даже цыган. Даже увалень часовой, которому ее рекомендовал коротышка.

Через месяц, не заезжая за вещами в общежитие, она отправилась на автовокзал. И через каких-то два часа ожидания уже сидела в запыленном, раскаленном на солнце «ЛАЗе», у которого на дощечке под лобовым стеклом было написано название ее поселка...

Она пришла к Василичу в тот же день, к вечеру. Приехала на велосипеде.

Он как раз заканчивал шить кобуру для главного сельского оперативника. Сказал:

— Я сейчас.

И продолжил строчить.

Она присела рядом. Какое-то время молча наблюдала за его руками. И вдруг попросила:

— Научите?

Он не спросил: зачем? Он это хорошо знал по себе. Чтобы незаметно для других думать, мечтать, жить в своем собственном мире.

— Научу, — сказал он. И срезал последнюю нитку.

И вдруг предложил:

— Поедем смотреть закат?

Она кивнула.

А теперь иллюстрация вторая. Название к ней попросилось такое:

ДВА ВЗГЛЯДА

В жизни история эта заняла четыре дня. Та, с которой история произошла, рассказывала мне ее в течение четырех часов двадцати двух минут. Мне предстоит изложить услышанное на нескольких десятках страниц. Это минут на десять-тридцать чтения. Вот такая задачка. При этом не хочется излагать так, как это делается, скажем, в телесюжетах об экстремальных ситуациях. Например: «В ближайшие несколько минут вы узнаете, как молодая женщина, оказавшись во власти маньяка, сумела избежать участи жертвы».

Да не то чтобы не хочется излагать так. Не посмею. После доверия, которое оказала мне героиня, поведав все, как было. (Мне — третьему за десять лет, произошедшие после истории, первому за последние девять лет и одиннадцать месяцев и первому, кому поведала обо всем без сокращений.) Не позволю себе праздное изложение после тех пауз во время ее рассказа, в которых она явно не вспоминала события, их детали, а проживала по новой те свои ощущения. Ощущения, которые хоронила десятилетие. Под годами и хоронила.

Резонен вопрос: к чему тогда была нужна эта эксгумация? Ну, мне-то — для книги. А ей? Могу только догадываться. Какой-нибудь умник-психоаналитик наверняка бы с ответом не мешкал. Я всего лишь могу процитировать одну из фраз собеседницы: «То боялась, что родственники и знакомые узнают обо всем, то — что не узнают...»

С описания ее внешности начну не потому, что с этого принято начинать. Внешность — главная причина тех неприятностей героини. Так, во всяком случае, считает она сама. («И не только тех. И не только неприятностей. И не только твоих», — это было мое мнение на тот момент рассказа, которое, впрочем, я оставил при себе.)

Итак, внешность...

Барби. Характерные для модели стройность, тонкость рук, длина ног, окружность талии. Вьющиеся светлые волосы, закрывающие лопатки. Заостренные подбородок и нос. Все тютелька в тютельку. Пока не глянешь «модели» в глаза. Или она не заговорит.

Только всмотришься или только услышишь — и все. Первое впечатление — ту-ту...

Тут же понимаешь: все эти модельные параметры — для отвода глаз, что ли...

В голосе — никаких обволакивающих, кошачьих интонаций. Сплошная, вросшаяся в тембр интеллигентная язвительность, сразу же заставляющая собеседника подобраться.

Но главное — взгляд...

Как я ее уговаривал дать для книги фотографии, которые она принесла с собой... Обе. Одну, на которой она в день начала истории. Улыбчивая, беспечная, хитрющая. И вторую, где она через неделю после случившегося. На этом снимке она — крупно. Не помудревшая, не натерпевшаяся, не подкошенная... Другая. Понявшая про эту жизнь нечто такое, чего не надо бы понимать. Вторая фотография — это снимок ее взгляда. Ради него я снимки и выпрашивал. Объяснял:

— Люди будут то и дело прерывать чтение. Всматриваться...

Не дала. Хотя считает: глаза, взгляд — главное ее оружие в той истории. Благодаря им выбралась.

Еще пару нюансов, чтобы задать отношение к героине.

Первый: нынче она одна из самых заметных женщин Одессы. Во всех смыслах: яркости имиджа, успешности бизнеса, вхожести в престижные круги.

Второй нюанс. Несколько лет назад, при знакомстве, я понял: она знает себе цену. Не назначила ее себе, как большинство женщин, а именно знает.

И еще я тогда почуял: с ней можно дружить. Довольствоваться дружбой. Редко до этого обнаруживал в себе подобную готовность применительно к подобной женщине. Пожалуй даже, и не было никогда такого со мной.

А тут вдруг — на тебе!..

И не потому, что неуверенность почувствовал. А просто... И без того хватало. Помню, что тогда, при знакомстве, даже обеспокоился: с чего это вдруг мне хватает «поговорить»? Старею?..

Все вязну и вязну в описаниях, в размышлениях сомнительной нужности. Никак не доберусь до самой истории. Но хотя и не протокол пишу (см. выше), а пора и честь знать...

История — вот она...

Это был 89-й год. Год расцвета кооперативов. Время цветения будущих состояний «новых» русских, украинских, одесских...

Тогда с ней произошла первая, пробная неприятность, которая вроде бы не имеет отношения к основной истории, но объясняет будущее поведение героини и отвечает на вопрос: «Где она этого набралась?»

С ответом забегу вперед: у себя и набралась. У себя прошлой. А набиралась так...

Она тоже попала под цветение. Трудолюбие, осемененное идеями, дало перспективные всходы и уже приносило первые небывалые по тем временам урожаи.

Тогда у нее был муж с зарплатой в сто шестьдесят рублей, грудной ребенок и подаренная когда-то друзьями на день рождения японская вязальная машина. Домашняя. Еще у нее было хобби: вышивание.

Хобби, машина и ребенок и были ее уставным капиталом. Причем кроха внес свою лепту в уставный фонд в прямом смысле. На «декретные» она закупила нитки, из которых связала несколько свитеров. Свитера расшила «золотом» и самолично продала на одесском толчке. По пятьсот рублей за каждый (нитки и «золото» на одну единицу продукции обошлись в тридцать рублей, время производства «единицы» — ночь, если, конечно, детеныш был расположен спать).

Бизнес пошел. Через пару месяцев, уже обзаведясь работницами, она зарабатывала по две-три тысячи ежедневно. Уже и по заказам работала. По заказам, в том числе и иностранцев. Всяких чехов да венгров.

Но основной сбыт был, конечно, здесь, на родине. Среди своих. Армяне, например (тогда армяне еще были своими), за право оптовых закупок даже ссорились. Свитера пришлись аккурат впору их национальному чувству прекрасного.

Но с темпераментными клиентами-южанами она осторожничала. По собственному опыту знала: их национальная тяга к яркости распространяется не только на свитера. Работала со скупщиками через дилера, некоего культуриста Рубена, хахаля ее подруги по институту. Даже не хахаля — официального жениха.

Рубен, ободесситенный армянин, проживал в городе лет семь и казался ей вполне своим.

Несколько крупных партий свитеров ушли через него землякам. Еще одну небольшую партию он реализовал, попросив об отсрочке платежа. И рассчитался в срок.

Ситуация из учебника начинающих бизнесменов. На очередном сбыте в кредит случился сбой. Разумеется, сбой при оплате и, само собой, при оплате особо крупной партии.

Начались классические «завтраки». Она питалась ими недолго. Не так долго, как можно было бы ожидать от начинающей, улыбчивой бизнесменши. На третий день заверений: «Обижаешь, завтра расчет, слово мужчины» — сама явилась к должнику. Сейчас и сама не помнит точно, но, кажется, заявилась неожиданно даже для себя, с кондачка. Проходила по улице мимо дома, в котором снимал квартиру Рубен, и решила: дай-ка зайду. Тем более что проходила не одна. В сопровождении уличного съемщика-ловеласа, прибившегося в предыдущем квартале.

Волоките-новобранцу не поведала, к кому идет и зачем. Распорядилась только с оттенком доверительности в голосе:

— Если не выйду в течение десяти минут — позвони в восьмую квартиру. Спросят: «Кто?» — не отвечай. Можешь еще постучать.

Сердцеед расценил распоряжение как аванс успеха. Дожидаясь барышню у парадной, потирал пальцы от предвкушения. Но все персты тер зря. Понадобился ему один, максимум два. Это если звонил и стучал он разными.

В обители дилера она сразу почувствовала себя скверно. К ней, вошедшей, бросились две огромные овчарки. Хозяин прикрикнул на них, и псы ограничились обнюхиванием. При этом взгляды их предупреждали вполне по-людски: «Особо не обольщайся».

Открыл ей сам Рубен, необъятный, умело небритый, как всегда, галантный. Она и прежде смутно подозревала: галантный до поры до времени. Сейчас, едва переступив порог, почуяла: время галантности на исходе. Но не возвращаться же, раз пришла? Не потребность в галантном общении привела ее сюда. И вообще, что значит — так просто уйти? Чего же тогда приходила? Людей смешить? Смешить, кстати, было кого. В обители обнаружилось уйма армянского люда. Пока она с Рубеном, сопровождаемая псами, шла по коридору, из всех комнат (квартира оказалась расселенной коммуналкой) доносились голоса. Преимущественно низкие и преимущественно темпераментные, говорящие на армянском. За короткое время шествия хозяина и гостьи в проеме каждой из дверей возникло по нескольку физиономий мачо. И каждая посчитала нужным что-то издать на родном языке и почмокать на языке интернациональном.

Сколько их там было? При всех этих выглядывающих заросших физиях интенсивность разговоров в комнатах не уменьшилась.

Проходя сквозь строй «лапающих» ее взглядов, она позволила себе съязвить:

— Что, в Армении больше никого не осталось?..

Идущий впереди Рубен даже не обернулся на шутку. У нее исчезли последние сомнения: время галантных реакций на шутки кончилось.

Он провел ее через долгий коммунальный коридор, толкнул дверь в самую дальнюю комнату, которая оказалась пуста. Пропустив в комнату и собак, закрыл дверь.

И сразу же... Не то чтобы перестал обращать на нее внимание. Еще как обращал. Для него сразу же перестали иметь значение ее слова, поведение, настроение. Дилер по-хозяйски сел на широченную тахту. Точнее, прилег на бок, опершись на локоть.

Взирал на гостью со снисходительным любопытством. Не как должник. Как тот, кому должна она. Псы остались у двери. Тоже пялились на пришелицу с любопытством. Но в их глазах, в отличие от хозяйских, как будто бы читалось и сочувствие.

Судя по взгляду, хозяин мешкал потому, что решал несущественный вопрос: надо ли гостье еще что-то разъяснять.

Она, конечно, все поняла. Даже самые последние дуры годятся в переводчицы с языка подобных мужских взглядов. Понимание его в женских генах.

Дуры, возможно, пониманием бы и ограничились. Загипнотизированно пошли бы на заклание. Впрочем, тут явно не в уме дело. В воле, что ли? Во врожденной вредности?..

Она хоть и ощутила предательскую слабость в коленях, но начала «вредничать». Когда с тобой говорят, даже и на языке взглядов, ты вправе поддержать разговор.

Она заговорила:

— Ну?..

Не в смысле: «Что ты со мной сделаешь?» — а в смысле: «Где деньги?»

Рубен не озадачился. Решил — не поняла. Но по отношению к ней он готов был демонстрировать терпение. Дольше терпел.

Он хотел ее давно. С момента, когда его глупышка-суженая представила ему подругу.

Сейчас уже не было никакого смысла отказывать желанию. Во-первых, видел он ее скорее всего в последний раз. (Если, конечно, ей не понравится настолько, что сама зачастит. В том, что понравится, он не сомневался. Но... гордая.) И во-вторых: он уже поимел ее. С бабками. Так логично иметь до конца. Опять же... Ей может настолько понравиться, что про бабки забудет. С ними, с гордыми, такое бывает.

— Ну? — повторила она. Непонятливая.

Он терпеливо взялся разъяснять. Терпеливо и молча. Снисходительно глядя на нее, отстегнул пуговицу на своей рубашке. Вкрадчиво. Одну, вторую, третью... Он знал, что она время от времени засматривалась на его выпирающую грудь. Все они засматриваются. Это и понятно. Он и сам, оказываясь у зеркала, у случайной витрины или машины с тонированными стеклами, не упускал возможности полюбоваться собственными формами.

Но что такое?.. Потрясения или хотя бы удивления в ее глазах он не прочел. Ничего, сейчас ей будет чему удивиться. Пальцы его взялись за язычок зипера на ширинке...

Удивлена она была. И потрясена была до предобморочного состояния. Только вот глаза ее... Она и раньше знала (была наслышана от друзей), что глаза ее живут своей собственной жизнью. Что хотят, то и выражают. Не так... Если знают, что нельзя выдать состояние хозяйки, ни в жизнь не выдадут. В тот момент она впервые оценила этот козырь, сданный ей природой. Вернее, оценила позже.

А тогда глаза сделали свое дело: скрыли страх. Она с удивлением обнаружила, что питекантроп, пытающийся загипнотизировать ее, теряет уверенность в себе. Он озадаченно проехался зипером по ширинке: сверху вниз и после паузы... снизу — вверх. Озадаченно сел на тахту, оперся локтями о колени. Как омерзительны были заросли на его «годзилловой» груди.

Смотрел на нее исподлобья. Хмуро, с раздражением. С раздражением — возможно, и не на нее — на себя.

Она прошагала к окну. Чтобы не видеть его. В этом была ошибка. Снимать его с прицела взгляда не стоило. Она поняла это, когда услышала на своей шее его дыхание, омерзительное еще и от духа приправ. Когда ощутила на плечах его цепкие, пытающиеся быть вкрадчивыми пальцы.

Ее подход к окну не был такой уж ошибкой. То, что она увидела из окна...

Она обернулась. Он опять увидел ее глаза, бьющие уже в упор. Ничуть не испуганные, насмешливые.

Но он все же потянулся лапищами к ее развернувшимся плечам. Не успел дотянуться. Звонок в квартиру дал ему по рукам. Он дернулся от неожиданности. До того был удивлен необъяснимостью происходящего.

И тогда она заговорила:

— Козлик ты, козлик... Мозги надо качать, а не мышцы.

Текст был вообще за гранью его понимания. То, что некоторые подозревают его в отсутствии мозгов, он догадывался. Всех «качков» подозревают. (Это и понятно: как иначе оправдаешь собственную очевидную ущербность? Только тем и оправдаешь, что тот, кто красивее, сильнее тебя, — глуп.) Но чтобы подозревали вслух, в лицо...

Она разъяснила дерзость:

— Неужели подумал, что я пришла одна? Посмотри в окно.

Он посмотрел. Все, что увидел: опостылевший пустой дворик. Не совсем пустой. В разных углах его стояли «Волги». Три. Он не всматривался, есть ли кто в машинах. И не попытался вспомнить, наблюдал ли «Волги» из окна прежде. Не до того было.

— Всем подниматься или бабки сам отдашь? — уточнила она.

Он замешкался. И тут раздался стук в дверь.

Подъездный воздыхатель, видать, размял пальцы как следует. Да и типовые двери одесских коммунальных квартир не подразумевают деликатного постукивания.

Стук был громким. Хорошо слышимым в дальней комнате за закрытой дверью.

Псы опять встрепенулись, но не залаяли. Вопросительно глядели на хозяина.

Дверь в комнату приоткрылась, и в проеме ее возникла пара встревоженных заросших физиономий. Тоже вопросительно взирающих.

— У тебя три минуты, — предупредила она.

Дилер и земляки управились со сбором пожертвований раньше.

...Через три минуты она уже вышла из подъезда. С деньгами. Правда, не со всей суммой. Не хватило какой-то мелочи. Милостиво согласилась дополучить ее вечером. («Сам завезу, мать. Слово мужчины!»)

Уличному прилипале растолковывать произошедшее не стала, но он и так почуял подвох. Обиделся:

— Ты хотела меня подставить?

Она промолчала. Не было сил оправдываться. Не осталось их, сил...

Вот такая предыстория. История разминочная. А теперь — основная.

Случилось все в Ужгороде.

После той неприятности с Рубеном прошла пара месяцев. Была осень. Не вполне развившаяся. То ли конец сентября, то ли начало октября.

В Ужгород она полетела на пару с подругой. Подруга Оксана рассчитывала в карпатском молодежном лагере «присмотреть» себе мужа, а сама она отправила себя в деловую командировку. Супружеская чета, с которой она познакомилась летом в Одессе, обещала помочь наладить деловые связи с ужгородской «толчковской» публикой. (В то время приграничный ужгородский «толчок» был куда продвинутее одесского. «Челноки» по два раза в неделю мотались за кордон.)

Несходимость планов обнаружилась уже в аэропорту. Несмотря на предупреждающую телеграмму, чета ее не встретила (созвониться было проблематично. Тогда в ее квартире еще не было телефона. В те времена за деньги не всегда можно было купить время.).

Оксана взялась «раскручивать» ее на лагерь. Решили так: едут вместе по домашнему адресу приятелей. Если и там что-то не сойдется, тогда — в лагерь.

Там не сошлось. Мать супруги с крыльца частного дома сообщила, что телеграмму получила, но что «дети в Венгрии. Будут через два дня». Предложила остановиться у них.

Она, может, и согласилась бы, но на крыльце возник худощавый парень, как тут же выяснилось, брат отсутствующей подруги. Он поразил ее. Одним своим видом. Рост чуть выше среднего, тонкая кость, тонкое, аристократичное лицо. При этом — блондин. На что она прежде не жаловала блондинов, но этот кого угодно заставил бы пересмотреть вкусы. «Истинный ариец, голубая кровь, случайный потомок ветреного герцога».

Для описания впечатления, которое он произвел на нее, вполне сгодятся несколько абзацев из произведений какой-нибудь Колинз или Мелоуз (если я правильно разглядел фамилии на книжном лотке на обложках с завитушками и если они (фамилии) принадлежат женщинам).

Блондин был в черных отутюженных брюках и в черной батистовой рубашке с короткими рукавами. И, пожалуй, самое существенное: он был первый из ужгородских мужчин, взгляд которого не пошел поволокой при виде ее.

Он с крыльца запросто улыбнулся ей. И запросто же повторил предложение, сделанное матерью:

— Вы нас не стесните. Дом большой.

Она тут же решила ехать в лагерь. Она до этого не изменяла мужу. И сейчас не собиралась.

— Смотрите, как вам удобней. Но если надумаете, дайте знать, — не настаивал он. И этим тоже добрал баллов в ее глазах.

Он их ловко набирал. Легко, умело.

О чем свидетельствует его очередная фраза:

— С удовольствием отвезли бы вас в лагерь, но у нас с Васей сейчас, к сожалению, дела. Подбросим только до автовокзала.

Другой бы на его месте на вершину самой высокой карпатской сопки взялся бы на руках нести (куда бы отнес — вопрос следующий).

Насчет Васи она поняла, когда, сопровождаемая блондином Мишей (имена персонажей не изменены), вернулась к ожидающей за воротами Оксане.

Новенькая «девятка» цвета «мокрый асфальт», на которую она обратила внимание, когда они подходили к дому, оказывается, принадлежала блондину.

На Оксану Михаил тоже произвел впечатление. Но праздное. Она сразу уразумела: не по ней рубашка. На подружку глянула лукаво, со значением. Без зависти.

Кстати, о рубашках... В салоне «девятки» над задней левой дверцей висела вешалка с отглаженными мужской сорочкой и брюками. Чем не балл?

Что могло снизить баллы, вернее, кто мог снизить, так это тот самый Вася, ожидающий Мишу в машине. Громадный парень, прототип-эталон появившихся в скором будущем быков-бандитов.

В Васе поражали необъятность спины и невыразительность взгляда. И еще манеры. Василий никак не отреагировал на представленных ему Мишей подруг сестры. Не то что не вышел из машины, даже не кивнул.

— Вася, надо выйти, — со сдержанностью, с какой воспитанные взрослые делают замечание детям, сказал ему Миша.

Вася послушно выбрался из машины. И даже подержал поочередно в своей шершавой пятерне женские пальцы.

Оксана взирала на него насмешливо, но с оценивающим любопытством. Василий являл собой образ грубой мужественности. Почему-то послушной воле аристократа Миши.

Вася не вычел балл. Добавил даже. Тем, что обликом своим, присутствием, послушанием порождал интригующий вопрос: что связывает эти два полюса понятия «изящность», что объединяет их в тесном пространстве «девятки». Впрочем, Миша, перехватив недоумение в ее взгляде, пояснил: они с Василием — двоюродные братья. При этом виновато улыбнулся: дескать, так распределились гены. В распределении нет вины кузена, так же как и нет моей заслуги.

Это ей понравилось.

Но кое-что ее все же с толку сбило. Когда Миша положил руки на руль, она увидела на одном из его тонких, аристократических пальцев татуировку. Наколотый перстень. Герцогскому отпрыску положены перстни настоящие.

В лагере она с недоумением покосилась на Оксану. Представляла ли та, куда едет. Неужто и впрямь рассчитывает присмотреть здесь кого-то для жизни?

При поселении им донесли свежую сплетню: две отдыхающие подруги, приехавшие только вчера, ночью, можно сказать, сбежали. Даже вещи некоторые оставили.

Беглянки эти нашли в ней единомышленницу.

Впрочем, Оксана отлично все представляла. Когда они поселились в одном из многих разбросанных по лесистой местности домиков и сели перекурить, подруга пояснила:

— Все нормально. Жизнь здесь начинается с сумерками. Так везде.

Эпицентром сумеречной жизни оказалась дискотека. Большая заасфальтированная площадка, окруженная длинными скамьями и кустарниками.

Разглядывая типажи, для которых эта площадка была «своей тарелкой», она впала в окончательное недоумение. Какие мужья? Что ни мужик, то провинциальный недоумок. Причем каждый с уже устроенной судьбой. Как минимум, на ближайшую ночь. Хотела уточнить у Оксаны, что все же та имела в виду, когда...

Не уточнила. По блеску в ее глазах поняла: эта тарелка — ее.

Несмотря на то что «в жизнь» они вышли по-скромному, в свитере и джинсах, появление в заводи двух невиданных доселе рыбешек, причем одной явно экзотической, вызвало в рядах нерестующихся очевидное замешательство. Быстро перешедшее в переполох. Кавалеры катастрофически теряли интерес к своим дамам. Незатейливые просто отходили, обозначая таким образом свой изменившийся статус: свободен и одинок. Деликатных же хватало лишь на то, чтобы удержаться при барышнях. На то, чтобы не пялиться во все глаза в одну точку, воли у них уже не оставалось.

На предложение уйти, и «чем раньше, тем лучше», Оксана вскинулась:

— Что ты?!. Все только начинается!..

Приглашающие танцевать шли конвейером. Конечно, в основном к ней. Получив отказ, рикошетом отскакивали к Оксане. Каким же обещало быть продолжение, если «в начале всего» четверо не поделивших в конвейере очередность затеяли заурядную драку в ближайшем кустарнике. Если несколько отверженных провинциальных дурочек, скучковавшись, многозначительно шептались.

— Побьют, — с изумлением произнесла она.

— Могут! — задорно отвечала Оксана, переходя из рук в руки от одного потенциального супруга к другому.

Она ушла одна. Не только потому, что и впрямь могли отлупить. Мерзко было от всей этой пошлости. И за себя, и за подругу, и за людей.

Ночь была нервная, со сном-забытьем. Оксана вернулась за полночь, возбужденная и ужасно таинственная. Запыхавшись, влетела в комнату. Не включая свет, щелкнула замком.

— Кто?.. — со сна испугалась она.

— Т-с-с! Я, — радостным шепотом успокоила Оксана. — Будут ломиться — нас нет!..

— Этого мне не хвата... — не успела договорить она.

В дверь интимно постучали. Сначала интимно. Мужской голос доверительно сообщил — то ли в дверную щель, то ли в замочную скважину:

— Ку-ку. А это я...

А сразу же за этим в дверь ударили то ли кулаком, то ли ногой, и голос, принадлежащий другому суженому (а может, тому же), громыхнул:

— Ксюха, не вы...бывайся, отпирай ворота!..

Судя по многогранности натур, кто-нибудь из пришедших непременно сгодился бы в мужья.

На завтрак в столовую-ангар они явились с опозданием. Разбитые, невыспавшиеся, предстали пред очи присмиревшей публики. Пред очи изучающие, завистливые, раздосадованные.

Несмотря на затишье, было очевидно, что они все еще на осадном положении.

Это их положение продлилось до двух часов дня.

В два часа экскурсионный автобус (а что было делать? Какое-никакое развлечение) привез группу к обшарпанной двери, на которой висело застекленное предупреждение: «Ідальня «Гуцулка».

Автобусные остряки не упустили свой шанс. Обрадовались хором:

— Еб...ня Гу...целка!

И принялись наперебой осведомляться друг у друга. Громко — так, чтобы остроту оценили и осажденные:

— Гу — это что, местное женское имя?..

«Асфальтовую» «девятку» она увидела со ступенек автобуса. Увидев, отчетливо обрадовалась. Впрочем, обрадовалась — не самое точное слово. Радость, конечно, в тот момент тоже имела место. Еще бы... После всей дозы пошлости, которая перепала ей со вчерашнего вечера, знакомый автомобиль воспринялся как сосуд с противоядием.

И все же «радость» — слишком разумное слово для того, чтобы передать ее ощущение на автобусной ступеньке.

Сердце ее екнуло. От неожиданности, и не только от нее.

Вчера на автовокзале Миша уверял, что они с Василием непременно проведают их в лагере. Но она не поверила ему. Во-первых, лагерь — у черта на куличках, в семидесяти километрах от города, да еще по трассе с постоянными горными виражами. Во-вторых, уверения звучали дежурно: «проведаем», «непременно». Она не рассчитывала на его приезд. Или сама перед собой делала вид, что не рассчитывает.

И уж точно не ожидала, что этот аристократ окажется горазд на подобный фортель. Так неожиданно и так вовремя спасет ее.

Герцог не герцог, но замашки он демонстрировал вполне рыцарские.

Увидев ее, рыцарь спешился — вышел из машины. Оруженосец Василий остался в салоне. Уроки хороших манер усваивались им с трудом.

Она, сопровождаемая Оксаной, уверенно направилась к «девятке», уверенно шагнула в любезно распахнутую Мишей ее заднюю дверь.

И уже из салона сквозь стекло увидела вытянувшиеся физиономии остряков и их спутниц. На физиономиях было написано: «Вон оно что-о... Вы особы царственной крови. Так бы сразу и сказали...»

— Есть предложение: пообедать по-людски, — просто сказал Миша. — А потом нам нужна будет ваша помощь. У друга сегодня свадьба. Надо выбрать подарок. Поможете?

Она улыбнулась ему в зеркальце заднего вида.

Обедали они в небольшом пустынном ресторанчике, под галантную иронию Миши и молчание Василия. Под восторженные реплики осмелевшей Оксаны. Подруга явно видела в Василии кавалера и явно полагала, что с ним уместен язык, на котором она изъяснялась давеча с лагерными ухажерами. Язык ехидства и безобидных, на ее взгляд, колкостей.

Василий, судя по его замирающим в процессе пережевывания челюстям, так не полагал. Но помалкивал.

К концу обеда его уже настораживало каждое из произносимых Оксаной слов, включая обращение: «Вася».

В общем, отобедали мило и, благодаря ехидине Оксане, не скучно.

Свадебный подарок выбрали быстро. В местной

престижной комиссионке (тогда комиссионные магазины заменяли супермаркеты) она деловито поинтересовалась:

— Какую сумму ты рассчитываешь потратить?

— От двух до пяти тысяч.

— Лучший друг, — поняла она.

— Хороший знакомый.

Серебряный сервиз, который они купили в подарок хорошему знакомому, стоил пять тысяч девятьсот сорок два рубля.

— Вы не против того, чтобы поздравить молодоженов вместе с нами? — спросил Миша.

Они против не были.

— Тогда мы сейчас отвезем вас в лагерь и заедем за вами к вечеру.

— До лагеря семьдесят километров, — напомнила она.

— Я в курсе.

Держа локоть в открытом окне, Миша под непринужденный разговор преодолел все эти карпатские виражи за сорок минут. Так она еще никогда не ездила. Никогда так не волновалась во время езды. Так, как в первые пятнадцать минут гонки. Через пятнадцать минут напряжение отпустило. То ли освоилась, то ли заразилась уверенностью водителя. И еще... Спокойствие ее было доверием. Доверием, которое она все больше и больше ощущала к Мише.

— Странные они какие-то, — заметила Оксана, пронаблюдав, как «девятка» выехала за ворота лагеря. — Деловые. Или понты гоняют. — И подытожила: — Твой — ничего.

Она усмехнулась:

— Твой тоже.

— Животное, но что-то в этом есть. Тем более что эти все равно больше не сунутся. — Оксана с унылой брезгливостью оглядела лагерный пейзаж. — Вчера подслушала: те, на кого местные положили глаз, для отдыхающих — как прокаженные. Боятся проблем.

Она опять усмехнулась. То, что Вася мог доставить проблемы хахалю-конкуренту, сомнению не подверглось. Но подумать такое о Мише... Тут было что-то другое. Один только Мишин вид мог угомонить лагерных обалдуев. Бессмысленностью конкуренции.

Ненавязчивость Миши не смутила ее. Расшифровка его взглядов в зеркальце не составила ей труда. Тем более что он не особо и зашифровывал их. Миша тянулся к ней. Не суетясь, по-герцогски, по-мужски.

Как бы там ни было, за то время, что они провели, в основном перекуривая у домика, к ним не посмел подойти ни один из отдыхающих. Осада была снята.

Через три с лишним часа они уже мчались на свадьбу. Несмотря на быстро загустевшие до темноты сумерки, Миша повторил дневной результат гонки. До города они добрались за те же сорок минут.

А вот поздравление Мишей хорошо знакомых ему молодоженов заняло от силы минут пять.

«Даже если и понты, то не дешевые», — заметила про себя она.

Он передал сервиз, предложил всем в его присутствии выпить за молодых и сам осушил стакан с апельсиновым соком.

Когда четверка вернулась к машине, она спросила:

— Почему они не обиделись? Ты выпил сок.

— Они знают, что я заключил пари.

И на ее недоуменный взгляд пояснил:

— Поспорил на десять тысяч, что год не возьму в рот спиртного. — После паузы добавил: — Дело, как ты понимаешь, не в деньгах.

Это она понимала. Сервиз выбирала сама.

— Куда мы едем? — спросила она через десять минут очередной ночной гонки по горным виражам.

— Пытаемся вас удивить, — улыбнувшись, просто ответил гонщик.

К тому, что приятно удивлять — его хобби, она уже успела привыкнуть. Довольствовалась ответом.

Я, конечно же, несколько затянул подводку, безобидную часть развития событий. Но, во-первых, мне ее тоже излагали в таком виде, а во-вторых, ведь оно чаще всего и так бывает в жизни: все неспешно, безобидно, с предчувствием полноценного счастья. А потом — раз, и ты в полноценном... Понятно в чем. И в нем же полном...

Даже если бы не предупредил в начале рассказа, о чем пойдет речь, более или менее продвинутый читатель все равно бы уже держал ухо востро. Предвидел бы, что добром эти шашни персонажей не кончатся. Повышенная романтичность и галантность гонщиков на «девятках» (особенно если у них на пальцах татуированные перстни) просто обязана выходить боком тем, на кого она направлена.

И в этой истории выйдет. Вот-вот полезет...

До того как они прибыли на место, некоторые дорожные впечатления уже дали пассажиркам повод для удивления. Причем удивления, явно не запланированного чудотворцем Мишаней.

Машин на трассе почти не было. Но каждая из встречных, прежде чем пронестись мимо, давала странный и одинаковый сигнал фарами. Две вспышки и после паузы еще одну. Мишина-«девятка» отвечала тем же.

Однажды перемигивания не совпали. Оба водителя — и Миша, и тот, что был во встречной машине, — слаженно дали по тормозам. И все же машины, чуть пройдя юзом, разминулись. Метров на двадцать.

Миша с Васей, не обмолвившись ни словом, стремительно распахнули двери и направились к застывшему сзади темному силуэту легковушки. Из другой машины никто не вышел, хотя еще до торможения в свете фар «девятки» были видны два ездока в ней.

Впрочем, в тот момент обе пассажирки были не столько удивлены, сколько напуганы. Во все глаза всматривались в темноту. Все, что разглядели, — это Василия, точнее, его белеющую футболку перед капотом встречной машины. Мишу в его черном одеянии видно быть и не могло. Тем более что свои арийские кудри он сунул в окно водителя. Издалека был слышен его голос. Без слов, только интонация, не громкая, но жесткая, властная.

Все обошлось. Проявившая смирение машина, отпущенная с богом, зашуршала в темноте.

Когда мужчины вернулись в салон, она поискала взглядом в зеркальце разъяснений. И нашла:

— Распустились, — беспечно и вроде как виновато заметил Миша. Таким извиняющимся тоном герцог пояснил бы даме сердца, почему он в ее присутствии не смог сдержаться, сделал выволочку вассалам.

Следующий эпизод удивил и напугал ее куда больше.

Очередная встречная машина, угадавшая то ли с паролем, то ли с отзывом, дала еще и призывный звуковой сигнал. Миша понял призыв. Затормозил. Когда машины поравнялись, встречный водила что-то коротко и нервно сообщил Мише. И, нервно взвизгнув резиной, умчался дальше.

Она видела, как в мгновение подобрался Миша. Как сузились его глаза, шевельнулись желваки. И почувствовала, как добавила стремительности их «девятка».

Они продолжили путь. До ближайшего грунтового съезда в лес.

. Съехали. За деревьями пережидали минут пять. С погашенными фарами и молча. До тех пор, пока по шоссе не промчалась колонна из четырех легковушек.

Выждав еще минуту, «девятка» вкрадчиво выбралась на асфальт. Только теперь Миша привычно улыбнулся ей. И повторил:

— Распустились...

И она, оправдывая его в своих глазах, подумала: «Каждый герцог тоже является чьим-то вассалом».

«Девятка» продолжила поездку за впечатлениями.

Впрочем, дальше неожиданности пошли приятной полосой.

Ресторан, в который они приехали, был похож на миниатюрный сказочный терем. Не только снаружи. И внутри все выглядело сказочно. Разноцветно, ярко и вместе с тем интимно. Посетителей было не то чтобы мало, но они так вписывались в интерьер, что не мешали друг другу и почти не замечались.

Но главное, что удивило: зачем кому-то понадобилось строить это чудо общепита и отдыха в такой глуши? В чаще карпатских лесов. В бог знает скольких километрах от ближайшего крупного населенного пункта Ужгорода.

Все было сказочно: странный мерцающий полумрак, коктейли со странным вкусом, странная, не мешающая разговору музыка, взгляд странного мужчины Миши, сидящего напротив.

Даже Васю, кажется, перестали задевать колкости Оксаны. Поэтому, когда Оксана всерьез предложила выпить за мечту и поинтересовалась, есть ли она у Василия, тот (все же настороженно покосившись) откровенно сказал:

— Черный пояс по карате.

И даже добавил, почему-то насупившись:

— Только настоящий.

— А у тебя? — спросила подруга у Миши.

— Мир во всем мире, — усмехнулся тот.

— Нет, ну в самом деле, — раскапризничалась Оксана. — А у тебя? — Она обернулась к подруге.

Та зачем-то сказала правду:

— Бирюзовый «Ягуар» «JX-220». — И посчитала нужным уточнить: — 440 000 фунтов стерлингов.

И вдруг... «JX-220» возник перед ней. На открытке, которую Миша, усмехнувшись, достал из барсетки и положил перед ней на стол. Положил и с оттенком ироничной укоризны произнес:

— Нетушки. Эта мечта — моя...

Она даже не запомнила, призналась ли и Оксана в том, какая главная мечта у нее. Впрочем, она и так была в курсе о главной мечте подруги.

...И только через час, уже возвращаясь в город (под все те же перемигивания фар), она узнала от Миши, что только что побывала в Венгрии. Впервые в жизни побывала за границей...

Все, о приятных впечатлениях больше ни слова. Не потому, что всерьез опасаюсь наскучить читателю сантиментами, а потому, что на этом они исчерпались. Как будто кто-то свыше, когда ваял сценарий этой истории, спохватился:

— Тю... Эвон куда меня занесло. Хватит толочь воду в ступе...

Спохватился и вложил эту мысль в мозолистый череп Василия.

Душевно ранимый Вася по-прежнему был мишенью для колкостей Оксаны. После очередной подколки своей крали он, возможно, так и подумал: «Все, хватит толочь».

Слова из него вышли более конкретные. По сравнению с репликами, которые Василий произносил до сих пор (преимущественно «гонишь» и «в натуре»), это был драматургически продвинутый монолог:

— Слышь, коза, за каждое слово я буду отрезать тебе по пальцу. Отрезать и выбрасывать в окно.

Монолог спровоцировал длительную тишину в салоне. Оксана, пораженная актерскими способностями хахаля, не нашлась с ответом.

Через минуту всеобщего молчания «девятка» неожиданно вильнула. Сошла с трассы, углубилась в лес. Минут через пять тряски по грунтовке выскочила на небольшую поляну и остановилась. Прежде чем погаснуть, фары высветили на поляне двухэтажную деревянную избушку.

— Что это? — сглотнув, спросила Оксана.

— Хрущевская дача, — ответила она подруге за Мишу. Изо всех сил беспечно.

Кажется, Миша усмехнулся в темноте. Вслух произнес:

— Мальчики — направо, девочки — налево. — И выбрался из машины. Василий покорно убыл за ним в темноту.

Девочки не выполнили инструкцию. Оксана осталась в машине, а она, выждав с полминуты, последовала за «мальчиками».

Она и сейчас помнит, что там, в ночном лесу, идя по следу «мальчиков», умудрилась отвлечься, поразиться мягкой и густой траве под ногами. Помнит, что подумала с недоумением: «Осень же...»

Густой ворс травы скрыл ее шаги. Но даже если бы она наступила на ветку, хруст вряд ли привлек бы внимание тех, за кем она шла. Вряд ли перекрыл бы громогласность монолога. На этот раз Мишиного.

— Сколько можно тебя, долбо...ба, вытаскивать, — с чувством декламировал ее ухажер. — У себя в Каховке насрал. И тут за свое. А я должен за

тобой, ху...нная рожа, подтирать? Я сутки мудоха-
юсь с телками, а он... Если еще хоть раз разинешь
пасть, посажу на цепь. — Миша вдруг осекся. После
паузы с недоумением продолжил: — На хер ты мне
нужен? Может, отправить тебя на родину?

— Не-е, — проблеял Василий.

— Ладно, ссы, — еще после паузы сменил гнев
на милость герцог.

Она попятилась к машине.

Все, что подумала в тот момент, это: «Я и не собиралась быть с ним. И вообще я еще не изменяла
мужу. И не собиралась».

Она ждала Мишу у машины. После того как Василий втиснулся в салон, отошла на несколько шагов. Миша понятливо последовал за ней.

— Я перепутала, где право, где лево, — сказала
она.

Он молчал. Ждал, к чему это она.

Она пояснила:

— Я все слышала. Что ты уже сутки делаешь с
телками?

Он молчал недолго. Удивился искренне:

— А как мне с ним разговаривать? Это животное
только такой язык и понимает. Цацкаюсь, потому
что жалко его, дурака. Он ведь сирота. В детдоме
воспитывался. — И тут же принял вполне благора-
зумное решение: — Дачи на сегодня отменяются.
Сейчас отвезем вас в лагерь, а завтра я за тобой
заеду. И обещаю, что больше ты его не увидишь.

Так все и было. Они вернулись в лагерь, и «девятка» тут же уехала.

Ночь прошла благополучно. И это была ее последняя благополучная ночь в городе Ужгороде. В городе, название которого до сих пор связывается в ее памяти со словом «ужас».

Впрочем, Васю она и впрямь больше не видела.

Хочется на пару-тройку абзацев отвлечься. Поразмыслить на скорую руку о природе осторожности.

Что есть предвидение опасности в жизни? А черт его знает, что оно есть. Психологи с замашками мистиков утверждают, что способность предчувствовать собственные беды заложена в каждом из нас. В ком больше, в ком меньше. Что она, способность, как добросовестный зануда-вахтер, несет в каждом из смертных пожизненную круглосуточную вахту.

Спорить не посмею. Люди, поди, перелопатили опыт миллионов. Выскребали истину, как мед, из кишащего опасностями улья истории. И все для того, чтобы мне и другим невежам подать ее на подносе. Отказаться от подношения со стороны нам, невежам, было бы неприлично. Но хочется, так сказать, в порядке ответного гостеприимства угостить собирателей тем, что я натаскал за постыдно короткий сорокалетний период в свою крохотную соту.

Предвидение опасности, конечно же, и во мне, и во многих из моего близкого окружения имеет место. Правда, почему-то имеет место при созерцании со стороны. И при созерцании неприятностей чужих. Этот дар предвидения особо отчетлив при чтении книг, при просмотре фильмов, да и просто при прослушивании чужих историй.

Скажем, показывают в фильме человека, идущего по болоту, и мы уже нервничаем. И изумляемся:

как это он, дуралей, не догадывается, что, того и гляди, квакнется в трясину.

Или другой пример. Подходит в фильме или в книге беспечно-улыбчивый американец к своему темном коттеджику, а мы уже наверняка знаем (даже если фильм или книга только-только начались), что в коттеджике его заждались. Или маньяк, или уже готовый труп.

И что характерно, почти никогда не ошибаемся.

Ведь и сейчас читатель наверняка недоумевает: это ж какой надо быть незрячей, чтобы не предвидеть собственные неприятности. При всех ужс заданных предпосылках: перстнях, миганиях фар, репликах Василия, монологе Миши.

Может быть, недоумение и справедливое. Опять же... Этот вахтер, которому положено пожизненно бдить... Он не на зарплате, а значит, требовать с него, общественника, чего-либо просто бестактно.

На чужих нерадивых вахтеров пенять проще всего.

Но вот о чем хочется у читателя полюбопытствовать: приходилось ли ему собственноножно шагать по болоту? По настоящему, по такому, какие показывают в кино? Мне приходилось. И что удивительно — идти не было страшно. И что самое удивительное: дошел.

...Ночь и следующие полдня прошли благополучно. С утра Оксана убыла на экскурсию.

Она осталась в лагере. Ждала Мишу? Может быть. Внятного отчета себе в этом не давала.

Он приехал к обеду. Запыхавшись, вроде как проскакав уйму миль, спросил:

— Успел? — И объявил: — Обедаем в городе.

— Переоденусь, — ответила она.

Через десять минут они уже мчались по серпантину. Сидя рядом с Мишей, она ничегошеньки не предчувствовала. Она всего лишь вспоминала опешившую физиономию кавалера. В тот момент, когда она вышла, переодевшись. Ее любимое тигровое платье произвело на него положенный эффект. Нокаутирующий.

Они встречали вечер за столиком у огромного прозрачного окна ужгородского ресторанчика. Привезя ее сюда, Миша явно пытался доказать, что отечественные ресторации иногда ничуть не уступают пресловутым закордонным. И почти доказал. Во всяком случае, в смысле уюта и сервиса все было на уровне. Но в наших ресторанах слишком велик шанс, ожидая одного, дождаться чего-то другого.

Впрочем, вечера-то они дождались, но сразу же вслед за ним у столика обнаружился очередной Мишин знакомый. Отвесив даме галантный, оценивающий взгляд, он извинился за то, что ненадолго оставит ее без кавалера.

В ставшем зеркальным стекле окна она наблюдала, как за ее спиной у стойки бара незнакомец что-то темпераментно втолковывал Мише. Миша никак не реагировал, но вернулся к ней с испорченным настроением.

— Надо идти? — поняла она.

Он кивнул.

— Отвезешь меня?

Кивок. Опять безрадостный.

Решение Миша изменил уже в машине:

— Заедем в одно место...

Тогда она была уверена, что он знает, что делает. И сейчас не сомневается в том, что он знал, что делал...

Это не детективная история с мудреным, но внятным сюжетом. Это рассказ о неприятностях одной отдельно взятой героини. Что там происходило со всеми прочими персонажами и чем они руководствовались в своем поведении, ей неизвестно, а мне, как автору, придумывать сейчас не хочется. Не о том ведь речь. Не о сюжетной внятности случившегося и убедительной мотивировке поведения персонажей-гадов. Конечно, не помешало бы и читателям, и мне быть в курсе: чего вдруг они так? Но раз уж они, гады, в курс не ввели, то что поделаешь. Останемся каждый при своем. Они — при своих мотивах, мы — при своих догадках.

У нее, кстати, догадка тоже имеется. Толкующая, почему Миша изменил решение — взял ее с собой «в одно место». Причем, несмотря на право на необъективность, догадка взвешенная, подчеркивающая лишний раз неженственность ее ума:

— Вряд ли он хотел мной откупиться. Разве что слегка прикрыться. Знаешь, у жуликов есть такое понятие: «отвод»?..

«Одним местом» оказался большущий двухэтажный кабак.

Сценарную заявку своих ближайших неприятностей она бегло прочитала в глазах двух швейцаров и пары бритоголовых юношей внизу, в холле. Взгляды всех четверых при виде ее стали недоуменными. Правда, ненадолго. У стриженых взгляды почти тут же видоизменились в предвкушающие. У швейцаров — в сочувствующие. Она вспомнила рубеновских овчарок. И подумала: «Фигушки. Я — с Мишей». И еще: «С такими я бы и сама управилась. Шавки...»

Но в «том месте» не все были такими.

Зал на втором этаже был условно поделен на два сектора, равные по площади, но отличающиеся количеством стриженого поголовья на единицу этой самой площади.

Слева, за выставленными в ряд четырьмя общепитовскими столами, пировали десяток мужчин. Если бы среди них затесался хотя бы один с интеллигентным лицом, то можно было бы предположить, что этот один — помощник режиссера по подбору актеров. И что как раз в разгаре выбор претендента на роль зэковского авторитета. Но ни один из левосторонних не мог быть заподозрен в интеллигентности, а также в том, что он является чьим бы там ни было помощником. Каждый из десятка тянул только на главного.

Справа, за составленной из столов многометровой буквой «П», восседало душ сорок соискателей ролей прочей зэковской братии.

И все эти полсотни стриженых претендентов, как подсолнухи на солнце, обернулись посмотреть на нее, вошедшую. И даже притихли на те несколько секунд, которые она шла за Мишей к правому столу. Такое впечатление, что она оказалась тем режиссером, которого все и заждались.

Впрочем, вряд ли главных режиссеров, спохватившись, приветствуют свистом изумления.

Но и в этот момент, слыша предвкушающий свист стаи, она еще была уверена, что «ее» Миша знает, что делает.

Дальнейшее она вспоминала с трудом. Словно вынимала наугад из пачки старых фотографий по снимку. Вынимала, пыталась комментировать изображение и впадала в состояние, близкое к трансу.

Она помнит, что Мишу почти то ли сразу увели, то ли он сам с кем-то вышел. Помнит неморгающие взгляды всех десяти самцов-вожаков, помнит каждый взгляд по отдельности с очень близкого расстояния. Это когда она танцевала с каждым из них.

Статисты справа тоже пялились на нее, но этих она не замечала. Смутно ощущала, что их можно пока не опасаться. Что им она достанется в последнюю очередь.

Впрочем, и тех, кто был с ней за столом, она не опасалась. Чего было опасаться, когда все уже произошло. Беда уже вот она, уже имеет место. А составляющие ее — боль, унижение, насилие... Последовательность их уже несущественна.

Она только монотонно, как строчку песни с заезженной пластинки, как сигнал «SOS» в эфир, произносила про себя одну простенькую короткую мысль: «Вот и все...»

Отдельные эпизоды того застолья она помнит с трудом. В отличие от меня ей они не кажутся важными. Не частности осели в ее памяти, а то напряжение животного поля, поля насилия и унижения, которое возрастало вокруг нее. Напряжение это она ощущала физически. Она видела его. И видела, что оно растет, надвигается, нависает над ней, как гигантская волна.

Много позже она посмотрела американский фантастический фильм о возможном конце цивилизации. Полученная, по-видимому, на компьютерах киношная волна напомнила ей ту, почувствованную десять лет назад. Напомнила не внешней похожестью...

Та животная волна звериного поля тоже нависала, готова была обрушиться на нее и тоже почему-то не обрушивалась.

Миши рядом не было... Пятьдесят излучающих волну мужиков прошли сквозь фильтр естественного отбора, оставив на фильтре способность сомневаться. Шансов уцелеть, выйти более-менее полюдски из сложившейся ситуации у нее не было. Но она почему-то все еще была цела.

И тогда ее осенило: глаза!.. Ее глаза! Они делают свое дело. Выручают.

Как они, глаза, это делают, она только догадывалась. Во-первых, по-видимому, не выражают страх. И не по-видимому, а точно. Отсюда и обескураженность, время от времени мелькающая на окружающих рожах.

Во-вторых, они, глаза, не выражают излишнюю независимость. Вызов в облике тоже не остался бы непринятым. Публика-то не та, которая из деликатности его бы не заметила.

Что там еще могли излучать ее самодостаточные глаза... Может быть, неискушенность и доверчивость. Дескать, вот она я, красивая женщина, которую так запросто может обидеть любой мужчина. Если, конечно, он — не столько мужчина, сколько животное.

А может, глаза ее излучили нечто универсальное, в чем каждый из присутствующих выродков признал родное, материнское, сестринское, дочернее.

Независимый жулик-наблюдатель, вероятно, прокомментировал бы происходящее цинично, но профессионально: она «разводила» взглядом.

Но независимых в том скопище не было, а своих, кто мог бы потом поделиться восприятием от увиденного, там и быть не могло. За исключением одного.

Миша вернулся чуть позже, когда она уже почти осмысленно, доверившись глазам, держала волну под контролем. На гребне, на пике, но держала.

Это у нее пока получалось. Вопрос: как долго продлится это «пока»? До первой собственной неосторожности? А главное: волна-то держится, но откатываться не собирается.

Увидев Мишу, она перевела дух. Она еще надеялась, что он придумаст, как выбраться. И главное, надеялась, что он — свой.

Надежда лопнула, когда очередному пригласившему ее она рискнула отказать:

— Вернулся мой кавалер. Этот танец — его. — Она улыбнулась Мише, усаженному после возвращения по другую сторону стола.

Пригласивший не заметил улыбки. А главное — он в упор не замечал Мишу.

— Миша сегодня не танцует, — жестко пояснил он. И жестко взял ее за локоть.

Как за соломинку, она попыталась ухватиться за Мишин взгляд и не смогла. Глаза герцогского отпрыска были опущены в салат.

И, поняв, что надежды больше нет, она в очередной раз пошла танцевать.

Какое-то количество последующих кадров-эпизодов она так и не смогла вспомнить. Среди пропущенных снимков и тот, на котором объяснение, почему вдруг Миша набухал себе в стакан коньяку и не оторвался от него, пока стакан не стал насквозь прозрачным.

Он не выпил еще и половины, когда по кабаку пронесся шорох-возглас:

— Закатал!.. Десятку закатал.

Она вспомнила: Миша поспорил на десять тысяч, что до конца года не выпьет ни капли спиртного.

Что подтолкнуло ее поступить именно так, она и сама не знает. Это уже не глаза спасали, что-то другое.

Отшвырнув стул, она выбралась из-за стола. Обежала его. Метнулась к Мише.

— Тебе же будет плохо!..

Странно, но к метанию окружающие отнеслись с пониманием. Не то чтобы деликатно отвели глаза, но и протеста порыв ни у кого не вызвал.

Может, на это она и рассчитывала...

И на то еще, похоже, рассчитывала, что Миша подыграет ей. Он подыграл. Тяжело икнул, закатил глаза, уронил подбородок на грудь.

Вокруг зашипело:

— Скопытится...

— Что ты хочешь, почти год не пил...

— Десятку не за хер...

Она даже поверила. Но, обернувшись к столу, несколько заполошно поинтересовалась:

— Где здесь туалет?

И к этому отнеслись с пониманием:

— В вестибюле. Найдешь.

Ее хватило только до лестницы. До нее она довела кавалера так, словно выносила раненого с поля боя. Дальше разве что не дала пинка.

— Давай! К машине!

И толкнула Мишаню вперед. Ему еще предстояло машину завести. Она и это учитывала.

Метров сто «девятке» пришлось проехать задом. Потому что спереди к ней бежали. Причем бежали с пистолетами. Отъехав таким образом метров на сто, Миша с визгом, по-гонщицки, развернул машину. И дал по газам.

Дальнейшее опять вспоминалось, как из киноленты, в которой вырезали некоторые кадры.

За ними гнались.

Она понимала, что Миша рвется из города. На серпантине он смог бы вполне проявить свои замашки гонщика. Пока что преследователи висели у них на хвосте. До тех пор, пока «девятка», не вписавшись в очередной вираж, врезалась в дерево на обочине.

Преследователи мизансцену разрушать не стали. Разборки устроили прямо у дерева с вмятой в него «девяткой».

Впрочем, вели себя вполне уравновешенно. Ее пока не трогали. Разбирались с Мишей.

Потом один из преследователей сунулся в салон, почти улегся ей на колени, распахнул «бардачок». Стал рыться в нем. Роясь, извлек наручники металлического цвета. Но искал явно не их, потому что продолжил поиски. Но все же предложил:

— Может, примеришь?

— Не мой фасон, — ответила она. — Под тигровую расцветку белый металл не пойдет.

Искатель на мгновение озадачился, прекратил шарить в бардачке. Потом заметил:

— Для такой крали, как ты, мы золотые скуем.

Она поостереглась продолжать беседу, и покладистый кутюрье через десяток секунд, удовлетворенный, уполз наконец с ее коленей. Он нашел то, что искал: портативную рацию.

Потом Миша говорил с кем-то по этой рации. Потом все чего-то ждали. Минут через двадцать к месту аварии подкатила еще одна «девятка», близняшка Мишиной.

Все присутствующие, за исключением Миши, тут же принялись перекладывать содержимое ее багажника в багажник «жигуленка»-преследователя.

Миша, опершись тощим задом о раскуроченный капот «девятки», курил. Замерший, ссутулившийся его силуэт, частые, клубящиеся затяжки смотрелись угрожающе, даже зловеще.

Она обернулась, всмотрелась. Что это они перегружают, из-за чего весь сыр-бор? Ведь, как оказалось, не только из-за нее, и даже, похоже, вообще не из-за нее.

Груз был завернут в тряпье, и она так бы ничего не разглядела и тем более не догадалась бы по очертаниям тряпья, если бы один из переносимых предметов не упал вдруг в траву.

— Раззява! — огорчился один из перекладывающих. И поднял с травы автомат.

И она мне в этом месте рассказа напомнила, и я рискну напомнить читателю: это был 90-й год. Когда рация в частных руках смотрелась шпионской аппаратурой, а пистолет за пазухой у бандита имелся в виду только в кино. Да и то вызывал у зрителей недоверие, смешанное с сочувствием: дескать, как же он не боится пистолет этот носить. Увидит кто — непременно посадят.

Оружия было много, полный багажник.

Наконец перегрузку завершили, и один из грузивших, кажется, тот самый, что обещал не испортить наручниками стиль, удовлетворенно хлопнул изваяние-Мишу по плечу:

— Вот теперь — путем. Забирай свою кралю.

Миша не шелохнулся. И услышал предложение:

— А то ночуй с нами в замке. Утром дадим машину. На недельку, пока свою дурочку не доведешь до ума.

К ее изумлению, Миша оторвал зад от капота, подошел к дверце пассажира, после нескольких попыток распахнул ее, покореженную. И, как и положено герцогу, подал руку.

Он принял предложение не покидать милейшее общество. И брал ее с собой.

Ей ничего не оставалось, как опереться о его татуированные пальцы.

Когда они устроились на заднем сиденье в «копейке», водитель, великодушно предложивший ночлег в замке, заметил:

— Но чтобы все было путем. В полпервого присылаешь кралю ко мне. Восемь рыл, по полчаса на каждого — в аккурат до утра. Поспать еще надо.

Замечено это было без малейшей иронии в голосе.

Во дворе гостиницы-замка две «копейки» и «девятка», из которой перегрузили оружие, припарковались. После того как «рыла» скрылись за дверью, распорядитель, замыкающий шествие, напомнил:

— В полпервого. Если что — разбудишь. — Последнее, возможно, было обращено к ней.

Распорядитель, похоже, и мысли не допускал,

что кого-то порядок вещей, продуманный им, может не устроить. Не видел он в этом порядке ничего предосудительного. Потому и скрылся как ни в чем не бывало вслед за остальными, оставив приглашенных во дворе.

А чего, в самом деле, беспокоиться. Машина с оружием — на приколе. Ключи в кармане. Швейцару-привратнику уплачено, чтобы всю ночь бдил.

Она ждала, что будет дальше. Первой мыслью после того, как они остались во дворе без присмотра, было рвануть через гостиничную калитку. Зарыться в лес, затеряться в зарослях начинающейся сопки, плюя на то, что уже октябрь, ночь, а она в легком платье и тонких колготках. Бежать в октябрь, в ночь, в лес и знать, что весь этот кошмар, сдерживаемая волна, позади, в прошлом. Она уже готова была начать побег, когда Миша сказал:

— Мне нужен отвод.

— А?.. — не поняла она.

— Сделай вид, что у тебя сломался каблук. На случай, если кто глянет из окна. Вот здесь у машины. Сними туфлю, дай-ка. — И он, запросто своротив каблук на ее первый раз обутой туфле, и пристроил туфлю на капоте.

Она не посмела возмутиться сим действием. И тем, что достоверность все равно не будет заметна из окна. Ей почудилось, что кавалер вновь обрел уверенность, что он вновь знает, что делает.

Кавалер знал. Неизвестно, была ли «копейка» на сигнализации. Если и была, то для Миши это не оказалось проблемой. На то, чтобы открыть дверцу, у него ушло не больше минуты. Еще минута — на то, чтобы завести двигатель.

На шум его, заведенного, из-за двери выглянул швейцар. Несколько секунд настороженно вглядывался в происходящее во дворе. Успокоился. В машине были те, кто на ней приехали.

Миша махнул ему: подойди.

Привратник поспешил на зов.

— Через полчаса вернусь, — сообщил служивому Мишаня. — Отвезу подругу.

Швейцар засеменил к воротам. Отворять.

«Копейка» вкрадчиво выехала за ворота, осторожно скатилась на шоссе и только потом рванула во всю свою «копеечную» мощь.

Беда осталась за гостиничным забором. Так ей тогда казалось.

«Все обошлось, все обошлось...» — опять же фразой с поцарапанной пластинки вертелось в ее охмелевшей голове. Чем дальше они отъезжали от замка, тем вертелось реже. Она успокаивалась. Потом и хмель прошел. Это когда Миша, несколько раз сменив шоссе на грунтовку и наоборот, остановил «копейку» на окраине лесной поляны. Чтобы в очередной раз убедиться, что погони нет.

Ее не было. И он как ни в чем не бывало произнес:

— Ну и ладушки. — Словно никак не мог выбрать место для пикника и наконец нарвался на подходящее.

И, удовлетворенный, продолжил, посоветовал, что ли:

— Только я тебя прошу, не вые...ывайся. День был тяжелый, сама видела, так что давай скоренько... Чтобы я не нервничал...

Вот тут-то она и протрезвела. Во все свои трезвые глаза уставилась на него.

— Что? — не понял он ее взгляда.

Нет, она еще не запаниковала. Она всего лишь всматривалась: тот ли рядом с ней мужчина, взаимопонимание с которым еще вчера доходило до единой на двоих мечты.

Он очень походил на того. Но это был другой. Татуировки на пальцах у этого, в отличие от того, были главной деталью, а не недоразумением.

Она продолжала всматриваться. Осмысленно сняла с предохранителя свое коронное оружие: взгляд. Но странно... Оружие дало осечку. Глаза ее, так здорово умеющие выручать, на этот раз в чем-то ошиблись. Мишанина реакция на ее взгляд оказалась не той, что ожидалась.

Он окаменел лишь на мгновение. Потом — то ли в усмешке, то ли в оскале — шевельнулось его ничуть не аристократическое лицо. И он зло посоветовал:

— Не грузи. Не люблю этого...

Она вдруг поняла, что он не любит этого настолько, что запросто сможет убить. Что он вообще запросто может убить, если что-то не так, как он любит.

И еще она поняла, что ему есть за что ее не любить. За неприятности ли его бандитские или всего лишь за то, что она три дня морочила ему голову. Или даже за то, что подруга ее обидела неосторожным словом его ранимого брата Васю. Который мало того, что брат, так еще и сирота.

И то еще она поняла, что «любит — не любит»

тут вовсе ни при чем. Вздумается ему — и убьет. Просто так. Потому, что может. Потому, что для него это не проблема. Как открыть дверцу «копейки».

И главное, что она поняла, почувствовала: ему уже вздумалось.

Этот его все уже решивший взгляд не имел другого толкования.

— Я только хотела сказать...

Он смотрел на нее в упор, насмешливо, как на жертву, чье трепыхание забавляет. Она осеклась.

Он поторопил:

— Говори. Только быстренько.

Она молчала. Все рассчитывала, что взгляд сработает. Больше рассчитывать было не на что. Взгляд не работал.

— Подсказать? — предложил он. И вновь оскалился: — Значит, так... Во-первых, у тебя месячные, во-вторых, у тебя, как минимум, триппер, а скорее всего — СПИД, и, в-третьих, после всего, что было между нами, ты не ожидала... Так? Это все или есть еще что-то?

— Есть. Мечта.

Он на пару секунд замер. Осмысливал услышанное. И откинулся в кресле. То ли хохотал, то ли делал вид, что хохочет. Мотнул восхищенно головой:

— Уссышься с тобой.

И, вроде как утирая слезы смеха, пояснил наивной дурочке:

— Кто ж о «Ягуаре» не мечтает.

Она затихла. Смотрела сквозь лобовое стекло на блестящие в лунном свете кроны деревьев. Такое впечатление, что любовалась блеском. У него, во всяком случае, такое впечатление возникло. Он машинально вгляделся в пейзаж. Спохватился. Уточнил:

— Все?

Она выдержала паузу. Небольшую такую, чтобы не дать ему потерять терпение:

— Не все.

— Что еще?

Она молчала.

— Давай. Пока слушаю. — Ему и впрямь доставляли удовольствие ее трепыхания.

— Зачем? — удивительно спокойно не столько для него, сколько для себя спросила она. — Не тяни, делай свое дело. Только быстренько.

Не знаю, сильно сомневаюсь, что поведение героини в той ситуации можно рекомендовать как совет попавшим в ситуацию похожую. Эта новелла вообще никудышная в смысле рекомендаций. Не посоветуешь же женщинам: «Работайте над взглядом», или: «Не доверяйте тем, чьи мечты совпадают с вашими», или: «Если вас пытаются скопом изнасиловать, трижды подумайте, прежде чем бежать за тем, кто пытается вас спасти».

Выходит, что всего лишь опять занудствую на тему «Будьте осторожны».

Бред, конечно, наивность. Но вот окинул взглядом уже описанную часть истории и то, что произойдет дальше... окинул — и вынужден признать: мораль-то и впрямь незатейливая — вляпаться может каждый, но и у каждого всегда есть шанс выбраться. Если сумеет не паниковать.

Она, конечно, запаниковала. Но втихаря. Вслух же обреченно, не обреченно — с оттенком лирической грусти произнесла:

— Мне и вправду есть что сказать тебе. Но уже не хочу. Делай как знаешь... Дай только немного посидеть вот так...

И она, склонившись, положила голову ему на плечо. То ли на плечо, то ли на грудь. И продолжала смотреть на блеск ночной листвы.

Он замер. Потом ошалело заглянул ей в лицо. И тоже стал смотреть на листья.

Бог знает, сколько они сидели так. Молча, неподвижно. Может, минуту, может, час.

Конечно же, он спохватился первым. Встрепенулся, отстранился от нее. Прошипел:

— С-сука... Все испортила...

И завел машину.

Когда они в очередной раз съехали с серпантина, она поняла: он везет ее на ту самую хрущевскую дачу, возле которой разговаривал с братом Васей на их родном языке.

К этому моменту с востока плеснули на небо ведро разбавленного молока. На обеленном фоне заострились силуэты сопок, ветвей.

Она без труда разглядела избушку-дачу, гору, к подножию которой избушка прижалась, речку-ручей, который два дня назад только слышала. И главное, постаралась запомнить все ответвления дороги, по которой они ехали.

Она решила бежать. При первой же возможности. Как только удастся в очередной раз расслабить своего сентиментального, как и положено маньяку, похитителя.

Только еще один разочек, еще один коротенький разговорчик по душам. Она постарается. Устроит этому выродку соплепускание. И пока он будет утираться, даст деру.

Но разочка не выпало.

Мишаня явно исчерпал лимит лирики, выделенный ему кем-то свер... снизу на маньячные нужды. И то сказать: три дня черпал, никаких лимитов не напасешься.

Он был деловит и не расположен к диалогам.

Молоко, которое плеснули в небо, на поверку оказалось туманом. Вполне зябким.

— Самовар здесь есть? — спросила она, поеживаясь. Направляясь к избушке. Она шла впереди, Мишаня — за ней. Вроде как конвоировал.

Он не ответил. Лирика таки вышла вся. До последней пушинки.

В избушке он сдернул с пола рогожку, распахнул оказавшийся под ней люк-дверцу. Распорядился:

— Лезь, там согреешься.

Ее глаза-выручалки растерянно полыхнули страхом.

— Не бзди, — снизошел до успокоения недавний герцог. — Посидишь маленько. Пацаны сейчас подъедут, оно тебе надо? Я тебя для себя берегу. Давай, там теплее.

Она вспомнила «пацанов». И шагнула к люку...

Там, на шоссе, вырвавшись с гостиничного двора, удаляясь от него, она думала, что самое страшное позади... Там казалось, что ничего страшнее волны, нависшей над тобой, готовой тебя снести, быть не может. Глупышка. Все мы глупцы, когда сетуем на свои беды, пусть даже самые-самые. Потому, что самых-самых бед не бывает. На всякую беду всегда сыщется другая, покруче. И единственное, на что приходится уповать, — это на то, что «другая», более крутая, окажется не нашей.

Как раз с этим ей не повезло...

Тому, что пространство неотделимо от времени, нас научили еще в школе. Правда, научили на уровне формул.

Жизнь раскрасила сухие физические формулировки своими, более убедительными примерами.

Скажем, полтора часа в кинозале, за просмотром фильма «Виниту — вождь апачей», пролетали значительно быстрее, чем сорок пять минут урока геометрии.

Десять уличных минут, на которые опаздывала любимая, тянулись вечностью, в отличие от двухчасового мгновения, которое ты целовался с ней в подъезде или в последнем ряду того же кинозала.

Когда избалованный сравнимыми с жизнью сроками советский обыватель узнает, что кому-то дали всего лишь год, он тут же теряет к этому «кому-то» интерес: мало. Совсем иначе воспринимается этот срок, если его присудили самому обывателю. Да что там... Три дня, по недоразумению проведенные им в КПЗ, продолжительностью несравнимы со всей его прошлой обывательской жизнью. Вернее, жизнь несравнима с этими тремя днями.

На той же физике нам втемяшивали: в черной дыре время тянется в тысячи раз медленнее. По этому поводу и киношный Мюнхгаузен умничал: «Тут — жизнь, там — мгновение». Барону простительно, у него репутация такая, а физики-то зачем врали?

Все оказалось с точностью до наоборот.

Дыру более черную, чем то подполье, представить трудно. Она провела в земляном, непроницаемом для света подземелье сутки. И прожила за эти сутки не одну жизнь.

По грохоту над люком она поняла: Миша передвинул на него что-то тяжелое. Комод или шкаф.

Какое-то время она ждала, сидя на пахнущей гнилью ступеньке лестницы. Какое время — неизвестно. Поначалу ей казалось — долго. Все, что слышала, — это шум ручья. И время от времени Мишины шаги.

Потом и впрямь приехали «пацаны». Поскрипели половицами, поматерились, обмениваясь общими малозначащими фразами, и ушли с Мишей на воздух. Миша, должно быть, уехал с ними. Она слышала, как завелись и отъехали машины. Все стихло. Надолго. На очень долго.

Она с ужасом представила, что будет с ней, если с Мишей что-нибудь случится. При его манере ездить, да что там — при его манере жить с ним просто не может ничего не случиться. Вопрос только: когда?

Ее уже колотило, как отбойный молоток, воткнутый в асфальт. Молотило пока преимущественно от холода. Она решила не сидеть сложа руки. Вспомнила притчу о лягушке, взбившей молоко в сметану, и двинулась по лестнице вниз. На ощупь обследовала стены.

Что там было обследовать: сплошная земля с редко встречающимися обрубленными кореньями.

Она обошла подземелье по периметру. Не обнаружила ничегошеньки. Ни намека на лаз или хоть что-то, чем можно было бы укрыться.

Взялась обследовать пол — и в этот момент услышала шаги наверху. Кинулась к лестнице, готовая кричать, требовать, умолять.

Но вовремя осеклась. Потому что шаги принадлежали явно не Мише. Тот, кто ходил наверху, был много тяжелее Мишани и степеннее, что ли. Он то ли что-то искал, то ли просто слонялся по даче без дела.

Потом в избушке обнаружился и Мишаня. Спросил раздраженно:

— Нашел?

— Не-е... — буркнули ему в ответ. И она, узнав голос Василия, прикусила язык.

И услышала Мишину фразу. Не фразу — коротенький монолог, прочитанный с педагогическими интонациями:

— Скот ты, Вася. Обращения не ценишь. Ума нет, так хоть преданность должна быть. Пока все пальцы не найдешь, будешь сидеть в лесу. И запомни: не буду я всю жизнь за тобой подтирать...

Она не все поняла, но ухватила главную и самую неприятную для себя новость: пока Вася не найдет все пальцы, он будет существовать у нее над головой.

«Ищи, раззява», — стуча зубами, мысленно увещевала она Василия. Была уверена, что пальцы — это какие-то детали от машины...

И пока что решила продолжить обследование темницы. Пол-то остался недопроверен. Она двинулась к центру. И, конечно же, и на полу ничего не обнаружила.

И тогда она вновь пошла по периметру. От лестницы до нее же. Ничегошеньки.

Ей ничего не оставалось, как вернуться на исходную позицию: присесть на ступеньку. На этот раз она присела на нижнюю, облокотившись о вторую.

Что делать? Где то молоко, которое при усердии и выдержке собьется в сметану?..

Вовсе не в поисках кринки с молоком, а всего лишь поскользнувшись на гниловатой дощечке, рука ее нырнула в пространство между первой и второй ступенькой. Нырнув, наткнулась на какое-то тряпье.

Вдохновенная, она метнулась под лестницу. Присела, взялась на ощупь разбирать обнаруженную кучу тряпья. С тряпьем были перемешаны и более тяжелые предметы. «Наверное, обувь», — подумалось ей.

Она нащупала что-то, показавшееся достаточно плотным и обширным. К этому моменту ее состояние было такое, что женщина почти не испытывала брезгливости. Будь это даже половая тряпка, она закутается в нее. Главное, чтобы сухая.

Она потянула тряпку. Та за что-то зацепилась. За придавленный грудой башмак. Боясь порвать ценную находку, она сверлом запустила руку в тряпье. Ну где он, проклятый... Вот! Вытащила башмак машинально. Не потому, что он заинтересовал ее. Она вообще не задумывалась, зачем извлекает его. Подкорка дала приказ: «Тащи! Чтобы уже наконец поняла, во что ты вляпалась».

Читатель, конечно же, уже и без всяких подкорок примерно сообразил, что она извлекла. Правильно. Никакой это был не башмак. Это была человеческая кисть.

Но и достав отчлененную длань, ощупав ее, она

не сразу поняла, что это. Как было понять сразу, когда у кисти отсутствовали пальцы?

Что ощутила она, когда уже не подкоркой, а разумом осознала, что держит в руке? Попробуй, читатель, раз уж ты такой прозорливый, догадаться сам. Тем более что на мое описание данного момента можешь не рассчитывать. У рассказчицы в этом месте значится пауза. Долгая. Самая долгая из всех.

И еще одну задачку, уже на тему пространства-времени, хочется задать читателю с воображением: угадай, сколько еще времени она провела в том подвале, при условии, что после находки находилась в подземелье с двумя расчлененными трупами почти сутки.

Да, с двумя. Эту нагрузку на воображение читателя я не взвалю. Он все равно ее не осилит. Ну кто позволит себе вообразить, что после находки и долгой последующей отсидки на верхней ступеньке героиня вернется к груде тряпья и плоти. Что, нащупывая, чем все же укрыться от холода, пальцами, как незрячая, познакомится с жертвами-предшественницами. Она запомнила их лица. Одно с прямым носом и длинными прямыми волосами, другое — курносое, с короткими кучеряшками.

— Как же ты?.. — невнятно вставился я в рассказ. Слишком уж услышанное не поддавалось осмыслению.

Она пожала плечами:

— Просто к тому моменту у меня уже появилось ощущение, что я и те две девушки в одинаковом положении.

Эта женщина таки нашла, чем укрыться, и продолжила исследование подземелья. Бессмысленное исследование. Но если бы лягушка знала, зачем тре-

пыхается, если бы трепыхалась со смыслом, она бы
в другую притчу попала. О пользе изучения сепара-
торного производства.

Как ей удалось обнаружить второй люк? Чего
вдруг она вздумала искать его под той самой кучей?
Ничего она не вздумала. Просто это место оказалось единственным, не до конца обследованным ею.
Правда, надо было еще сохранить способность сооб-
ражать. Ведь как раз в этом-то и мораль. И еще в
том, что соображай не соображай, паникуй не паникуй, а если свыше кто надо не подсобит — никуда
ты не денешься.

Она своротила у туфли уцелевший каблук и им
подковырнула крышку люка.
Под подвалом обнаружился нижний этаж, сарай,
смотрящий кое-как навешанной дверью в кусты на
берегу ручья.
Избушка была расположена у основания горы,
на ее склоне. Проект строения оказался весьма за-
ковыристым. Настолько, что, похоже, даже обитате-
ли логова не были в курсе этого. Этот Хрущев, выходит, только с пятиэтажками не мудрствовал.
Она вышла на свет божий с тыльной стороны
дачи. И сразу устремилась в лес. Пробираясь сквозь
кусты, дообрывая о них колготы, двинулась по
ручью.
Несмотря на едва занимающееся туманное утро,
на иней, ей не было холодно. Она обнаружила это
вдруг и очень изумилась. Ведь там, в подвале, от
тряски не было спасу.
И еще она вспомнила все, что держала в руках

там, во тьме. Руки вспомнили. Она осмотрела их, то ли брезгливо, то ли испуганно отстранив от себя.

С теми, оставшимися в подвале жертвами ее уже ничего не связывало. Как всякая смертная, но живая, она уже имела право и на испуг, и на брезгливость. Это право она вернула себе сама.

Хотя ей не удалось ничего обнаружить на руках, женщина все-таки приняла решение: выкупаться в ручье. И выкупалась. Но, даже выйдя из ручья, напялив на мокрое тело тигровую ткань, не почувствовала холода.

Надо было решать главное: куда идти? Конечно, в лагерь. Там вещи. Она спохватилась: деньги и документы при ней, в кошельке, болтающемся на шее под модным хомутом платья.

Мишаня, пытавшийся то ненавязчиво, то навязчиво коснуться ее груди, каждый раз удивлялся, нарываясь на странный предмет. И не единожды пытался выяснить, что это за стильный медальон.

Значит, лагерь ей ни к чему. Сразу в аэропорт. И первым же самолетом... В любом направлении.

Хорошенькое дельце — в аэропорт...

Где находится лагерь, она худо-бедно представляла. Освоилась за несколько дней. О расположении же аэропорта не имела ни малейшего представления. Впрочем, до него и при знании маршрута вряд ли доберешься пешком. Значит, придется ловить попутку. Вид у нее самый тот, в аккурат для автостопа.

Не выходя из лесу, она двинулась по направлению к шоссе.

Она еще не дошла до него, а уже изменила решение: идти в лагерь. В лагере — Оксана. Ее нельзя оставлять.

И она пошла в лагерь. Пешком, лесом...

Все же ей удалось остановить попутку. Рискнула выйти на трассу, вдоль которой пробиралась в зарослях. Мусоровоз она выбрала из соображений безопасности, а вовсе не потому, что он подходил ей по стилю. Водитель же, сельский гуцульский парень, остановился от растерянности. Он явно не был избалован просьбами выходящих из лесу нимф подвезти.

От растерянности он и промолчал весь час пути. За это она была ему благодарна. Треп — это было не совсем то, чего ей сейчас не хватало в жизни для счастья.

Для этого самого счастья сейчас хватило бы каких-то жалких пятисот семидесяти семи километров в сторону Одессы. Это если по прямой. Такую, кажется, цифру объявляла стюардесса в самолете четыре дня назад.

Но по прямой до счастья не добираются. А если добираются, то что же это за счастье.

Вот бы в тот момент ей подвернулся некто, кто поумничал бы так... Было бы кого послать.

Но по прямой и впрямь не получилось...

Она покинула деликатного гуцула и его благоухающее авто за пятьдесят метров от лагерных ворот. Прежде чем упереться в ворота, дорога пересекала поляну. Она решила, что за эти пятьдесят метров с ней уж ничего не произойдет.

Произошло за пять. Даже за три.

Она уже дошла до ворот, уже издали кивнула-поздоровалась с вахтером, когда услышала за спиной внезапно возникший шелест автомобильного двигателя. Она сразу поняла, кто у нее за спиной. Интуиция тут ни при чем. Если бы это был кто-то другой, она бы все равно решила, что это Мишаня.

Но за спиной был не другой. Был он. На целехонькой «девятке» (разводил он их, что ли?..).

Мишаня сочувственно улыбался ей сквозь лобовое стекло. Он явно наслаждался моментом и потому не спешил. Насладившись через стекло, поманил ее пальцем. Снисходительно, обрекающе.

Она обернулась к вахтеру. Мгновение оценивала пенсионера-доходягу. И сняла с повестки дня надежду на него.

Она не пошла на зов. Стояла у шлагбаума, как у символа «бежать некуда», и почему-то совершенно не паниковала. Паники не было не только в глазах, но и в душе. Впервые глаза и душа ее в критической ситуации действовали сообща.

Воскресшего куда сложнее испугать смертью. А нынешнее ее положение не шло ни в какое сравнение с тем, в котором она пребывала, находясь в подвале.

Явное отсутствие паники в глазах загнанной обеспокоило Мишаню. У жертвы был такой взгляд, будто ей есть на что надеяться.

Мишаня не усидел, выбрался из машины. Остался у нее, оперся локтями о распахнутую дверцу. Уже не снисходительно — озадаченно всматривался в жертву.

Она и впрямь словно чего-то или кого-то ждала. И когда увидела выезжающие на поляну два «жигуленка», поняла, что дождалась.

Она сразу же отметила, что номера на машинах не местные — киевские. И сразу же решила, что будет делать. Не решила — вспомнила.

Для начала осела на шлагбаум и скрестила на груди руки. Потом улыбнулась Мишане улыбкой

такой же, какой он сам скалился минуту назад: со-
чувствующей, снисходительной.

Потом оттолкнулась задом от шлагбаума. И пошла. Уверенно, устало, с чувством выполненного
долга.

Мишаня ошалело наблюдал ее, приближаю-
щуюся.

Она не остановилась возле него. Поравнявшись,
не поворачивая головы, небрежно произнесла:

— Подожди. У меня есть для тебя пара слов.

И прошагала мимо.

Сейчас она не помнит точно, что говорила киев-
лянам, приехавшим в лагерь по путевке. Помнит
только, что не дурила их. Впрямую попросила о помощи.

— Это нам за счастье, — едва ли не хором от-
кликнулись на просьбу двое дородных весельчаков,
похожих, как братья. Усатых, благообразных, с оди-
наковыми залысинами. Они только прибыли и, к
счастью, не могли знать местное правило: от барышень, которые имеют дело с аборигенами, лучше
держаться подальше. Правила часто мешают поступать достойно, по-людски.

Невежественные новички тут же задали самый
важный для них вопрос:

— Кого выбираете в помощники?

— Обоих, — честно сказала она.

Они переглянулись, но не спорили.

Оба вдохновенно подыгрывали ей.

Для начала один из усачей удалился к второму
«жигуленку» и предупредил, чтобы приятели не под-
нимали волну из-за задержки.

Пока он отлучался, второй многозначительно принял из рук в руки извлеченный ею из-под хомута кошель-медальон. Оба они с серьезным видом выслушали нечто касающееся медальона. Еще какое-то время поговорили ни о чем, со значением в упор разглядывая Мишанину «девятку».

Она уже села к ним в машину и лишь потом якобы спохватилась. Выбралась. Направилась к Мишане. Уверенно распахнула дверцу пассажира, плюхнулась на сиденье. И, выдержав короткую многозначительную паузу, заговорила:

— Козлик ты, козлик... Знаешь, что я пыталась сказать тебе там, в лесу? Когда ты не захотел слушать.

— Что? — Голос его чего-то осип.

— Что ты мне и вправду понравился. И что я не хочу, чтобы ты сидел. Ты сам знаешь, сколько тебе светит. Пятнашка. Но только если всплывет не все. А если — все? Я хотела дать тебе шанс. — Она недоуменно качнула головой и продолжила: — Вы здесь, в провинции, совсем оборзели. На все «забили». У вас что, у всех такие мозги куриные? Как можно было не просчитать меня? И не просчитать, что меня не «запустят» к вам без прикрытия?

Он молчал.

— Шанс у тебя — время до обеда, — заключила она. — До тех пор, пока я не улечу, тебя не тронут. И не только тебя. Так что скажи спасибо и поторопись. — Она выбралась из машины и направилась к усачам.

«Жигуленки» объехали «девятку» и покатили по территории лагеря. К ее домику.

Оксана уезжать отказалась наотрез.

— Что ты?! — аж зашлась она от возмущения. — Только-только наладилось.

И тут еще увидела ожидающий у машины новоприбывший контингент. Осеклась. Заговорщицки уточнила:

— В самом деле киевляне?

И, не дождавшись ответа, изумилась:

— Ну ты даешь!.. Какой самолет? Я остаюсь тут навсегда!

Все, что ей оставалось, — это по дороге в аэропорт содрать с усачей обещание, что те возьмут шефство над ее легкомысленной подругой. Что за все время отдыха не отпустят ее от себя ни на шаг.

Обещание заметно воодушевило тех, кто его дал.

В аэропорту все прошло гладко, но не без сюрпризов. Она не ожидала, что «пацаны» так быстро мобилизуются.

К двери аэровокзала ей и эскорту усачей пришлось идти сквозь строй стриженых претендентов на второстепенные уголовные роли. Прошли, впрочем, благополучно. Даже без единой реплики вслед. В самом вокзале у стойки буфета скучковались претенденты на роли ведущие. Их встрепенувшиеся головы-подсолнухи отслеживали перемещение троицы. Главный герой — Мишаня походил на подсолнух больше других. Белобрысостью и стройностью силуэта.

«Герцог, — хмыкнула она. — Надо же...»

И к чему-то вспомнила вешалки с наутюженными брюками и сорочками, которые были в его «девятке». «Чтобы в любой момент дать деру», — догадалась наконец она.

Пока один усач брал ей билет, второй проявил самодеятельность. Уверенно направился к дежурившему у входа в накопитель милиционеру и с минутку пошушукался с ним.

Милиционер кивнул и оставил пост.

Подойдя, он почему-то откозырял ей, взял из-под ее ног сумку и зашагал к накопителю.

«Подсолнухи» вовсю пялились на происходящее. Она замешкалась, спросила у спутников-братцев:

— Что вы ему сказали?

— Правду. Что ты — большая актриса.

Ей очень хотелось обоих расцеловать. На прощание. Но субординация обязывала ограничиться рукопожатием.

У входа в накопитель она обернулась еще раз. На Мишаню. Он явно ждал ее взгляда. Спохватился. Махнул рукой, вроде как просил о чем-то. О чем просил — было ясно: об аудиенции.

Она дала ему ее. Не освобождая милиционера от сумочной повинности, остановилась у входа. Дождалась, когда Мишаня подойдет. Он почти бежал. Добежав, шевельнул «дипломатом» в опущенной руке. Осторожно поглядывая на нее, словно боясь рассердить откровенным взглядом, заговорщицки произнес:

— Пацаны собрали. Тут пятьдесят штук.

— Что это? — догадалась она.

— Ты же дала шанс. За кассету... Или что там у тебя...

— Козлик ты, козлик, — повторила она. И шагнула в накопитель.

Милиционер донес ее сумку до самого трапа. Догадываясь, что ему это в радость, она не возражала...

Не хочется разочаровывать читателя, но придется: она не заявила о случившемся в милицию. Добро не восторжествовало, и зло не было наказано. Те две девушки — жертвы, возможно, так и числятся пропавшими без вести. Вряд ли их родители простят ей это. И мы, прозорливые, благоразумные, вряд ли поймем ее стремление втихаря похоронить случившееся. Но только и для нее наше понимание вряд ли имеет значение. У побывавших за чертой понимание свое.

...В течение двух недель после этого она не выходила из дому. Была уверена, что ее попытаются найти. Ей тогда казалось, что она не выйдет никогда. Преодолеть страх помог случай, который вряд ли можно считать счастливым.

Случай этот можно рассматривать и как возражение тем, кто считает ее просто-напросто везунчиком.

Через две недели после возвращения она, конечно же, находилась дома. За запертой дверью. Гладила белье.

Не слышала, как провернулся ключ, как открылась дверь. Обернулась случайно. И увидела стоящего на пороге незнакомого мужчину.

Незнакомец угрожающе шагнул к ней и тут же получил раскаленным утюгом по физиономии. Она так и не знает, кто это был (может — маньяк, может — электрик). Оттащила его за дверь и больше не видела. Но страхи после этого прошли. То ли потому, что обстоятельства заставили ее переступить порог, то ли потому, что она поняла: смертны все. А насильники временами даже более других.

И все же с тех пор она не ездит с незнакомыми мужчинами. Ни в лифтах, ни в машинах. И познакомиться с ней непросто.

Через две недели затворничества она вернулась в жизнь. Такая же, как всегда. Улыбчивая, сексуальная «Барби». Почти не изменившаяся. Если не взять в руки две фотографии. Те, на которых ее взгляды. Один — до, другой — после...

P.S. А машина у нее сейчас классная. Не «Ягуар», но тоже престижная спортивная марка. И цвет бирюзовый. О такой мечтают многие. Мечтают-то многие, а у нее она есть...

Глава 9

БРАЧНЫЙ ШАНТАЖ

Раз есть глава о том, как уберечься женщинам от насилия со стороны мужчин, то должна быть глава и о том... Нет-нет, не о том, как уберечься от насилия со стороны мужчин — мужчинам...

Хотя... Почему нет? В нескольких абзацах стоит походя тронуть и эту тему. Сейчас и трону...

В большинстве своем гомосексуалисты — милейшие люди (правильно читать с кокетливым напевом: мьи-иле-ейши-е). С тех пор как выяснилось, что существует ген гомосексуальности, все смешалось в морали. Меня, например, это открытие окончательно сбило с толку. Ведь что же это оказалось?.. Оказалось, что ответственность за собственные противоестественные наклонности индивид не несет. Весь спрос с природы. Нельзя же, скажем, винить женщину за то, что она родилась женщиной. Или упрекать кошку за то, что она уродилась гонористой. Или обижаться на некоторых наших поп-звезд за то, что у них нет способностей к пению. Не виноваты ребята, что сиплыми и тугоухими уродились. Все претензии к природе-матушке. Ну и к нам, поклонникам, скупающим диски и просящим автографы.

Когда эта новость насчет гена дошла до меня, меня даже пот маленько прошиб. Требовать от них, от носителей этого гена, того, чтобы они реагировали на женщин, так же кощунственно, как, скажем, заставлять меня, лишенного гена, реагировать на мужчин. И каково мне было бы, если бы мораль общества оказалась исключительно гомосексуальной? Я бы за гетеросексуальность пожизненно в зоне «чалился». Тем более что в зонах такого общества мужчин должны были бы селить с женщинами. В наказание.

Конечно, тем, кто большую часть жизни прожил с убеждением, что гомосексуальные наклонности — исключительно от дурного воспитания или от пресыщенности, тяжело перестроиться. Особенно непросто изменить отношение к «голубым» тем, кто прошел через наши следственные органы. Радикально изменить это свое отношение, думаю, и вовсе невозможно. Мне, например, несмотря на полное доверие генетикам, так и не удалось. Нет, с теми из своих давних знакомых, кто с некоторых пор перестал маскироваться под бабников и взялся наверстывать все упущенное за годы гонений, я не прервал дружеских отношений. Но все же устаревшая мораль, привитая в более ранний период, довлеет надо мной. В одесском клубе сексуальных меньшинств, куда мы с женой однажды забрели с познавательными целями, я, к примеру, дул пиво только из горлышка.

Все это я к тому, что считать гомосексуалистов испорченными, извращенными созданиями, — старо. Они, гомосексуалисты, такие же граждане, как и все прочие. Разве что более ранимые по причине их многовековой травли. И по этой же причине подчеркивающие собственную исключительность. Когда кого-то долго притесняют, а потом вдруг признают ошибочность притеснения, то тот, кого притесняли, почти всегда начинает несколько задаваться (в этом, мне кажется, суть межнациональных проблем, возникших на пространстве бывшего Союза).

В общем, гонор гомосексуалистов, как и гонор злопамятных националистов, по-своему оправдан. И в варианте с первыми заслуживает снисхождения (националистам надо бы дождаться открытия гена национализма).

Так вот... Повторюсь, рискуя вызвать, мягко говоря, недоумение у бывших своих коллег — катал и смежников-бандитов: гомосексуалисты ни в чем перед нами, гетеросексуалами, не виноваты. Если уж говорить о вине, то скорее мы виноваты перед ними. Нормальные они, гомосексуалисты, в большинстве своем ребята, рисковые (это я о СПИДе). Только тем и отличные от нас, что направлением влечения. Но направление это ничем особенным для окружающих не чревато. Конечно, неприятно осознавать, что какой-нибудь гражданин с бородой косит на тебя похотливый взгляд. Но мужик этот бородатый, вылупившийся на тебя, все же куда безвредней, чем, скажем, традиционный эксгибиционист, преследующий в парках женщин, размахивая полами пальто на манер Бэтмена.

И кстати... Сейчас меня озарило: чем больше будет педиков, тем спокойнее мы сможем быть за наших жен, сестер, дочерей (правда, беспокойнее за братьев и сыновей). Но арифметика все же в пользу безопасности наших родных. Если сократить в двух частях уравнения сестер с братьями и дочерей с сыновьями, то на месте жен лицом к лицу с потенциальным насильником окажемся мы, мужья. Что ж, вполне мужской поступок: в опасности заменить собой близкого человека.

Так как же нам, мужикам, в случае такой опасности себя вести? Так же, как женщинам. Все советы, данные им, годятся и для мужчин. И кричать «ура!» есть смысл, и оттягивать время! утверждая, что именно такого партнера ты ждал всю жизнь, — уместно. Обкакаться в крайнем случае — тоже не помешает. Ну разве что расслабиться и получить удовольствие для нас, мужиков, возможно, окажется проблематичнее. Зато у нас куда больше шансов выйти из неприятности с честью (во всех смыслах), сведя ситуацию к заурядному мордобою. Да и статистика радует: насильники из гомосексуалистов — никакие.

Это у них, похоже, тоже врожденное. За те века, в течение которых злосчастный ген никак выявить не могли, гомосексуалисты успели другим геном разжиться. Геном пугливости.

Но вернемся к задуманной теме главы. Она, глава, о том, как уберечься мужчинам от насилия со стороны женщин.

Сразу предупрежу: ситуации, о которых ходят слухи и где женщины-насильницы якобы перетягивают мужчинам гениталии, рассматриваться не будут. По той досадной причине, что правоохранительные органы, у которых я пытался выклянчить описание хоть одного такого случая, искренне били себя в грудь. Клялись, что ни сном ни духом. Все мои знакомые, к которым я обращался в надежде добыть хоть один эпизод, тоже разводили руками. Ни одного везунчика среди них не оказалось. Хотя, опять же, все слышали о том, что такое бывает, и даже до деталей знали технологию процесса.

В общем, не в материале я. И даже подозреваю, что все это мечтательный треп мазохистов. Сплетни, распространению которых лично я способствовать не желаю.

Разбирается вариант насилия иного. Если можно так выразиться — морального-финансового. Вариант, когда женщина измывается над бывшим партнером, во всеуслышание обвиняя его в том, что он ее изнасиловал.

Советов тут немного, точнее — один. Как можно скорее выяснить, чего насильница добивается: обзавестись в вашем лице супругом или решить с вашей помощью свои финансовые проблемы.

Совет этот узконаправленный и может сгодиться только тем, кого коварство давешней партнерши застало врасплох. Это во-первых. И во-вторых... Он, совет, только-только возвращает себе смысл.

Еще недавно, от двух до десяти лет назад, проку от него не было бы никакого. Тогда настоящих, если можно так выразиться — профессиональных, насильников официальными заявлениями было не пронять. В курсе они были, что заявления эти ничем им не грозили (так же, как ничем не грозили министрам финансов и организаторам трастовых компашек отчаянные заявления экономически целомудренной публики, которую эти финансовые ухари поимели).

Когда-то для того, чтобы угодить под статью, рассчитанную на наличие того самого гена, достаточно было хотя бы одного заявления потерпевшей. Не то что в те самые, беспечные для насильников, годы...

Вел я тогда собственное журналистское расследование. Некий неказистый проходимец придумал метод пополнения коллекции собственных сексуальных побед. Дал заманчивые объявления в одесские газеты. Не просто заманчивые, а такие, нарываясь на которые и многие несостоявшиеся мужчины жалели: «Эх! Не повезло бабой уродиться...»

Объявления были разножанровыми. Например: «Моряк с машиной, квартирой, дачей, ищет любовницу...» Или: «Выезжающий на ПМЖ в Германию заключит брак...» Или: «Для участия в фотовыставке художнику требуется модель...»

Несмотря на различные заявленные посулы, всем откликнувшимся перепадало одно и то же. Два батончика «Марса» и «Сникерса» и две бутылки ликера. Початого. Заправленного клофелином.

После передачи, которую я вынужден был дать в эфир, только по звонкам в редакцию мы насчитали триста душ потерпевших.

Но почему — «вынужден был дать»... Да потому, что передача оказалась единственным, чем я смог навредить этому прохвосту в сборе коллекции.

Прищучить надо было бы негодяя, воздать ему сполна. По-серьезному. А не просто помешать оглаской или, скажем, отлупить.

Не вышло по-серьезному.

Милиция, с которой связался шеф телекомпании, не проявила рвения к стопроцентному успеху. Ответствовала без энтузиазма и примерно так:

— Ну, встретим мы потерпевшую, выходящую из квартиры. Ну, напишет она заявление. Ну, подтвердит экспертиза наличие спермы и клофелина... И что? Дело все равно тухлое. Благодаря единственному простенькому доводу-вопросу адвоката: — Какого лешего она к нему шла? Сама...»

Резонная в общем-то логика. Если дело — скоропортящееся, то зачем же его открывать...

Нынче за изнасилование опять сажают, так что совет желательно взять на заметку. Тем более что он почти ничего не стоит. От пятидесяти (не тысяч) до двух тысяч долларов или и даже меньше того («то» напомнит, почем нынче развестись).

Я, со своей стороны, напомню: во всех регионах бывшего СССР судьи держат таксу. За каждый скошенный год отсидки берут от одной до десяти тысяч долларов. В зависимости от региона, резонансности преступления, возможностей подсудимого. Безусловно, у вас есть шанс сэкономить, если вы крутили шашни в не избалованной большими деньгами средней полосе России. Но с другой стороны... Светит-то вам по меньшей мере «восьмерик»...

Так что, будучи доставлены в отделение милиции и ознакомлены с заявлением недавней зазнобы, первым делом требуйте не адвоката, а счеты. Подбейте дебет с кредитом и не мешкая ставьте подпись. Либо на чеке, либо на заявлении в ЗАГС.

В редких случаях барышни подвергают одноразовых возлюбленных исключительно моральному надругательству. После проведенной ночи любви требуют, чтобы перед ними, барышнями, во всеуслышание извинились. Либо все же обязуют горехахаля накатать заявление в ЗАГС и этим довольствуются. Прячут заявление в потайной сундучок, который всегда имеется у таких воинственно-тургеневских особ. Стерегут заявление до конца дней своих (незамужних), как реликвию, как справку о собственной непорочности. Этот трюк в ходу в основном у спохватившихся девственниц. Но иногда его используют и скупердяйки, экономящие на пластической операции по восстановлению девственности.

Известен случай, когда засидевшаяся в девках пятикурсница одесского пищевого института объявила, что заберет заявление только в том случае, если ее ошалевший от такого развития романа первый мужчина встанет перед ней на колени. Разумеется, «Казанова» не стал упорствовать. Рухнул на пол милицейского кабинета с еще большей поспешностью, чем Паниковский перед Бендером в пресловутой сцене на дороге. Так что даже присутствующий при экзекуции дежурный следователь, безусловно, знающий толк в измывательствах, застенчиво отвел глаза.

Варианты, когда женщина насильно добивается чего-либо от мужчины, заявляя на него права как на отца гипотетического или реального ребенка, разбирать не буду. Разве что ограничусь эпизодом. Эпизодом «донжуанских» похождений моего давнего приятеля, никчемного добродушного еврея Борьки Кригмонта.

Коктейль из этих двух черт натуры, добродушия и никчемности, — гиблая смесь. Более или менее допустимая в славянах, но абсолютно обескураживающая в евреях. В Борькином случае в коктейле этом присутствовал еще один ужасающий ингредиент, который я бы обозначил так: вопиющая доверчивость.

О Кригмонте я уже рассказывал (в «Я — шулере»), так что вновь описывать его непутевость не стану. Добавлю только кое-что к его образу, опущенное в «Шулере» ввиду отсутствия необходимости.

Одной из категорий людей, у которых Борька вызывал не только сочувствие, но и уважение, были проститутки (возможно, они были не «одними из», а единственными еще и уважающими Кригмонта»).

Кригмонт то и дело заводил с путанами полноценные романы, претендующие на духовность. И очень гордился тем, что очередная грешная пассия видит в нем не только самца (Кригмонт — самец?!). И уж тем более не упускал случая пофорсить тем, кого он видит в каждой из таких пассий.

Не все из его приятелей воспринимали его вещания на этот счет с сочувствием. Кое-кто и злорадствовал. А Коршунов, подлец, Борькин друг детства, и вовсе позволил себе кощунство. Что безнравственней: положить нищему в руку камень или соскрести из фуражки, распластанной перед ним, мелочь? Коршунов сотворил второе. Выскреб из Борькиной ермолки последнее.

Исхитрился овладеть Борькиной зазнобой-грешницей, пока хозяин Кригмонт гостеприимно мотался в гастроном за макаронами для своего фирменного блюда «по-флотски».

Зазноба, полагающая, что ее духовные отношения с Кригмонтом настолько весомы, что мимолетная легковесная связь никак не скажется на душевном равновесии Борьки, отдалась его другу с профессиональной беспечностью.

И с ней же, с беспечностью, поведала Борьке о случившемся. При мне поведала, так что свидетельствую: ранимый Борька ни единой мышцей своего добродушного лица не шевельнул, слушая откровение. Неделю по едва уловимым паузам в Борькином жизнелюбии я понимал: Кригмонту — тяжко. Через неделю Борька стал прежним. Он наконец выносил план мести.

Зазноба объявила Коршунову, что беременна. Тот вздумал было апеллировать математическими выкладками. Лепетал что-то насчет погрешности в один день. Или в один час. Совращенная в своих расчетах была непреклонна. Наущенная Кригмонтом, предложила Коршунову отправиться к его жене. Как к третейскому судье.

Пришлось прижимистому Коршунову платить. Сначала якобы за аборт. Потом за повторную «чистку». Потом за то, чтобы «отмазать» врача, делавшего аборт полулегально.

Разумеется, Борька ничего не поимел с этой «раскрутки». Принципиально отказался иметь.

Но потом в течение нескольких недель холил свою беззлобную душу. Многозначительно и радостно поглядывая на нас, окружающих, горделиво, с выражением лица абрека, совершившего вендетту, вопрошал у Коршунова:

— Ну что, Коршунов? Почем стоит пое...аться?

Полноценно советовать, как увернуться мужчинс от претензий женщины на него, как на отца ребенка, не стану. Не хочу. Сам воспитывался в интернате.

Глава 10

ХУЛИГАНСТВО

С главы о том, как правильно себя вести, если пристали хулиганы, книгу, вероятно, стоило начать. Эта разновидность пересечения добропорядочных граждан с миром криминала самая популярная.

Хотя если придерживаться геометрических аллегорий, то чаще всего это не точка пересечения, а точка отсчета.

Пересечение, конечно, при разбираемой неприятности тоже имеет место. Как без него? При хулиганстве — никак. Но оно, пересечение, в данном случае — исключительно материальное. В виде примитивного контакта. Скажем, контакта вашей наодеколоненной щеки или вашего старательно избавленного от угрей носа с костяшками пальцев с обгрызенными ногтями, сложенными в кулак. Сводить все к такому приземленному восприятию случившегося — означает не видеть ничего вокруг дальше того самого носа.

В большом же, почти в философском смысле — это все же точка отсчета. Для вас (обладателя безукоризненных в недавнем прошлом щек и носа) — отсчета затрат на медицинские услуги. И возможно, точка отсчета обновленного мировоззрения (бывшее дало сбой, не заладилось отношение к человечеству как к продукту божьего промысла).

Для обладателя здоровых зубов — весьма часто это точка отсчета в тюремной карьере.

Потому что по «хулиганке» — сажают. Даже в недавние времена, когда тюрьмы катастрофически пустели, новобранцы-хулиганы стерегли тюремный очаг. И более или менее оправдывали существование системы юриспруденции. Наряду с «шапочниками», расхитителями комбикормов и водителями-аварийщиками.

Да и по каким же статьям было сажать, если не по этим. Не за государственные же, в самом деле, перевороты.

«Хулиганка» — статья у граждан, коротающих жизнь в зонах, одна из самых распространенных. И далеко не самых уважаемых. Тех, кто справил себе ордерок в исправительное учреждение по этой статье, в уголовном братстве зовут пренебрежительно: «бакланы».

(Я как-то присмотрелся к настоящим бакланам. К огромным, с благородными повадками птицам, гуляющим по осеннему замусоренному пляжу под Одессой. Свидетельствую: в облике их — ничего хулиганского. Бессовестные голуби-миротворцы и те из-под громадных, уныло загнутых клювов кукурузные початки уволакивали.

Курьез еще вспомнился... В конце курортного сезона разговорился однажды на пляже с двумя молодыми брюнетками. Якутками. Узнав, что им отдыхать еще две недели, взялся проявлять осведомленность аборигена:

— Через недельку, — говорю безжалостно, — небо опустится и посинеет, волна «барашком» пойдет. Пляж опустеет, и по нему начнут ходить бакланы.

— Как?.. — подобрались они.

— А вот так, — говорю. — По-хозяйски. Всегда в это время ходят. С отдыхающими не церемонятся. Если что-то приглянется, берут прямо с подстилок.

Очень якутки были обеспокоены. И главное, я никак уразуметь не мог, чем. Понятно, думал, что птица для них диковинная. Но не птеродактиль же. Потом спохватился. Понял, что они увидели не ту зарисовку, которую я набросал. Успокоил: бакланы — не те.)

Впрочем, срока по «двести шестой» (УК Украины) давали вполне весомые. Особенно по части, выше первой.

Многие уважаемые мафиози открывали послужной список этой статьей. Тот же Папа Карло, легендарный одесский авторитет, к которому даже добропорядочные граждане относились как к «папе», начинал с «двести шестой». Причем с двух сроков по ней. И ими же (сроками) ограничился.

Что ж... В этом нормальная, ничуть не унизительная диалектика жизни. Некоторые ставшие национальной гордостью творческие личности — литераторы, живописцы — тоже начинали с того, что творили для многотиражек. Так сказать, на потребу дня. (Помесь «злобы дня» и «потребы души».)

«Двести шестая» — это, пожалуй, и есть «потреба дня» криминально созревшей, но еще не сформировавшейся натуры.

Какие мотивы ведут хулигана? Из вразумительных — никаких. Есть потребность отвести душу — вот он ее и отводит. А то, что в качестве отвода подвернулась именно ваша наодеколоненная физиономия, так при чем тут он, хулиган?.. Все претензии по этому поводу к теории вероятностей.

В этом, в отсутствии мотивов, — сила хулигана (и его слабость, но о ней — потом).

Нас еще в школе учили: человек, руководствующийся в своих поступках исключительно зовом души, силен.

С хулиганом как раз тот случай. Угомонить, остановить его, избежать с ним того самого, несущественного, но огорчительного пересечения, весьма проблематично. Уговорами его не проймешь. Попытаться договориться с ним на языке логики так же возможно, как курице, выбранной к праздничной лапше, заговорить кудахтаньем хозяйку.

Душе, неподвластной условностям, на логику, на осмысление последствий — плевать. Тем более плевать на уговоры. Душа праздника просит. Сквернословия и мордобоя. В общем, куража. И внюхивается хулиганская душа в мироздание. Ну-ка... Кто это тут «нашипрился»? Или «надиорился»? Пожалуйте, мил человек, разделить со мной праздник. Вот... так!

Возможен и другой безрадостный образ.

Что с того, что некоторые из нас, добропорядочных граждан, чувствуют себя защищенными в этой жизни. Защищенными законом, собственным благосостоянием, положением в обществе, опытом, знакомствами. Хулигану на нашу защищенность плевать. Хулиган прет в этом своем кураже на случайно подвернувшихся жертв так же пугающе, как штрафники перли психической атакой на защищенного неприятеля.

Этот образ явно хромает, потому что методы спасения от хулиганского куража несколько иные. Один только общий. Все тот же: дать драпака.

Но и этот метод, как всегда, плох.

Догонит он вас.

Вы-то будете бежать отягощенные. Не только связями и положением в обществе. Пузом. И ощущением своей неожиданной беспомощности. Вдруг обнаружится, что уверенность в завтрашнем дне, которую вы испытывали еще вчера, еще сегодня, благодаря этим связям, положению и благосостоянию, оказалась мнимой. Но вы-то ставили на нее. Вы не упускали случая снисходительно посмеяться над теми, кто утверждается в этой жизни первобытным способом: качая мышцы. Вы, как персонаж анекдота, полагали, что в нынешнем веке единственный пресс, которым можно покорить сердце женщины, — это пресс стодолларовых купюр.

Хулиган будет нестись за вами на крыльях того

самого куража, налегке. Не отягощенный ни пузом,
ни чем-либо еще, включая совесть. Из отягощений
при хулигане ни камушка. Таким уж его уродила
природа, что камни он собирать не приспособлен.
Он их исключительно разбрасывает (иногда в прямом смысле). Швыряет, если можно так выразиться,
в кредит. Это уже потом, на нарах, после первого
года-двух отсидки, для него начинается страда.
Время сбора собственных и чужих осмыслений на
тему: «Какого... я тут делаю?» и «А не дурак ли я?..».
Не для всех начинается, но для многих.

В общем, догонит он вас. Скорее всего настиг-
нет.

Как поджарый, с выпирающими ребрами
шакал — упитанного, симпатичного, но беспомощ-
ного барашка.

Метод «дать драпака» более или менее приемлем
только в том случае, если хулиганская выходка за-
стала вас не в одиночестве. К примеру, в обществе
дамы. Очень важно, если вам есть кого оставить для
прикрытия собственного отхода. Опыт показывает,
что наличие спутницы при гражданине, подверг-
шемся нападению хулигана, дает весьма высокую
вероятность уцелеть. Самому гражданину. Если, конечно, он не станет узником условностей и правильно этим наличием распорядится.

Но и при данном, тактически верном выходе из
опасной ситуации имеется узкий момент.

Во-первых, если вы весь день или вечер окучива-
ли даму обхождением и затратами на нее: катали на
яхте (или на карусели), потчевали устрицами (или
семечками), инвестировали содержимое кошелька
(или брючного «пистона») в розы (или в гроздья ака-

ций), то считайте, что прогорели. Все ваши вложения пойдут коту под хвост. Даже если вы не станете в беге по-чарличаплиновски быстро-быстро перебирать ножками, не умчитесь смазанным штрихом в стиле Бэтмена, а украдкой вернетесь и дождетесь в ближайших кустах, когда дама, которой вы доверили прикрытие, вновь освободится... так вот, даже если вы решитесь на столь рисковый шаг, то все равно... В ближайшую ночь вам предстоит довольствоваться сновидениями. Если, конечно, удастся уснуть.

Есть и еще один узкий момент такого тактического решения... Вторично использовать одну и ту же барышню в качестве щита обычно не удается. Не удается уговорить даму повторить незадавшуюся прогулку. Причем даже обещание сменить маршрут не дает положительного результата. Вряд ли дама удостоит вас хотя бы взглядом. Разве что при упоминании об измененном маршруте к презрению в ее глазах добавится и толика восхищения.

Есть еще вариант: пуститься в бега на пару с дамой. Но это — только если вы имеете в планах немного хулигана раздразнить. Тут важно не перегибать палку. Дальше двадцати-тридцати метров барышню за собой не тяните. Отбежав на означенное расстояние, не мешкайте. Отпускайте ее руку, плавно переводя ситуацию к варианту с прикрытием.

Самый неприятный из побочных эффектов метода «прикрытие» заключается в том, что дама может оказаться шустрее вас. И вам не удастся обогнать ее. Что тут можно посоветовать? Разве что быть разборчивее в связях. Выбирать спутницу тщательнее. Не «вестись» на вульгарное «мини», а, наоборот, при выборе особенное внимание уделять длине и узости подола.

Но как все же достойно и вместе с тем без фингала выйти из общения с хулиганом? Есть ли вообще выход?

Я как-то спросил об этом у только-только задержанного красавца, ни за что ни при что накостылявшего двум прогуливающимся в Аркадии депутатам городского совета. Обидно накостылявшего. По очереди выдавая избранникам народа щелбаны и строго, равномерно чередуя их с поджоп... подпопниками. При этом он их еще и в мужеложстве прилюдно обвинял, вещая на весь пляж:

— Ну не пидорасы!

(Позже на суде адвокат утверждал, что это был всего лишь вопрос одного из избирателей к тем, за кого он собирался голосовать в будущем. Судью утверждение адвоката не проняло.)

Знаете, что красавец ответил мне на вопрос, как должны были бы поступить потерпевшие, чтобы избежать столкновения?

— Не попадаться под руку.

Но, правда, потом, когда протрезвел, он все же присмотрел выход, о котором хмуро и вроде как нехотя поведал:

— С мамой им надо было договориться...

— С какой мамой?.. — растерялся я.

— Не с «какой», а с «чьей», — проявил неожиданно филологическую дотошность красавец. — С моей. Чтобы аборт сделала. Двадцать три года назад. И мне сейчас было бы легче. Сидеть бы не пришлось...

Что же это получается: выйти из общения с хулиганом более или менее достойно у добропорядочного гражданина нет никакой возможности?

(Тот киношный вариант, при котором гражданин совершенно случайно оказался знатным каратистом, рассматривать не будем. Уверен, что граждане-каратисты и без всяких советов обойдутся.)

Возможность такая есть. И не одна. Вернее, одна, но с разными вариациями. Глянем на вариации. Присмотрим на всякий случай...

Считаю нужным на страницу-другую отвлечься. Позволю себе наверняка знакомую большинству читателей зарисовку. Зарисовку из собачьей жизни.

Вспомните ситуацию: стая бродячих собак где-нибудь в дворовом пространстве спального района. То ли хозяйствующих на этой территории, то ли кочующих. Штат собачьего коллектива выглядит вполне укомплектованным. Есть вожак, есть его замы, время от времени грызущиеся между собой, только и ждущие момента подсидеть шефа. Есть середнячки, с достоинством довольствующиеся тем, что им перепадает. И, разумеется, есть особи, уродившиеся неудачниками. Приемлющие унижение от любого, кому оно по душе. В общем, антураж, знакомый каждому. О чем это я?.. Ага... О бродячих собаках.

Итак, взаимоотношения в собачьем штате выглядят вполне устоявшимися. Псы лежат вразнобой, но рядом, вполне умиротворенные. Но только до поры до времени. До того момента, когда на территории обнаружится неучтенная кость, или бесхозная сучка, или по оплошности забежавший на нее пес-чужак.

При любой из этих провокаций стая тут же впадает в воинственный собачий кураж.

Обычно с исчезновением провокации псы затихают, но бывает, что под это дело, воспользовавшись случаем, кое-кто из коллектива норовит пересмотреть взаимоотношения в штате. Они, взаимоотношения, тут же перестают быть устоявшимися. Пока соискатели должностей откровенно дерутся, другие члены стаи тоже находят себе занятие. Проявляют себя кто во что горазд. Кто с рычанием гонится за велосипедистом, кто с пристрастием пялится на прохожих, кто профилактически лает в никуда.

И если в поле зрения стаи оказывается породистый пес, даже и выгуливаемый хозяином, то и этого в данной ситуации не пропустят мимо. Бросаются на воспитанного бедолагу всем скопом.

Если пес на поводке, то он чувствует себя вполне защищенным. Иногда настолько, что позволяет себе угрожающе рваться с поводка с рыком: «Порву всех к едрене фене!»

Если породистая псина выгуливается сама по себе, то тут все зависит от ее размеров и собачьего духа.

Собак бойцовых пород «дикари» хоть и облаивают, но сторонятся. Чуют, что «профи» с ними, уличными драчунами, церемониться не станут. Но хоть и сторонятся, но не успокаиваются, лают до хрипоты. Потому что бойцовый пес — чужак. Не чужак по стае, по территории. Не чужак по образу жизни. Он чужой по духу, по, если можно так выразиться, мировоззрению. И ему не прощают этого.

Если пес-одиночка устоит, подавит в себе порыв

спастись бегством, сумеет скрыть испуг, то несущиеся к нему дворняги непременно попридержат свой воинственный пыл и займутся вдумчивым обнюхиванием — знакомством. Если же индивидуал дрогнет, бросится наутек или хотя бы видом своим продемонстрирует готовность к бегству, то все... Не гулять ему больше в этом дворе. Бегать придется всегда. И не всегда успешно.

Но вот что занятно: если даже не внушительных размеров пес не только не убегает, а и сам запросто направляется в гущу стаи, то его не трогают. От растерянности, что ли? Или потому, что руководящий состав коллектива прикидывает: «Э-э... Да он такой же босяк, как и мы. И к тому же вполне приличный босяк. Не трусливый. Надо присмотреться. Если что, место в стае выделим».

Сравнение хулигана с шакалом не было случайным. Шакал хоть и самая неприятная из собак, но собака. Нечто шакалье-собачье в замашках, в повадках хулиганов явно имеется: присмотреть жертву побеспомощнее, напасть на нее, для того чтобы доказать: на иерархической лестнице она ниже тебя; не мешкая, с лаем приступить к доказательствам; не испытывать при этом ни малейших угрызений совести.

Но на основе сделанной выше зарисовки можно вывести и модель собственного поведения. Тоже вполне собачьего, но действенного...

Это не значит, что при встрече с хулиганами следует протиснуться в их гущу и с широкой, беспечной улыбкой от души поприветствовать каждого.

Это значит, что, как бы вам ни было страшно, вы

не имеете права страх показать. Не имеете права хоть как-то обозначить собственный испуг.

Тогда у вас появится хоть какой-то шанс. Еще больше шансов выйти достойно из ситуации даст вам решение другой трудновыполнимой психологической задачи: хулиган должен почувствовать хулигана в вас. Возможно, бывшего, возможно, всего лишь переодевшегося. Но такого же, как он (еще лучше: хулигана более высокого ранга). Не ведающего условностей. Способного на все. Для этого вам совсем не обязательно демонстративно засветить в глаз некоему третьему подвернувшемуся лицу.

Достаточно всего лишь излучать такую способность. Взглядом ли, жестом ли. А может, и словом.

Известный всей Одессе и не только ей режиссер и директор культурного центра «Украина» Даня Шац как-то весьма остроумно увернулся от назревающей хулиганской неприятности.

Это был разгар девяностых. Но шестидесятилетний Даня, несмотря на рост метр шестьдесят два и провоцирующую интеллигентную внешность, и в тот период не отказывал себе в дерзких выходках. Например, пройтись за полночь пешком по Пушкинской улице.

В тот раз, правда, дерзость его граничила с безрассудством, потому что променад Даня совершал на пару с супругой (факт безрассудства Даня позже признал).

Они с супругой поздно вечером возвращались домой, несколько разомлевшие от дирижирования известного одесского маэстро Хоббарта Эрла. Того самого, который променял американское гражданство на украинское.

(А что? Вполне одесский расклад: директор центра «Украина» Даня Шац — на концерте хохла Хоббарта Эрла.)

Группу подростков, пребывающих в хулиганском кураже, Даня приметил издалека. За полквартала. И кураж разглядел. Как его было не разглядеть, когда шантрапа за время их с супругой приближения успела пристать к двоим прохожим. Точнее, к двум парам прохожих. У одного семенящего сутулого старичка выбили из рук сумку и маленько попинали ее ногами. Причитания пожилой женщины, которая то ли поддерживала при ходьбе старичка, то ли сама держалась за него, вызвали у молодежи взрыв ржания.

Еще двум подвернувшимся женщинам, тоже не молодым, один из дурней всего лишь гавкнул в ухо, пропустив их мимо и украдкой подкравшись сзади.

В общем, впереди, у собственной подворотни, Даню и его супругу ожидало пересечение с хулиганьем классическим. Молодым, невменяемым, раздухарившимся. (Позже Даня разоткровенничался: именно этой разновидности он всегда опасается больше всего. Высказался даже в том роде, что конфликту с молодым хулиганьем он бы предпочел конфликт с профессиональным убийцей. Потому что, во-первых, знаешь, чего от киллера ждать, а во-вторых, с ним, с убийцей, есть хоть какой-то шанс договориться.)

Не знаю, чем бы там закончилось общение, если бы у подворотни Даню ждал киллер... Возможно, Даня пригласил бы его на чай и позже затащил бы на очередной концерт Хоббарта... Контакт с подростками-хулиганами, которого всегда так опасался духовитый Даня, на деле завершился вполне благополучно. Благополучно для Дани, для его супруги, да и для самой шантрапы.

За десяток метров до компашки, когда молодь уже приготовилась в преддверии очередного всплеска куража, миниатюрный, но степенный Даня остановился. Несколько секунд, делая вид, что компания впереди его ничуть не занимает, вглядывался в темные окна своей квартиры на втором этаже. И вдруг, обернувшись к пацанам, режиссерским недрогнувшим голосом позвал:

— Хлопцы, ну-ка, кто-нибудь, кто постарше да потолковее, — подойди.

Это он верно рассчитал. Одно дело — когда жертва покорно бредет к тебе на заклание. И совсем другое — когда ты вынужден идти к ней, да еще по ее зову.

Почему «вынужден» — тот, кто пошел, и сам не знал. Он и впрямь был вожаком, самым старшим и самым толковым в компании. Пожилой, уверенный в себе человек, занятый своими проблемами настолько, что ему явно плевать на твой кураж, позвал его. Именно его. Как было не откликнуться. Этот кроха-старикан уверенностью своей очень походил на самых главных мафиози, какими их показывают в импортных боевиках. Те тоже обычно мелкие, пожилые и ни хера не боятся.

Подошедший парень, возможно, ощущал нечто подобное. Достоверно теперь не установишь.

Как бы там ни было, но он подошел и услышал то ли приказ, то ли доверительную просьбу мафиози:

— Ну-ка, сгоняй на второй этаж. Звякни во вторую квартиру. Только сгоняй на цыпочках. И прежде чем звонить — послушай. Все ли чисто. Ну и вообще: пробей, нет ли ментов. Только тихо. Лады?

Вожак кивнул. Он явно не ошибся в старикане.

Когда через пять минут парень вернулся и доложился, что все чисто, то услышал еще:

— Путем. Тебя как звать, малец?

И после того, как представился:

— Подумаю, куда тебя пристроить. Да... Если время есть, еще с полчасика постойте тут. Увидите ментов — свистните. Только не громко.

В течение какого-то времени через открытую форточку Даниного окна доносился приглушенный подростковый говор.

По приходе Даня сел за речь мэра на дне рождения М. Жванецкого, так что даже не заметил, когда говор стих. Но если бы свистнули хоть раз, он бы наверняка услышал. Значит, не свистнули. К слову сказать, в разгаре девяностых после полуночи милицию увидеть было не просто.

Если не считать этого вкратце описанного эпизода из Даниной жизни, новелла-иллюстрация в главе о хулиганстве будет одна. В двух нет смысла. Ситуация, которую собираюсь описать, включила в себя оба примера. И правильного, и неправильного поведения при контакте с хулиганами.

Назвать новеллу я не смог иначе, как:

НЕГОДЯЙ И ДУРАК

В названии обозначены два персонажа, но их в рассказе будет три. Все три примерно одинаково важны. И все же — это не неточность. Учтены все. Но об этом в конце.

Произошло все на пляже...

Написал и вновь вспомнил настоящих бакланов. И, кажется, понял, что общего у этих благородных больших птиц с беспородными, мелкими людьми. И те и другие начинают чувствовать себя хозяевами территории (или положения) только тогда, когда другие готовы им эту территорию (или положение) уступить.

На пляже это сходство особенно наглядно.

Итак, ситуация произошла на одном из одесских пляжей. На одном из вполне укромных, известных преимущественно одесситам.

Ссылаться ни на кого не буду, потому что сам был ее свидетелем. И не только свидетелем.

Был конец пляжного дня. Часов шесть-семь. Время, когда вроде бы и уходить глупо, потому что вода и воздух теплые. Но и оставаться не получается. Огромная тень от обрыва уже оттеснила всех к самой кромке берега. Отступать дальше некуда. Разве что перебираться на огромные ошметки ракушечных скал, торчащие из моря. Некоторые, самые стойкие пляжники так и делают. Вроде как бросаются на подмогу тем, кто еще с утра заблаговременно занял место на этих укрепсооружениях готового держаться до последнего солнечного дня.

Большинство же отдыхающих помаленьку капитулировали, оставляли берег.

Оставляли теням и... хулиганью.

Это не значит, что с наступлением сумерек хулиганы непременно оккупируют оставленную территорию.

Чаще всего вечерами на берегу все по-прежнему чинно и тихо. Настолько, что, разглядывая поочередно море и небо, можно позволить себе пофилософствовать о вечном. Или не упустить случая и объясниться в любви.

Но к философско-лирическому состоянию души все же примешивается некое тревожное ожидание. Сродни тому, какое возникает, если просрочишь час своего выселения из гостиницы. Или пересидишь хотя бы на пару минут отведенное тебе время в сауне.

В общем, у тех, кто засиживается дотемна на некоторых одесских пляжах, бывает, появляется несколько постыдное ощущение: твое время вышло. Аренда тобой этого места под солнцем закончилась.

А явятся ли новые арендаторы? Это уже как им вздумается.

В этот раз арендаторы появились заблаговременно. Часов в шесть-семь. Бывшие постояльцы гостиницы или распарившиеся любители сауны на вполне законных основаниях еще досиживали свое время.

Первым на пляже обнаружился оголенный по пояс парень лет двадцати семи — тридцати. На нем были камуфляжные штаны, сандалии и шляпа-«афганка» с загнутыми кверху полями. Оголенные части торса не давали повода задержать на них взгляд. Заурядно-жилистое тело с отпечатанным на нем загаром-майкой, лицо с перебитым, вроде как боксерским носом, да и вся осанка прибывшего выдавали в нем заурядного алкоголика-скороспелку. И единственное, что мог он вызвать у созерцавших его, кроме неприятия, — это сочувствие.

Я зашнуровал кроссовку, а когда поднял голову, «афганец» как раз опрокидывался на песок у самой воды метрах в двадцати от меня. Осмысленно опрокидывался, не тратя усилия на бессмысленную суету: сгибание чресл, опускание тела на песок, усаживание или укладывание его. Взял и плюхнулся, предусмотрительно зафиксировав в безопасном положении бутылку с портвейном, которую держал в руке.

Шляпа, штаны и бутылка привлекли внимание. Бутылка в первую очередь. Подумалось: рановато что-то. До срока пожаловал. И еще: «афганец», что ли? Даже если и «афганец»... Не повод это для того, чтобы вваливаться на общественный пляж с бутылкой наперевес и валиться на песок кулем. Тоже мне Рембо нашелся.

Опрокинувшийся «Рембо», не отрывая головы от песка, воткнул в нее сверху горлышко бутылки.

Я занялся второй кроссовкой. Когда покончил с узлом и вновь поднял голову, увидел, что «афганец», перевернувшись на пузо и застыв, смотрит на кого-то. На кого он смотрел, было понятно. На девушку, в одиночестве загорающую метрах в десяти от него, в глубине пляжа.

Нехорошо он смотрел на нее. Пялился. Взглядам пьяных людей не присуща деликатность. Даже когда, по их пониманию, они смотрят безобидно, со стороны это выглядит как хамство, как вызов.

Близлежащие загорающие поспешили собираться.

Девушка сидела боком к взгляду и явно не чувствовала его. Читала свой учебник, опершись спиной о трубу-колышек, к которому была приколота перевернутая лодка.

Я решил: не уйду...

Опять отвлекусь, и, возможно, надолго. Не для того, чтобы подействовать читателю на нервы, прерывая сюжет. С сюжетом, я думаю, все уже более или менее ясно.

Отвлечение это давно назрело. С первой-второй страницы книги. Потому что касается всех ситуаций, в которых мы сами или кто-то сталкивается с миром криминала.

Так что если имею в планах отвлечься по этому поводу, то самое время. Дальше оттягивать нельзя. Книга-то на исходе.

А отвлечение такое...

С возрастом мы все умелее придумываем объяснения на тему «Почему не приходим на помощь другим?». Не мешаем карманнику, лезущему в чужой карман на наших глазах, не выскакиваем по ночам из квартиры на уличный крик о помощи, не встреваем, когда хам материт женщину или творит еще чего похлеще.

Милосердно устроила нас природа. Милосердно по отношению к самим себе. Дает возможность каждому встретить старость у камина в окружении внуков, внимающих деду. На примерах из похождений деда познающих смысл слов: «благородство», «смелость», «участие». Как мило со стороны природы дать дедам возможность вещать об этом искренне. Но природа всего лишь возможность дает. Дедам тоже приходится напрягаться. Баки совести забивать. Но худо-бедно справляются. Забивают умело. Настолько, что собственная черствость, трусость, подлость и не вспоминаются.

Удобно умничать «вообще». Рассуждать о «дедах» абстрактных. А если покопаться в ком-то конкретно? В себе, например?..

Когда впервые состряпал отговорку, месяц в четыре часа утра просыпался, прогонял все по новой. Не удавалось самому проникнуться состряпанным. И не год, не два все помнил. Помню до сих пор.

Было тогда вот что. Один из наших картежников ввязался в игру. У соперника его несколько человек прикрытия, ну и наш попросил меня и Жорку Устрицу: подстрахуйте. На случай спорных вопросов или еще чего. Среди «еще чего» мордобой не предвиделся. Игра должна была состояться в «красном уголке» гостиницы. Нашей гостиницы, в которой и вахтеры, и менты нам как братья-иждивенцы.

Поэтому-то я и не устоял перед клянченьем женщины, которая оказалась со мной в тот момент:

— Ну возьми меня с собой!.. Хоть одним глазком глянуть...

С женщинами, особенно с теми, которые увешаны бриллиантами, как обкомовские елки ватой, это бывает. Тяга к криминально-романтическим ситуациям у них в крови. Может, от прапрапрадедов-пиратов?

Взял я ее с собой в этот «красный уголок», в этот гадючник. Вместе с бриллиантами, не мной подаренными.

Минут сорок мы с Жоркой позевывали в одном из углов «красного уголка». Пока соперники о бархат заседательского стола картами шлепали. И спутница моя заскучала. Растерянно поглядывала то на играющих, то на рассредоточившихся по оставшимся углам мужчин. Мужчины-то, даже те, которые милиционеры, вели себя вызывающе уныло. Помалкивали с минами: скорей бы. Как будто ждали своей очереди в приемной у дантиста.

Потом наш горе-игрок, немного закатав, за деньгами укатил. Мы с Жоркой остались. Ну и ба-

рышня, конечно, тут же. Куда уже без нее. Вгляды-
вается одним глазом в атмосферу агрессии, сгущаю-
щуюся в «уголке». Второй разжать боится. Дрейфит
до трясучки.

Причем менты, которых мы своими считали, все
еще в «уголке» присутствуют. Опершись о плечи
здоровенного бюста Ильича, синхронно пальчиками
на скулах вождя дробь выбивают. Атмосферу сгу-
щают.

— Может, пока я скатаю? — предлагаю оппонен-
там, чтобы хоть что-то предложить.

— Зачем женщину взял? — спрашивают меня.

— На фарт.

— Уводи ее, — говорят. Словно и впрямь прикинули, что при таком талисмане им с нами двоими не
управиться. — Вернешься — скатаем.

Я подумал: лохи, отпускают ее. Нельзя мешкать.
Спохватятся — начнутся проблемы. Без всякой игры
«брюлики» снимут. Под присмотром наших же про-
давшихся ментов. И увел ее. И не просто увел, а для
спокойствия на такси посадил, заставив предварительно от драгоценностей очиститься. И, только ус-
покоившись на ее счет, вернулся в «красный уголок».

Хотя и вернулся, хоть и получил в рыло положе-
енное для очистки совести количество раз, но не
очистилась совесть. Не утешила ее мысль: «Выручал
женщину». Нельзя было бросать Жорку. Даже на эти
десять минут. Выставить надо было барышню за
дверь: топай сама со своими бриллиантами. Выставить и немедля получить все, что мне причиталось.
На пару с другом. Дорога ложка к обеду. С зубами и
ребрами тогда, может, и не все было бы тип-топ.
Зато с совестью бы сложилось.

Кажись, это был первый случай прибалтывания себя.

Во всяком случае, один из первых.

Потом проще пошло. Накатаннее. Все с меньшими терзаниями.

Было однажды такое, что после того, как дал в ухо хаму, выяснявшему отношения со своей женщиной тасканием последней за волосы, «последняя» обматерила меня, невоспитанно встрявшего в чужой диалог.

Потом, когда не бил других хамов, придумывал себе, что посылать меня будет каждая, за которую я заступлюсь.

И вот ведь, хитрец...

Обиду затаил правильную. Не за то, что челюсть мне тогда дружки хама в двух местах сломали, а именно за то, что барышня обматерила. Этот довод-обиду совесть к рассмотрению принимала.

Но не всегда же было так. Был же, например, случай, который я вдруг вспомнил в недавнем разговоре со старшим сыном (приведу и разговор, и эпизод, тем более что оба они вполне уместны в книге).

...Крошка сын (семнадцатилетний долговязый сын Серега) к отцу пришел, и (жмуря синюшный глаз) спросила кроха:

— Куда посоветуешь бить, если пристали двое?

— Чего пристали? — уточнил я, отец.

— А просто... Мимо общежития шел. Эти стоят у проходной. Иди сюда, — говорят. — И без разговоров — в глаз.

— Еще бы, — говорю. — Ребят понять можно. Идет двухметровый тип с расшатанным позвоночником и рассеянным взглядом. Ну как такого не отлупить?..

И высказался в том смысле, что позвоночник у мужика должен быть жестким. Позвоночник духа. И если с жесткостью (не путать с жестокостью) все в порядке, то будь ты хоть интеллигентом рафинированным, хоть душкой улыбчивым, окружающие ее (жесткость) почувствуют. Окружающие забияки — тем более. Забияки жесткость за версту чуют. По ее отсутствию и вынюхивают жертв.

Кажется, я разочаровал детеныша сообщением о том, что за всю законопослушную карьеру бить кого-либо папе приходилось крайне редко. Не по причине отсутствия подходящих ситуаций и не потому даже, что злоупотребление мордобоем повредило бы репутации игрока. А просто... Не было особой нужды.

В схватке, а особенно в преддверии ее, дух, излучение уверенности в себе (пусть даже и мнимой) куда важнее навыков драчуна.

Ведь когда ты начинаешь действовать, тут же выясняется, на что ты способен. Зато если еще не начал, но оппонент твой ощущает, что начать для тебя не проблема, то он нервничает куда больше. По старой, как все наши страхи, причине: неопределенность пугает больше.

В качестве примера я и вспомнил один из эпизодов своего семнадцатилетия.

Хоть разговор имел место не у камина, а во

время прогулки с собаками в парке, но воспоминание оказалось вполне «дедовским».

Отговорки придумывать — это только один из вариантов милосердия природы по отношению к нашей совести. Другой — напрочь искренне забывать собственные гнусности. Помнить только те ситуации, которые будут уместны у камина. Или во время неспешных прогулок с сыновьями и собаками.

В ту зимнюю полночь я — семнадцатилетний, промерзший и счастливый — возвращался в общагу после трехчасовой вахты под окнами квартиры, которую снимала Серегина мама-студентка. В полночь с балкона мне было подтверждено, что мироздание таки устроено наичудеснейшим образом. Подтверждение было зашифровано. И прозвучало примерно так:

— Сегодня встретиться уже не получится, зато уж завтра наверняка...

Я вышел на освещенную улицу сквозь арку проходного двора и уже припас за щеками воздух для того, чтобы выпустить его на высокохудожественный свист.

Но выпускать повременил. Потому что обнаружил в мироздании непорядок. Рядом с подворотней двое здоровенных типов наседали на дохляка-очкарика. Очкарик жал к груди авоську с сиротливо белеющей в ней бутылкой кефира, как будто они (авоська и кефир) были всем его состоянием. Впрочем, возможно, что он всего лишь прикрывался ими на манер припертого к стене гладиатора, не имеющего под рукой ничего, кроме сетки. И кефира.

Чего хотели от дохляка наседавшие, было неизвестно (точно, не кефира). То, что он мог быть виноват перед ними, для меня не имело значения. Я почуял некий вселенский гуманоидный сбой и не мог не вмешаться.

— В чем дело? — спросил я. Строго, как общественный надзиратель за порядком в этом самом мироздании. Находящийся при исполнении.

Секунд пять типы озадаченно вглядывались в меня. Не знаю, кого разглядели. Но точно не дурака-влюбленного, возвращающегося с несостоявшегося свидания.

Их могло качнуть в любую из сторон. Эти взрослые, сорокалетние мужики, оправившись от недоумения, вполне могли надрать мне, сопляку, уши, онемевшие от мороза. Могли отнестись более серьезно и накостылять по-взрослому, до инвалидности.

Но мне повезло. Их качнуло, куда требовалось.

— Ты понимаешь, шеф... — заговорил один страшным, хриплым, но объясняющим голосом.

Второй, еще секунду-другую посомневавшись, тоже подхватил нужную интонацию. Уважительную. Обращенную к старшему, имеющему право спрашивать.

В тот раз мне всего лишь повезло.

Сработала уверенность и требовательность вопроса. Ну и, конечно, не по размеру широченные, опущенные плечи моего зимнего пальто. Это я осмыслил позже, когда продолжил путь к общаге. Озвучивая его свистом.

В юности мы — несмышленые — то и дело наивно бросаемся исправлять несправедливость в мироздании. Встреваем, руководствуясь исключительно чутьем: «Так не должно быть».

И тогда и впрямь не важно, за что пятеро мордуют одного. Мордуют — надо заступаться, а прав он или не прав... Это потом...

Как там у Евтушенко:

> Не помню, сколько их, галдевших, било —
> Быть может, сто, быть может, больше было,
> Но я, мальчишка, плакал от стыда,
> И если сотня, воя оголтело,
> Кого-то бьет, пусть даже и за дело,
> Сто первым я не буду никогда...

Я встревал не реже других. Но думаю, мне реже, чем другим, попадало за это. Выручали рост и та самая уверенность.

Поначалу, на первых порах, это выходило случайно, от юношеской боязни выглядеть (в первую очередь в своих глазах) трусом. Позже пообкаталось. Демонстрация духа стала вполне осмысленной. Осмысленно использовалась, как главный прием. И не только в борьбе с несправедливостью...

Но когда же в последний раз я встревал?.. Нет, бывает, конечно. Время от времени. Под настроение. Но чем дальше, тем реже приходит это настроение: помочь другому...

Вот и все. (Повторюсь: отвлечение вполне уместное в любой главе, но ввиду того, что книга на исходе, втиснуто в последнюю. Пассажир с билетом, опаздывающий на поезд, тоже имеет право вскочить в последний вагон. Хотя, конечно, и может услышать упреки в безалаберности.)

Возвращаюсь к сюжету.

В этот раз, на пляже, я чего-то взъелся. Может, задело то, что очередники-арендаторы пожаловали не в свое время?

Да... Я же не сказал... Пока отвлекался, на пляж явилась еще парочка очередников. Двое вновь прибывших молодых людей осели не на песке, а на самом подножии обрыва. Вроде как проявили уважение к правилам найма. До своего срока решили подождать в сторонке. Не проявлять себя. Эти рыцари куража тоже пришли экипированные винными бутылками, чтобы их, не дай бог, не приняли за простолюдинов-пляжников.

Один из них был явно рыцарем с опытом. Возможно, даже со сроком. Морщины, скулы, темные глазницы, татуировки на кистях рук, рациональная зоновская поза «лотоса» выдавали в нем если и хулигана, то хулигана-профи.

Второй производил впечатление начинающего. Или просто хорошо сохранился. Помести его в другой антураж — и он вполне мог сойти, например, за альфонса. Или за преуспевающего теннисиста. Или за статиста театра Виктюка.

Холеный, вполне упитанный, сложенный, как пловец, блондин с вьющимися, не криминальной длины волосами. Рядом с татуированным брюнетом он выглядел опять же, если хулиганом, то хулиганом-стажером.

Эта разномастная парочка уселась на ракушечный выступ у подножия обрыва прямо напротив девушки и «афганца». На одной с ними линии. Так что традиционный треугольник пока что имел вид «прямой».

«Не уйду», — укрепился я в решении. Не потому, что стало занятно понаблюдать за возникшей геометрической коллизией. Дополнительный интерес вызвал во мне взгляд блондина, уткнувшийся в профиль читающей девушки с другой его стороны.

Но, даже защемленная с двух сторон взглядами «афганца» и блондина (да еще время от времени попадая и под мой взгляд), она не чувствовала их. Вся была в своем учебнике. Отличница, что ли, попалась.

Я ждал.

И еще одну правомерность сравнения хулиганья с бакланами я признал в процессе тогдашнего своего наблюдения: возле бакланов-птиц тоже частенько околачивается всякая орнитологическая мелочь. Вроде пронырливых голубей и чаек, истеричных скворцов, шустрых воробьев.

Возле этих двух вновь прибывших (да простят меня настоящие бакланы) «бакланов» тут же собралась стая мелюзги. С десяток пацанов от десяти до двенадцати лет от роду «налетели» неизвестно откуда. Уселись полукругом на почтительном расстоянии от ждущих своего часа рыцарей. С заведомым подобострастием челяди внимали каждому их жесту, каждому слову.

Мелюзга эта была из плеяды нынешних беспризорников, тех, которые обитают там, где есть шанс хоть чем-то поживиться. Душе или плоти. У нее «свои университеты». И соответственно — свои преподаватели. В смысле, те, которых они выбирают себе сами. Преподаватели объявились, и истосковавшиеся по учебе пацаны поспешили на урок.

Наличие челяди (или учеников) кого угодно поднимет в собственных глазах. Поднимет до уровня гуру. Особенный подъем в таких случаях ощущают стажеры.

Блондин явно встрепенулся, вдохновился вниманием к себе последователей-пацанов.

А может, они, рыцари, с этим уже пожаловали на пляж... С тем, что инициативу проявляет начинающий, а опытный наблюдает, как это у него получается, чтобы потом указать на ошибки. Но скорее всего активность блондина объяснялась всего лишь тем, что он, в отличие от татуированного приятеля, еще не знал, что «бакланов» на зоне не уважают.

В общем, не утерпел он до срока. Полез в бутылку. В смысле — вместе с бутылкой отправился знакомиться с «отличницей».

Под предвкушающими взглядами детворы.

С двадцати метров я не мог слышать, с чем он подошел. Видел, как он уселся сбоку от девушки, в метре от нее. Отхлебнул ещё разок из бутылки и, склонив вьющийся чуб набок, принялся в упор разглядывать ее. Многозначительно, лукаво.

Девушка не прервала чтение. Сейчас она уже не могла не знать, что за ней наблюдают. Сразу заподозрилось: может, и раньше знала. Знала, но прикидывалась несведущей.

Решив, что артподготовки взглядами с дальнего и ближнего расстояний достаточно, блондин пошел на абордаж. Взял и пересел одним ловким скачком на полотенце отличницы. И тоже заинтересованно заглянул в учебник. Руку с бутылкой положив пока на колено. На ее.

Не замечать пристающего у девушки не стало никакой возможности. Но она не засуетилась. Неспешно поднялась, едва не расплескав портвейн из, можно сказать, доверенной ей бутылки. Стала собираться.

Стажер, оставшийся внизу, явно растерялся. И явно вспомнил, что за ним наблюдают. И наставник, и ученики. Вспомнив, повел себя так, чтобы не огорчить первого и не разочаровать последних. По-хамски. По-хозяйски на своей территории. Взял и обхватил отличницу пальцами за щиколотку.

Я встал. И, замешкавшись на секунд пять, вновь опустился на песок.

«Афганец», пьяным взором наблюдавший флирт конкурента с «отличницей», которую он присмотрел первым, подал голос.

Текста, который он издал, я не расслышал. До меня долетел только возглас. Нетрезвый, но протестующий. Призывающий конкурента к корректности. Вряд ли по отношению к девушке. Скорее всего к корректности по отношению к самому себе.

И я вынужден был повременить вмешиваться.

Иначе что же это получилось бы? Что я с «афганцем» — заодно. Что мы с ним вроде как одного поля ягоды. Не хотел я с ним в одно лукошко.

Потому и вернулся на песок.

И еще одно сработало: не выветренная за годы добропорядочной лоховской жизни готовность «развести». Мой давний учитель Маэстро, лихач по жизни и к тому же бывший боксер, только в совсем уже безнадежных ситуациях шел на открытую конфронтацию. «Разводил» до последней возможности. И меня натаскивал: мы — аферисты. Интеллигентные люди. А кулаками махать — удел дураков и «бакланов» (!).

У каждого из нас свои наставники. Блондин-альфонс поступал так, как, на его взгляд, было угодно татуированному корешу. Я выбрал продолжение с подсознательной оглядкой на Маэстро. И на свой притаившийся шулерский опыт. Вернулся на песок с мыслью: «Ну-ка, ну-ка...» И еще мысленно посоветовал отличнице: «А ты, милочка, собирала бы манатки да шла бы с богом. Не видишь: хахалям не до тебя».

Милочка послушалась. Молча, неспешно собрала вещички (блондин, не глядя на нее, даже деликатно приподнял зад над полотенцем) и удалилась. Лирической походкой ушаркала по песку. Незаметно для обоих хахалей.

Да и я лишь краем глаза проследил процесс ее исчезновения.

Я с любопытством и с предвкушением наблюдал нарастающее противостояние. Как было не понаблюдать с удовольствием за редким в последнее время случаем проявления вселенской справедливости. Когда два жлоба, жаждущие поизгаляться над кем-нибудь безобидным, вынуждены бить морды друг дружке.

Впрочем, мордобой пока не предвиделся.

Оставшиеся с носами соперники вели дистанционную борьбу взглядами. И словами. Оценивали друг друга с безопасного расстояния. На манер двух заблаговременно запримечивших друг друга тех самых дворовых собак, не спешаших сокращать расстояние.

Сразу стало понятно, что оба они, и блондин и «афганец», таки дворняги. По-настоящему духовитым, бойцовым псам оценивать нечего.

Поначалу сцену общения двух незадачливых рыцарей куража и хамства я созерцал исключительно праздно. И праздно оценивал происходящее. Примерно так:

«Афганец», конечно, рыло блондину начистит. Нос-то у него, у «афганца», перебит неспроста. Опыт мордобоя, так сказать, на лице. Одежка камуфляжная, тоже, возможно, неспроста. Да и не в одежке дело. Этот, закамуфлированный, явно духовитее. Во-первых, одернул, затеял открытое противостояние он. А то, что не спешит сокращать расстояние, так то — или от пофигизма, или от невозможности по причине упития. С «отличницей» он это расстояние тоже не спешил сокращать. Зато блондин... Он хоть и мясистее, но сырой. Что это за хулиган, который на первое же одергивание со стороны «ведется»? Вступает в постыдные словесные пререкания с одернувшим. Точно, стажер».

Упитанный, фигуристый блондин явно дал слабину. Купился на вдавленный, глядящий в сторону нос оппонента и его, оппонента, обмундирование. Да и окрик сбил его с толку. С хулиганами-дилетантами такое бывает. Когда их одергивает кто-то неказистый, они вдруг по-дилетантски тревожатся: может, неспроста одернул. Может, что-то за этим кроется...

В общем, устное противостояние рыцарей затягивалось, способствуя предвкушению. Разумеется, не только моему.

Большинство пляжников повременили покидать партер-берег, окружающий сцену, на которой разворачивалось занятное и безопасное действие. Главное — безопасное.

С некоторых пор, с того неопределенного момента, когда собственный юношеский максимализм стал затухать, я все более миролюбиво отношусь к толпе. В смысле — к скоплению добропорядочных обывателей, которых когда-то рассматривал исключительно с точки зрения собственного потенциального благосостояния.

Точку этого самого зрения сменил — и отношение изменилось. Обыватели — славный, гостеприимный народ, позволяющий каждому затесавшемуся в его ряды чувствовать себя безмятежно. Как овце в гуще отары.

Вот если бы не эта жажда праздного соглядатайства чужих конфликтов, безопасных для себя мордобоев. Жажда, замаскированная под ожидание вселенской справедливости.

Я был уверен, что если «афганец» исхитрится встать и устоять на ногах, если он дожмет блондина тем, что сам возьмется сокращать расстояние между ними, то его более увесистый и трезвый соперник-пловец «поплывет» окончательно. Только заградительный отряд, состоящий из шпаны и татуированного наставника, помешает ему спастись бегством. Тем интереснее обещало быть продолжение.

Но «афганец» не развил успех. Не встал с песка, не отправился дожимать соперника.

Я вдруг заподозрил: не потому, что он был не в состоянии встать и отправляться куда бы там ни было. Успех полного подавления был ему ни к чему. Не для того он замечание блондину делал, чтобы демонстрировать тому собственное превосходство, чтобы потом дожимать. Он всего лишь увидел, что к девушке, которая ему приглянулась, кто-то подо-

шел, причем подошел не вполне прилично. И, увидев, повел себя, как и положено пьяному гражданину, утратившему аналитические способности. Непо-
средственно и недальновидно одернул подошед-
шего.

И еще я понял, что камуфляжная форма и перебитый нос — таки камуфляж чистой воды. Овца он.
Такая же, как все мы, окружающие. Только упив-
шаяся и, возможно, по этой причине забредшая на
выпас-пляж не вовремя.

А потом то, что перед ним никакой не хищник,
понял и блондин. По причине начальной обеспоко-
енности понимал он долго — может быть, дольше
всех на пляже. Но в конце концов его осенило до-
гадкой. Озаренный, встал и вальяжной, многообе-
щающей походкой направился к «афганцу».

Но сомнения, видать, еще беспокоили стажера.
Подойдя, он на всякий случай еще какое-то время, с
минуту, посидел рядом с «афганцем» в позе «лотоса». Попререкался с ним в упор. Убеждался в том,
что попытка рукоприкладства не окажется для него,
стажера, чревата. Убедился.

«Афганец» так и не обозначил собственную способность к решительным действиям.

А тут еще пацаны-беспризорники... Как только
блондин пошел на сближение, детвора воробьиной
стайкой вспорхнула с песка. Подалась за ним. При-
землилась опять же полукругом за спиной преподавателя. На безопасном, но близком расстоянии.
Чтобы что-то не проглядеть в уроке. Что-то очень
существенное для своей беспризорной жизни.

И тогда педагог-стажер дал сам себе отмашку.
Махнул рукой перед самым перебитым носом оппонента. Кажется, задел нос.

«Афганец» вскочил. Так, должно быть, полагал

он сам. В смысле, что вскочил. Пьяно засуетившись, он предпринял попытку зафиксировать свое тело всего на двух точках. На ступнях. При этом напомнил циркового эквилибриста, ступившего на проволоку. Эквилибриста-клоуна. Как и клоуну, попытка в конце концов ему удалась.

Детвора, внимающая действу, захохотала. Вполне по-взрослому. Безжалостно, подло.

Хохот зрителей-учеников вдохновил стажера. Тем более что пантомимический этюд, исполненный соперником, придал ему чувство полной защищенности.

Чувство защищенности у хулигана — это самое скверное, что может быть при пересечении с ним. Разумеется, самое скверное не для хулигана. Вот чего нельзя ему давать до последней возможности.

«Афганец» дал. Непредусмотрительно окрылил соперника собственной беспомощностью. С другой стороны, какая предусмотрительность у пьянчуги?

Впрочем, оказавшись на ногах, он стал скоропостижно трезветь. Быстрее опасности хмель из головы изгоняет только унижение. Возможно, до щелчка по носу «афганец» и вовсе был не в состоянии встать. А тут быстренько закрепился на песке. Опять же, точь-в-точь как преобразившийся клоун на проволоке.

Закрепившись, еще разок схлопотал по мордам. Не сильно, вновь отмашкой. Но не потому, что уверившийся в себе блондин продолжил изгаляться. Блондин-то как раз, обнаружив, что враг катастрофически трезвеет, вновь обеспокоился. И не засветил в перебитый нос от всей своей стажерской души только потому, что уже не был уверен в том, что полноценное рукоприкладство сойдет ему с рук.

В следующий момент уверенности в нем еще

убыло. «Афганец» непредвиденно сорвал со своей непутевой головушки «афганку» и залихватски влепил ее в песок себе под ноги. С видом: «Все... Если никто не удержит...» И принял опять же несколько комичную стойку циркового борца. Растопырил согнутые ноги и руки, словно ухватил ими невидимую бочку, и с ней, с бочкой, пошел на блондина.

В общем, приступил к следующей клоунской репризе.

Впрочем, несмотря на комичность позы, я заподозрил, что сегодняшний досуг блондина окажется не таким уж безмятежным. Тем более заподозрил это блондин. Еще когда шляпа ударилась о песок, он нервно отступил на шаг. Словно «афганка» могла оказаться взрывоопасной. Больше того... Отступив, он постыдно принял подобие боксерской стойки. Так сказать, в пику «афганцу».

«Воробьи»-пацаны вновь вспорхнули. «Отлетели» на более безопасное расстояние, расширили полукруг. Притихли.

С полминуты участники циркового поединка молча и озадаченно переминались с ноги на ногу друг напротив друга. Клоун-«афганец» явно понятия не имел, что ему делать с бочкой, а блондин никак не мог оправиться от потрясения, вызванного залихватскостью этого алкаша-оборотня.

Через полминуты такого бесперспективного противостояния татуированный наставник стажера утомленно оторвал тощий зад от песка. Отряхнул его. Снисходительно и неспешно двинулся к месту схватки.

И тогда я неопределенно крикнул:

— Юноша!

И тоже направился к циркачам. Снисходительно и не спеша.

Маэстро был бы мной доволен. Я крикнул то, что требовалось, и пошел так, как требовалось. Как требовалось от уважающего себя шулера...

Тут надо бы дать читателям и себе отчет в том, чего я поперся к месту схватки. Чего вздумал поучаствовать в конфликте. Ну, допустим, поначалу, когда «отличнице» светила угроза хамства, во мне взбрыкнуло то самое пресловутое юношеское ощущение: «Так не должно быть».

Но теперь-то... «Отличница» благополучно свалила. А вступаться за «афганца», за эту овцу, вырядившуюся в волчью шкуру, я вовсе не собирался. Ну и что, что он «свой»? Зачем тогда «своих» обывателей с толку сбивал? Безмятежное существование отравлял волчьей личиной. Назвался груздем... выбирайся из кузова сам.

Другое тут было... Во-первых, я не за своего заступаться пошел, а отправился предъявлять права на аренду. И во-вторых, пацанве этой, в душах своих воробьиных происходящее конспектирующей, вздумал я свой урок преподать. Какой? А черт его знает. Внятно темы не было. Было только желание развенчать учение, которое прививали им эти два гуру: блондин и татуированный.

Итак, крикнув: «Юноша!», я снисходительно и не спеша направился к драчунам.

И окрик, и походка сработали. Все участники действа замерли. Так замирают актеры, репетирующие сцену спектакля, когда режиссер командует: «Стоп! Никуда не годится!»

Я по-режиссерски крикнул. Они по-актерски отреагировали.

— Не годится, — сказал я, подойдя. Деловито сказал. И указал, что именно не годится: — Во-первых, лупить друг друга будете один на один. А во-вторых, там, за забором. — И мотнул рукой в сторону ракушечного забора, огораживающего пляж с одной стороны.

— Нет проблем, шеф, — с готовностью откликнулся стажер. Точь-в-точь как тот жлоб, который двадцать три года назад помешал мне заниматься художественным свистом.

Меня больше беспокоила ожидаемая реакция «татуированного». Но и тот проявил послушание. И даже озвучил его, подтвердив:

— Нет проблем. Один на один. — Интересно, кого он, хулиган, во мне разглядел? Неужто каталу?

— Я не хочу драться, — объявил вдруг «афганец». Спокойно объявил и, что самое поразительное, абсолютно трезвым тоном. Объявил и пошел к кромке воды, к месту своей начальной дислокации. Подобрал сандалии, майку и бутылку и как ни в чем не бывало направился к противоположному от забора выходу с пляжа.

— Стоять!.. — вдохновился пассивностью соперника блондин. Вдохновился не столько ею, сколько присутствием режиссера. Меня. Метнулся наперерез отступающему врагу.

— Бутылку выброшу, — просто объявил «афганец» ему, возникшему на пути.

— Ша, — сказал я блондину. — Не суетись. Никуда он не денется.

Стажер отступил. Но все же настороженно следил за соперником, готовый пуститься в погоню.

«Афганец» нес бутылку небрежно, зажав двумя пальцами. Словно и впрямь подобрал ее только для того, чтобы бросить в урну у выхода.

Я вдруг понял, что, дойдя до урны, он таки даст деру. Я хотел, чтобы он его дал. Ей-богу, такое завершение спектакля было бы мне по душе (о том, что в данный момент я на преподавательской работе, вдруг забыл). Уж я бы не позволил развиться погоне. Одернул бы оставшихся какой-нибудь очередной режиссерской репликой, вроде того, что: «Ну все, все... Пусть идет. Он тут случайный человек». (Где «тут»? В этом спектакле-цирке? В сборище беспризорников, хулиганов и катал?)

Но «афганец» бросил бутылку в урну. И пошел, дурак, назад. К нам. И, подойдя, повторил:

— Я не буду драться.

Беспризорники осуждающе зачирикали.

— Ты гонишь? — взвился блондин. И подался к сопернику.

Татуированный никак не проявил себя. Присутствовал с отсутствующим видом.

— Не здесь, — повторил я. И режиссерской походкой направился к забору.

Маэстро поставил бы мне «отлично». Я не сомневался, что все делаю правильно. «Развожу». По возможности контролирую ситуацию. Веду себя при этом достойно. Но удовлетворения от того, что делал, — не испытывал. Какое, к черту, удовлетворение...

Я вел за собой к забору труппу, освобождая от нее пляж. Продлевая право на него отдыхающих.

Но, ведя, смутно понимал... То ли понимал, то ли ощущал: не потому этот протрезвевший дуралей хотел покинуть сцену-ристалище, что струсил. А просто... Спектакль был ему противен. И он всего лишь собирался поступить самым непосредственным и логичным образом: уйти, чтобы не участвовать в том, что ему противно. Откуда он такой непосредственный выискался? Со своим перебитым носом. Уж точно не из Афгана. Что ни делает — все непродуманно. Непродуманно является на пляж не в свое время. Непродуманно замечание бугаям делает. Непродуманно возвращается, выбрасывая бутылки в урны. Странно, что при таком благоразумии он всего лишь с перебитым носом. А не, скажем, с костылями.

Несмотря на мое указание доиграть сцену за забором, до забора блондин не утерпел. Сдали стажерские нервы. А может, он просто вспомнил собственную нерешительность в момент недавнего противостояния лицом к лицу с «афганцем» и способность того к перевоплощению. Как бы там ни было, но на этот раз он решил не рисковать. Атаковал с гарантией успеха атаки. Звезданул конвоируемого им соперника сзади и сбоку. Куда-то в область уха. Крепко звезданул. По-видимому, решил поставить все на один удар. Но нервы и тут подвели. Иначе чем объяснить то, что «афганец» устоял. Только ли тем, что стажер не сумел загнать весь свой вес в кулак, или тем, что умудрился промахнуться, ударить вскользь.

Я обернулся на звон удара и всплеск чириканья. И увидел, что «афганец» держится за ухо левой рукой. Лица его видеть не мог, потому что оно было направлено на блондина. Потом все же он обернулся ко мне. Растерянно-недоуменно.

У меня еще теплилась надежда. На то, что перебитый нос «афганца» все же окажется признаком наличия у того боксерских навыков. А что... У боксеров это бывает. В смысле — нежелание мордовать несмышленых задиристых граждан. Боксерское происхождение «афганца» хоть как-то объясняло цепь его неблагоразумных поступков. Я надеялся, что вот сейчас он прояснит все отработанным хуком слева.

Первый же прием, который попытался провести этот дуралей, рассеял надежду.

«Афганец», не отрывая левой руки от раненого уха, ничуть не по-боксерски замахнулся на блондина сандалиями. Замахнувшись, спохватился. Недоуменно посмотрел на них, зажатых в отведенной руке. И бросил сандалии на песок. Так киношный благородный боец отказывается от оружия, когда враг его безоружен.

Все. Шансов выйти достойно из ситуации, в которую он сам себя загнал, у этого закамуфлированного дурака уже не было. Ни единого. Еще пару пробных попаданий по ушам — и трусоватый тугодум блондин окончательно поймет это. И непременно устроит пиршество своей наволновавшейся душонке.

Что там уже было понимать?.. Замах сандалиями окончательно выявил бойцовскую никчемность «афганца».

Пиршество началось...

До того как, сменив имидж режиссера на имидж рефери на ринге, я поспешил дать команду «Брек!», пловец пошел грести мясистыми руками. По-стажерски непрофессионально, но увесисто молотить в дармовую простецкую физиономию. Почти дармовую. Парень в камуфляжных штанах неуклюже отмахивался тощими руками от избивавшего его. Отмахивался, как от наваждения.

То, что первые же удары отбросили «афганца» на обломок ракушечной скалы, ничуть не удовлетворило бившего. Он ринулся добивать поверженного.

Я ухватил блондина за локоть. При этом сдержанно, как и положено рефери, скомандовал:

— Ша!

И приказал флегматичному урке:

— Все. Забирай своего. С этим все ясно.

Обернулся к исцарапанному о скалу, сочащемуся кровью «афганцу». Бросил ему:

— Пошли. — И собрался увести его с пляжа через калитку в заборе. На мой взгляд, на данном этапе это был лучший вариант для него избежать продолжения экзекуции.

— Не уйду, — сказал вдруг избитый. Не сказал — прошамкал расквашенными губами.

Это уже было черт-те что. Неблагоразумие тоже должно знать меру. Я подумал: «Прибьют же. Не было бы меня — уже прибили бы...»

При этом точно знал, видел: этот придурок отказывается покидать пляж вовсе не потому, что ему есть на кого рассчитывать.

— Не уйду, — повторил расквашенный. И добавил резонно и глупо: — Почему я должен уходить? — И шагнул от скалы.

Последующий за этим удар блондина, рассерженного вопросом, я пресечь не успел. Стажер исхитрился достать принципиального умника, юркнув мне за спину.

Попадание в скулу отшвырнуло «афганца» к воде. Следующие несколько «колотух» загнали его по колено в море.

Стажер, вошедший во вкус, подался за ним. Уже там, в море, сбил его с ног. И продолжил лупить пытающееся выныривать обезображенное лицо.

Кажется, я успел изумиться: «Как он его бьет... Но зачем? Все уже и впрямь ясно... Убить, что ли, хочет... Утопить...»

Возможно, я тогда подумал так, а может быть, позже мне причудилось, что подумал, но точно помню другое свое ощущение в тот момент. Ощущение самопожертвования, которое возникло во мне, когда я, как был — в кроссовках, шагнул в воду.

В воде я отодрал блондина от утопающего. Довольно грубо толкнул его в спину. В направлении берега. Рыкнул при этом:

— Все, хорош. Валите отсюда. Этого я уведу. — И взялся извлекать из воды «афганца».

Он по мере возможности помогал мне.

Когда мы выбрались из воды, блондин и татуированный уже двигались в направлении своего лежбища. Отошли метров на тридцать.

— Не уйду! — как мог громко крикнул им вслед недобитый.

Парочка растерянно остановилась.

— Уймись, — сказал я дураку. И, цепко держа его за локоть, повел к проему в заборе.

За забором начинался соседний пляж, небольшой пустынный залив.

Оказавшись на его берегу, «афганец» вдруг схватился руками за свое разбитое лицо. Не схватился — закрылся ими. И затрясся. Разрыдался, что ли?.. Сотрясаясь, не отрывая руки от лица, бросился в воду. С головой.

Вынырнул и тут же погрузился в море снова. Повторил процедуру раз пять. Не помогло. И тогда он запричитал:

— Как он меня бил... За что?.. Зачем?.. Как теперь жить?..

Причитая, пошел из воды.

Я слышал его всхлипывания, деловито подсказывал:

— Умойся еще... Вот тут смой... И на плече кровь... Спину тоже сполосни, ободрал... — и с изумлением осознавал: неизвестно, чем в большей степени потрясен этот простак — собственным унижением или тем, что человек, пусть и его враг, оказался способен на такое.

Он весь был в себе, в этом своем потрясении. Выполнял мои указания, но автоматически, не замечая меня. Так, не замечая и продолжая задаваться вопросом «Как жить?», уковылял по тропинке, начинающейся за забором и теряющейся в зарослях склонов.

Я вернулся на пляж. Чавкая кроссовками, пересек его только затем, чтобы покинуть с другой стороны. Зачем проделал этот лишний путь? Может быть, для того, что подчеркнуть всем (и себе), что у нас с «афганцем» разные дорожки в этой жизни. Это объясняло, почему я полноценно не помешал избиению.

Пересекая пляж, я старался не смотреть по сторонам. Зачем было смотреть? Я и так ощущал одобряющие взгляды обывателей, направленные на меня.

Проходя мимо уважительно взирающей на меня парочки гадов и восхищенно пялящейся детворы, я строго и назидательно спросил у блондина:

— Ты хотел его убить?

И почувствовал омерзение к себе...

Я был уверен, что «афганец» на следующий же день объявится на пляже, хотя никогда прежде его здесь не видел (а может, не замечал). Он должен был объявиться. Просто для того, чтобы доказать себе, что имеет на это право. Так бы поступил я сам.

Но он не пришел. Ни на следующий день, ни позже. Мы с ним по-разному понимали правильность поведения в этой жизни. В ее экстремальных ситуациях. У этого парня были другие учителя. Я так и не узнал: какие именно. Не узнал, хотя очень хотел бы знать...

P.S. Да... Так почему в названии учтены только два персонажа? Нас же, действующих персонажей, там, на пляже, было трое (урка и детвора — не в счет). Да потому, что третий, я, проявил себя одновременно и тем и другим. Негодяем и дураком. Это не кокетство и не исповедь. Стыд. И тоска. По возможной, но несостоявшейся по моей вине дружбе.

ОГЛАВЛЕНИЕ

Литературно-художественное издание

Барбакару Анатолий Иванович

«ЗАКОН ДЖУНГЛЕЙ»
СПОСОБЫ ВЫЖИВАНИЯ

Ответственный редактор *С. Рубис*
Художественный редактор *В. Щербаков*
Художник *В. Петелин*
Технический редактор *О. Куликова*
Компьютерная верстка *Т. Жарикова*
Корректор *Т. Павлова*

ООО «Издательство «Эксмо»
127299, Москва, ул. Клары Цеткин, д. 18, корп. 5. Тел.: 411-68-86, 956-39-21.
Интернет/Home page — www.eksmo.ru
Электронная почта (E-mail) — **info@ eksmo.ru**

По вопросам размещения рекламы в книгах издательства «Эксмо»
обращаться в рекламное агентство «Эксмо». Тел. 234-38-00.

Оптовая торговля:
109472, Москва, ул. Академика Скрябина, д. 21, этаж 2.
Тел./факс: (095) 378-84-74, 378-82-61, 745-89-16, многоканальный тел. 411-50-74.
E-mail: **reception@eksmo-sale.ru**

Мелкооптовая торговля:
117192, Москва, Мичуринский пр-т, д. 12/1. Тел./факс: (095) 411-50-76.
1 марта 2004 года открывается новый мелкооптовый филиал ТД «Эксмо»:
127254, Москва, ул. Добролюбова, д. 2. Тел. (095) 780-58-34

Книжные магазины издательства «Эксмо»:
Супермаркет «Книжная страна». Страстной бульвар, д. 8а. Тел. 783-47-96.
Москва, ул. Маршала Бирюзова, 17 (рядом с м. «Октябрьское Поле»). Тел. 194-97-86.
Москва, Пролетарский пр-т, 20 (м. «Кантемировская»). Тел. 325-47-29.
Москва, Комсомольский пр-т, 28 (в здании МДМ, м. «Фрунзенская»). Тел. 782-88-26.
Москва, ул. Сходненская, д. 52 (м. «Сходненская»). Тел. 492-97-85.
Москва, ул. Митинская, д. 48 (м. «Тушинская»). Тел. 751-70-54.
Москва, Волгоградский пр-т, 78 (м. «Кузьминки»). Тел. 177-22-11.

ООО Дистрибьюторский центр «ЭКСМО-УКРАИНА». Киев, ул. Луговая, д. 9.

Северо-Западная компания представляет весь ассортимент книг
издательства «Эксмо». Санкт-Петербург, пр-т Обуховской Обороны, д. 84Е.
Тел. отдела реализации (812) 265-44-80/81/82.

Сеть книжных магазинов «БУКВОЕД». Крупнейшие магазины сети «Книжный супермаркет»
на Загородном, д. 35. Тел. (812) 312-67-34 и Магазин на Невском, д. 13. Тел. (812) 310-22-44.
Сеть магазинов «Книжный клуб «СНАРК» представляет самый широкий ассортимент книг
издательства «Эксмо». Информация о магазинах и книгах в Санкт-Петербурге по тел. 050.

Всегда в ассортименте новинки издательства «Эксмо»:
ТД «Библио-Глобус», ТД «Москва», ТД «Молодая гвардия»,
«Московский дом книги», «Дом книги в Медведково», «Дом книги на Соколе».

Весь ассортимент продукции издательства «Эксмо»
в Нижнем Новгороде и Челябинске:
ООО «Пароль НН», г. Н. Новгород, ул. Деревообделочная, д. 8. Тел. (8312) 77-87-95.
ООО «ИнтерСервис ЛТД», г. Челябинск, Свердловский тракт, д. 14. Тел. (3512) 21-35-16.

Книги «Эксмо» в Европе — фирма «Атлант». Тел. + 49 (0) 721-1831212.

Подписано в печать с готовых диапозитивов 04.02.2004
Формат 84x108 1/32. Гарнитура «Таймс». Печать офсетная
Бум. тип. Усл. печ. л. 20,16 + вкл.
Тираж 4 000 экз. Заказ № 631

Отпечатано с готовых диапозитивов во ФГУП ИПК
«Ульяновский Дом печати». 432980, г. Ульяновск, ул. Гончарова, 14